だいわ文庫

紛争から読む世界史

あの国の大問題を日本人は知らない

荒巻豊志

JN080541

大和書房

はじめに 「紛争」とは何か

この本は、現在の日本や世界で起こっている紛争について、その背景を説明しようと試みるものです。

そこで、最初に紛争とは何かということを話していきます。

世界各地で紛争が起こっているのはわかるけど、日本はどこかと紛争してるんだったっけ？　と思われた方へ。

こういう問いを思い浮かべるのは、紛争と聞いたら武力紛争のことしか念頭にないからでしょう。実際に日本国内の「揉め事」や日本国と他国の「揉め事」について紛争という語をあてて説明することが、様々なメディアを見る限り、ほとんど見当たりません。

日本の領土をめぐる問題といえば、竹島、尖閣諸島、北方領土が思い浮かびますが、これらを「領土問題」と表現することがあっても「領土紛争」と呼ぶ人はあまりいない感じがしています。実際に外務省のホームページを見ても、尖閣諸島については紛争どころか問題すら存在しない、と明記されています。北方領土については「問題を解決」という語を使っていますが、紛争の語はありません。竹島についてのみ、「紛争を解決する考え」と記されています。

世の中には様々な揉め事があります。たとえば隣人が毎晩夜中にどんちゃん騒ぎをしてうるさいので、注意しても事態が改善しないということも揉め事ですね。このようなケースで裁判になった場合、これは民事紛争という言葉を使います。

本編でも紹介しますが、**『記憶の政治――ヨーロッパの歴史認識紛争』**（橋本伸也／岩波書店）という本があります。表題を見てお気づきになったでしょうが、歴史認識に紛争の語をつけています。「歴史認識論争」という物言いをしていないのです。

もちろん、言葉の定義なんて人それぞれだし、紛争を武力紛争に限定して考えることが悪いわけではありません。でも、この本では紛争を「揉め事」として捉え、武力紛争ではない争いも紛争として扱います。ただ、民事紛争のような個人と個人の揉め事について話し出すとキリがないので、本書では国家をめぐる揉め事＝紛争にかぎって話したいと思っています。

まず第1章ではぼくたちの中にほぼ無意識に組み込まれている**国家のルーツがヨーロッパにある**ことを確認し、ついでどのように国家間紛争が展開されてきたのか、及びその国家を一人ひとりの人間が同一視する（これをナショナリズムと呼ぶ）流れを見ていきます。

こうしたことが地球規模に広がりを見せることによって、ヨーロッパ以外でも同様の紛争が広がっていく。まさに世界の一体化が進むにつれて、ヨーロッパで起きていることも非ヨーロッパで起きていることも、地域ごとに多少の違いはありながらも同質な動きを見せることを、大雑把ですが把握してほしいと思っています。世界の歴史の大きな流れを摑《つか》むためには国ごとの歴史を集めていくだけではなく、同時代を全体として捉えることが必要です。

第2章と第3章では、第1章を踏まえて**ヨーロッパが生み出した諸原理によって非ヨーロッパにおいてどのような紛争が生じたのか**を具体的に見ていきます。世界各地の紛争カタログといった感じになります。でも、こんなことも知らないようでは恥ずかしいよ、という一般教養的な情報を伝えていきます。

第4章では20世紀後半の、冷戦と呼ばれる時代から現在にかけて**ヨーロッパで生じ**

ている歴史認識紛争について見ていきます。国民国家にとって何が国民意識をつくるのか。それは国民の集合的記憶としての歴史です。どのように第二次世界大戦の記憶を「忘却」して国民の物語が紡がれていくのか。その「忘却」をめぐる対立を見ていきます。

そして第5章では、20世紀を通じて自明の理とされた**民主主義が現在どのような危機を迎えているのか**という話をします。その危機の背景にあるポピュリズム、歴史修正主義、陰謀論といった概念についてお話しします。

どの章からでも読めるように記していますので、興味のある章から読み進めていってもらって構いません。歴史の知識が乏しいという方は、最初からゆっくりと読んでいってください。

では、はじめていきましょう。

荒巻 豊志

紛争から読む世界史

目次

第2章 植民地独立の光と影

第3章　帝国解体の余波

第4章 ヨーロッパにおける歴史認識紛争

第5章 「民主主義」対「権威主義」

※本書の内容は２０２４年６月現在の情報に基づいています。

第1章
世界大戦から世界内戦へ

ぼくたちは近代という時代を生きているようです。時代の区分は後世の人たちが決めることなので、もしかしたら将来、この時代は近代ではないと評価されることになるのかもしれません。

でも、近代という時代の枠組みがまだまだ残っているという感じもしますので、とりあえず近代という時代のあり方が、いつどこからどのようにして生まれ、そして広がっていったかを概観します。

主権国家体制の成立

近代はヨーロッパで成立しました。それは16世紀であると覚えておいて構わないでしょう。日本ではちょうど戦国時代の頃です。ヨーロッパは当時、大西洋を通じて世界の各地に進出します（これをヨーロッパ人による大航海時代と呼ぶ）。

この16世紀、ヨーロッパでは**宗教改革**と呼ばれる出来事が進行していました。この宗教改革が新しい時代＝近代の幕をあける最重要な出来事になります。

ローマ帝国の時代に地中海周辺にキリスト教が広がり、1000年以上の月日を経てキリスト教はヨーロッパに定着していきます。キリスト教は大別して西ヨーロッパに広がるカトリックと東ヨーロッパからロシアにかけて広がる正教（オーソドックス）に分けられます。宗教改革はカトリックにおける出来事です。

カトリックではローマ教皇と呼ばれる最高権威が存在していました。このローマ教皇の権威に挑戦した運動が宗教改革です。

宗教改革を進めたキリスト教のグループはプロテスタントと呼ばれます。プロテスタントにはルター派とかカルヴァン派といったいくつものグループがあり、プロテスタント同士でも仲が悪いところがあり、ヨーロッパで迫害されたプロテスタントの一部は大西洋をわたり、アメリカ大陸に移住していきますが、ここではヨーロッパに話を絞ります。

宗教改革が起こると、カトリックは当然、プロテスタントを弾圧します。この弾圧がうまくいけば宗教改革は失敗するわけで、そうなっていたら宗教改革という言葉も残ることはなかったでしょう。つまり、宗教改革は成功したわけです。

では、プロテスタントはこの弾圧になぜ耐えられたのかというと、各地の君主がプロテスタントを支持したことで生き延びたのです。

君主というのは大半が王と呼ばれる存在です。王に保護されるキリスト教は、ローマ教会（カトリック）とは異なる考えを持つ新しいキリスト教（プロテスタント）で、こうした動きが広まるとヨーロッパ全体でカトリックによる統一が崩れ、複数のキリスト教に分裂するとイメージしてください。と同時に、**ヨーロッパは王が治める複数の地域に分割される**わけです。

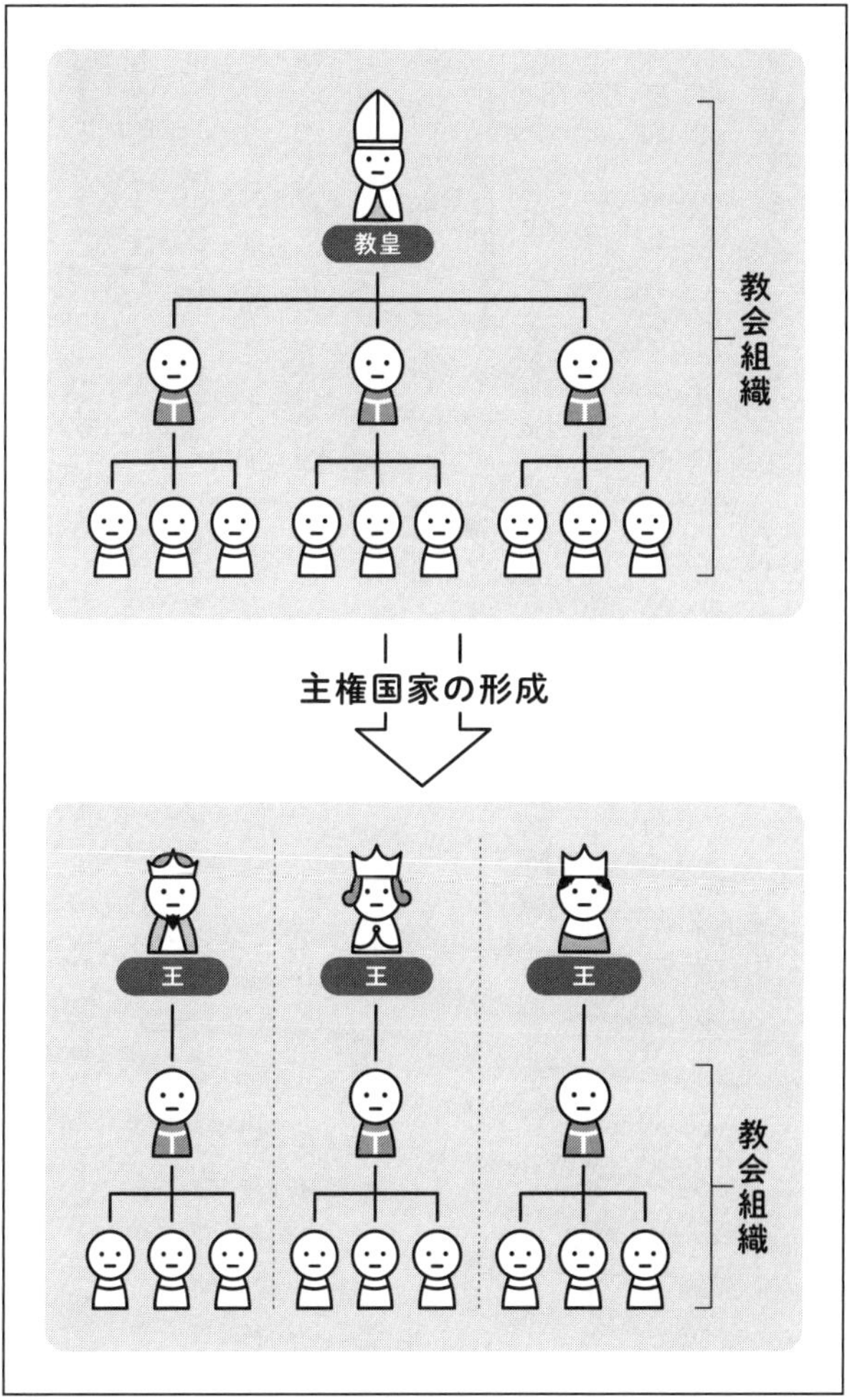
教皇
教会組織
主権国家の形成
王
王
王
教会組織

この王が治める領域を領土と呼びます。ある王が治める領土と別の王が治める領土が接するところが国境です。こうして世界が国境によって区切られることを**主権国家体制**と呼びます。

主権とは対等という言葉と同義です。つまり、王同士の関係が対等だということです。こうした世界観＝主権国家体制と呼ばれる秩序は17世紀から18世紀にかけて徐々に多くの人々に共有されていくことになります。この秩序の成立は１６４８年に結ばれたウェストファリア条約によるものとして、主権国家体制＝ウェストファリア体制と呼ぶこともあります。

主権国家体制に基づく世界観が次の地図です。おそらく多くの人はこの「国境で区切られた世界」という地図を大前提とした世界観を持っているはずです。

ただ、世界はこのような国境で区切られたイメージだけではありません。下のような地形から得られるイメージもあります。地図はぼくたちが世界を認識するために必要不可欠なアイテムなので、様々な地図に慣れることで複眼的な思考ができるようになると楽しいかな、と思っています。

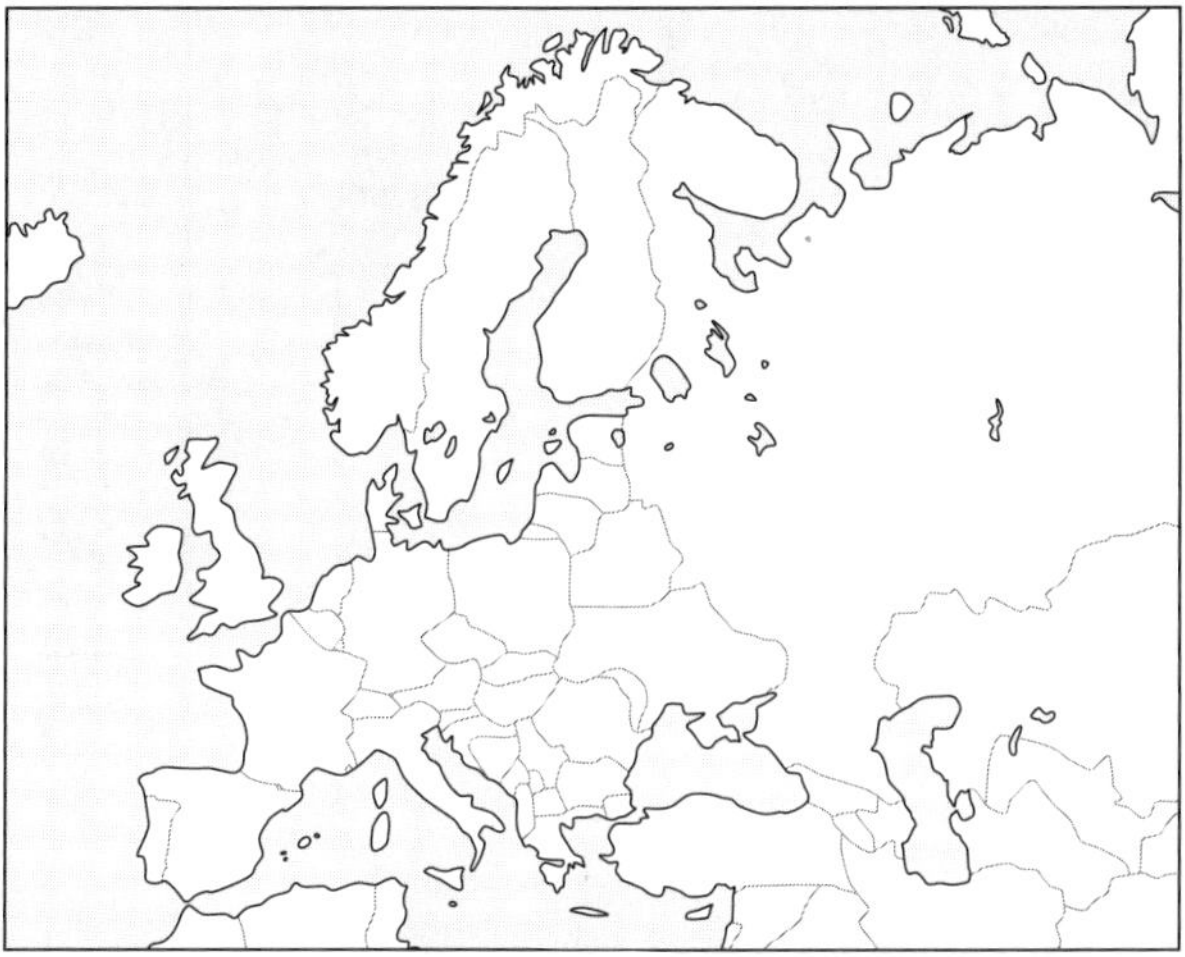

環大西洋革命とナショナリズムの登場

主権とは対等であると先ほど述べましたが、主権にはその領土の中で最高の存在という意味もあります。国家の主権は王が握り、王は他の国の王と対等な関係にあるわけです。

主権国家形成期における王は絶対主義君主と呼ばれていました。ところが、**18世紀後半から王が主権を持つのではなく国民が主権を握る**という新しいタイプの主権国家が成立することになります。

代表的な動きが**アメリカ独立戦争**と**フランス革命**です。ご存じのようにアメリカ合衆国には王（君主）がいません。フランスも革命で王の存在を否定しました。いわゆる共和政国家を打ち立てたのです。この2つの国だけでなく当時大西洋を挟むヨーロッパとアメリカ大陸では、失敗、成功を問わず似たような動きが見られました。これを環大西洋革命と呼ぶことがあります。

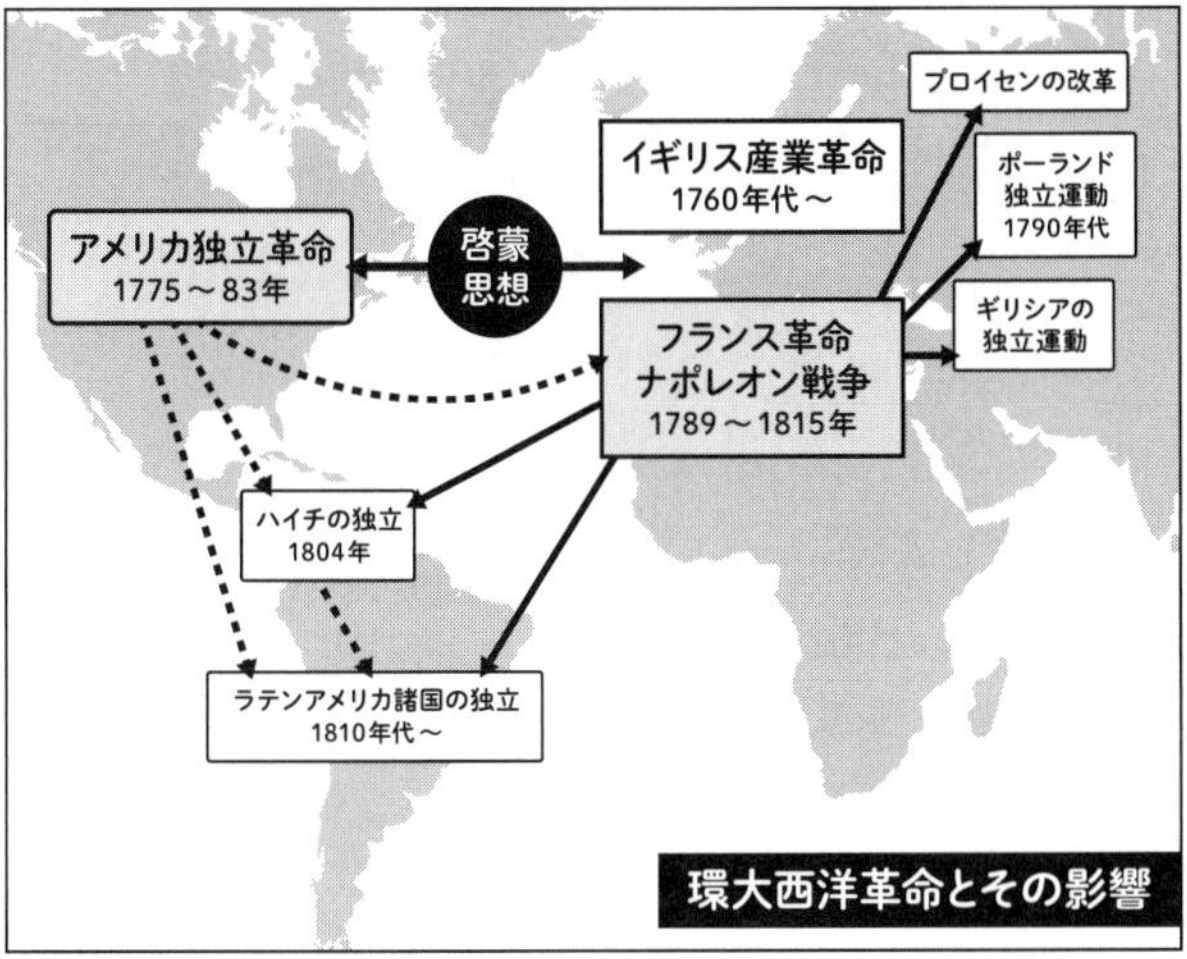

環大西洋革命とその影響

国王主権から国民主権へ。この変化に際して激しい軋轢《あつれき》を伴ったのがフランス革命及び**ナポレオンの登場**でした。革命が進む中で国王ルイ16世をギロチンにかけ、身分制度を廃止するフランスに対し、多くのヨーロッパ諸国は絶対主義体制を維持するために国民主権＝共和政を採った同国へ圧力をかけます。

そして、フランスはヨーロッパ諸国を相手に戦争（フランス革命戦争）に突入することになりますが、ここで見られた現象が**徴兵制とデモクラシー**です。

徴兵制とはいうに及ばず、戦時にお

いて国民が兵士となる仕組みです。その際に嫌々ながら戦争に駆り出されるのではなく自らの国を守るために自発的に戦うのだ、とするためには、自らの国と思えるように国政にも参加する仕組み（デモクラシー）をつくらなければなりません。

実際にフランス革命後に登場したナポレオンは、この徴兵制によって組織された国民軍を使って、一時的にではあるけれどヨーロッパを席巻しました。そのため、多くのヨーロッパ諸国の王は戦争が強くなる国として国民国家を目指したい、しかし、国民主権にすれば王の地位を失うことになる、どうすればよいものかという葛藤を抱くことになるのです。

ちなみにデモクラシーというのは不思議なもので、公正な選挙によって選ばれた議員が集まる議会で国内の意思決定を行なうものだけではなく、ナポレオンのように議会を閉鎖してしまうもの（わかりやすくいえば独裁）まで幅広く存在します。

民主主義論については横に置いて、デモクラシーと国民軍というこの2つの両輪がうまく回る新しい主権国家（国民国家）の理念が**ナショナリズム**と呼ばれるものだということを知っておいてください。

二重革命と国民国家の広がり

イギリスの歴史家エリック・ホブズボームは、19世紀前半を二重革命の時代と呼んでいます。二重革命とは18世紀からイギリスで始まった**産業革命がヨーロッパ大陸に広がったこと、フランス革命に始まる国民国家建設の動き（これを市民革命と呼ぶ）の2つが同時に展開していったこと**をあらわします。

19世紀前半のヨーロッパをウィーン体制と呼ぶことがありますが、二重革命の時代とほぼ重なることになります。ウィーン体制はフランス革命及びナポレオンが引き起こした混乱を収拾し、絶対主義の時代への逆行を目指したものですが、これに対してフランス革命のような共和政を目指す革命勢力が力を伸ばしていきました。

この動きをただ弾圧するのではなく、先に話したように、軍事力の強化という国民国家への誘惑をどうやって絶対主義と接続させるかが問題となります。

1830年代から40年代にかけてヨーロッパの各地で革命が起こります。特に18

48年はヨーロッパ同時革命といっていいほど、各地で革命が起きます。その結果、ロシアを除くヨーロッパ各国はすべて国民国家に移行していくことになります。では、どのようなかたちで国民国家ができたのかというと、それが**立憲君主政**という仕組みです。

フランス革命が提起した国民国家のかたちは共和政でした。君主の存在しない国家です。ところが立憲君主政はその名の通り、君主が存在している。ただ君主は憲法の枠を超える権限は持てないというものです。これをそのまま受容したのが日本の大日本帝国憲法体制（明治憲法体制）です。

現在、ヨーロッパを見ると君主政を採用している国よりも共和政を採っている国のほうがはるかに多いです。1848年の時点では共和政を採用しているのはフランスだけしかありませんでした。ということは、ヨーロッパの政治体制の変化を眺めるにあたってもう一山越えなければなりません。それが2度の世界大戦になります。後ほど話しましょう。

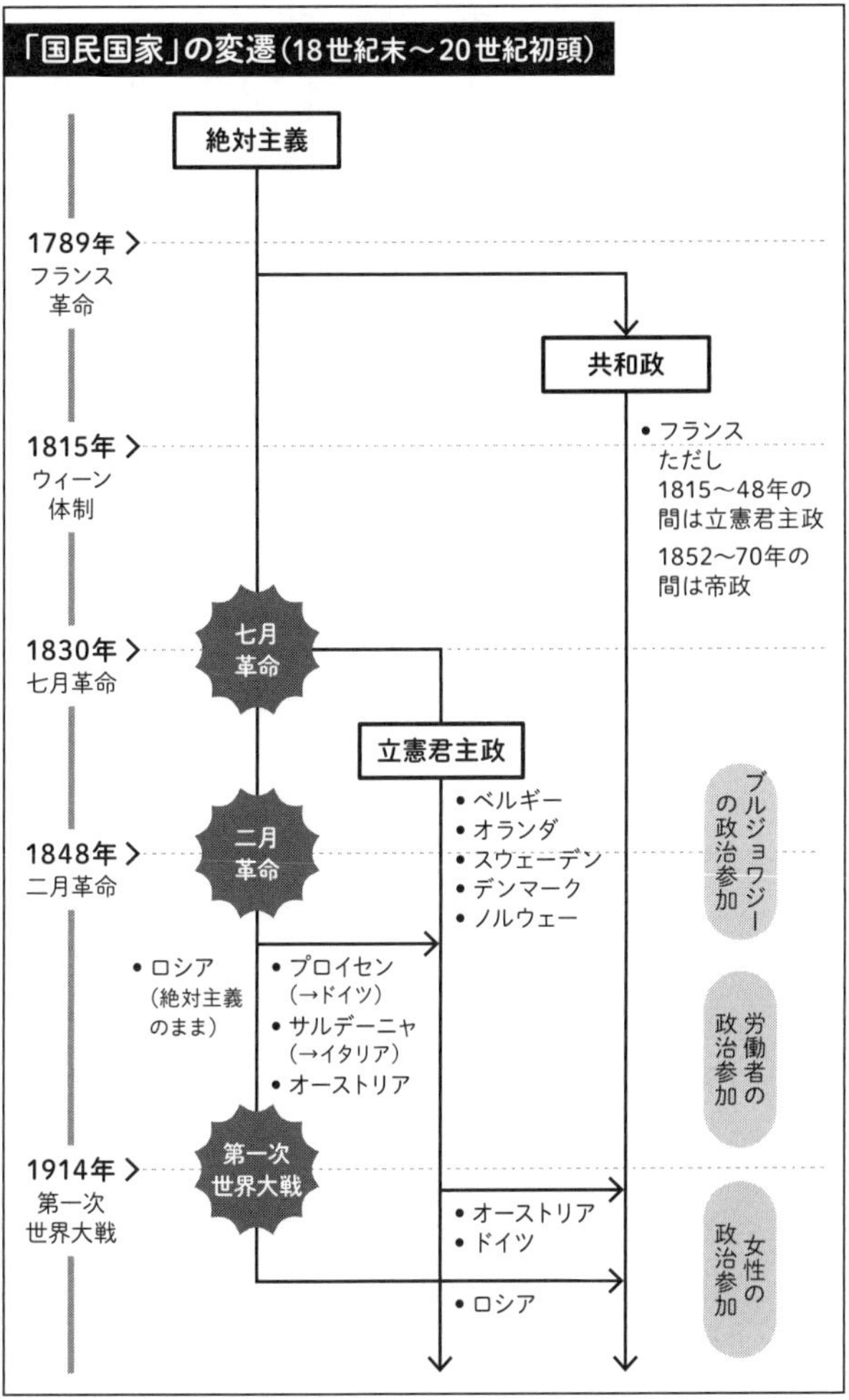
「国民国家」の変遷（18世紀末～20世紀初頭）
絶対主義
1789年
フランス革命
共和政
・フランス
ただし
1815～48年の間は立憲君主政
1852～70年の間は帝政
1815年
ウィーン体制
1830年
七月革命
七月革命
立憲君主政
・ベルギー
・オランダ
・スウェーデン
・デンマーク
・ノルウェー
1848年
二月革命
二月革命
ブルジョワジーの政治参加
・ロシア
（絶対主義のまま）
・プロイセン
（→ドイツ）
・サルデーニャ
（→イタリア）
・オーストリア
労働者の政治参加
1914年
第一次世界大戦
第一次世界大戦
・オーストリア
・ドイツ
・ロシア
女性の政治参加

ポスト1848と民主政治の進展

1848年を経てヨーロッパ各国が絶対主義から国民国家へ移行していく動きとは すなわち、国民国家建設を目指す革命（市民革命）が起きなくなる、つまり、二重革命の時代が終わるということです。

とはいえ、市民革命は起きなくなっても**産業革命**は進み続けるわけです。産業革命の進展は社会を大きく変えていきます。その社会変化の歪みに関する諸問題を解決するために生まれてくる思想が**社会主義**です。

社会主義は、国民国家を社会の歪みを固定化するものとして、国民国家に代わる新たな政治システムの創出を考えます。19世紀後半から20世紀後半に至る100年間は、この社会主義に対抗して国民国家（及び資本主義）をいかにして安定させるかという課題が常に意識されていた時代といえるでしょう。

では、どうやって国民国家を安定させていったかというと、それが**デモクラシーの**

進展でした。具体的には参政権を持つ国民を増やしていくということです。

1848年からヨーロッパ各国で憲法が制定され議会が開設されますが、選挙権を持つのは一部の有産者に限られていました。それが**19世紀末までの間にほとんどの国で男子普通選挙が実現**されます。女性に与えられなかったことはそれはそれで問題ですが、大人の男子にはすべて選挙権が与えられたのは、社会主義への対抗があったからに他なりません。

ただし、政治参加を認めるだけで国民意識が育つわけではありません。国民国家というものは人々の持つ仲間意識を大きく組み替えることだからです。

元来、宗教や身分が人々の仲間意識（アイデンティティといってもよい）をつくっていたのに対して、仲間意識を国家に帰属させるためには、いろいろな仕掛けが必要になります。たとえば、同じ言葉を話しているとか、同じ文化を共有しているとかです。

そして、何より大事なのは**共通の記憶を持たせる**ことです。この共通の記憶で結ばれているという感覚を養うものが**「歴史」**です。この「歴史」を学ぶ教育機関、つまり学校が国民国家形成と同時につくられたのにはワケがあるのです。

大体において学校は2つの役割を持っています。一つは時間の規律に体を合わせていくことです。これは資本主義（工場での労働）と呼ばれる経済の仕組みに順応させるためです。もう一つは国民意識を叩き込むことで、そのために「国語」や「歴史」の授業があるのです。

19世紀フランスの宗教学者、**エルネスト・ルナン**による**『国民とは何か』**（講談社学術文庫）という講演録があります。非常に薄い本なのですぐに読めるのですが、この講演録の中にこれまで何人もの人が引用してきた有名なセリフがあります。それが**「国民の存在は日々の人民投票である」**というものです。

要するに、国民意識というものは「ある」ものではなくて「つくられる」ものである、という意味です。では国民意識をつくるにあたって共有すべき財産となるものは何かといえば、それが「歴史」に他なりません。

「共通の苦しみは喜び以上に人々を結びつけるものです。国民的記憶に関しては、大きな悲しみは勝利より価値があります。それは義務を課し、共通の努力を命じるからです。

国民とは、したがって、人々がこれまで払ってきた犠牲、これからも払うつもりでいる犠牲の感情によって成り立っている大いなる連帯です。」（『国民とは何か』より）

ここでは、学校教育を通じて**共通の記憶としての「歴史」を学ぶことが国民意識をつくりあげるために重要**であることがわかってもらえれば十分です。

ところでルナンはこの講演録の中で興味深いことを話しています。

「忘却、あるいは歴史的誤謬《ごびゅう》と言ってもかまいませんが、それこそが国民創造に不可欠な要因なのです。だから、歴史研究の進歩は、しばしば国民の存在を危うくします。」（同）

これは、国民意識を育てるにあたって嘘をついても構わないということを示唆しています。このことについては第4章で扱います。

とりあえずナショナリズム＝国民国家を建設していくことですが、それは**「歴史」を通して「国民」という同質性を強化していく**ことでもあるのです。

帝国主義と世界分割

19世紀の第三、四半世紀から帝国主義の時代が始まります。非ヨーロッパ（アメリカ大陸を除く）へ勢力を拡大させるにあたって、その先鞭をつけたのはイギリスでした。

簡単に歴史を振り返ると、16世紀から始まるヨーロッパ人による大航海時代に、日本や中国を含めユーラシア各地にヨーロッパの勢力が力を伸ばしました。しかし、日本の鎖国政策が典型例ですが、ヨーロッパの諸勢力はユーラシアのほとんどで撤退していくことになります。

インドだけは18世紀からイギリスの影響が強まっていきますが、それ以外の地域は19世紀に入るまではイギリスでさえ入り込むことはできなかったのです。

ところが19世紀に入って徐々に、まずイギリスが海から陸に向かい、そしてロシアが内陸部から海に向かうかたちでアジアの諸勢力が劣勢に立たされていきます。

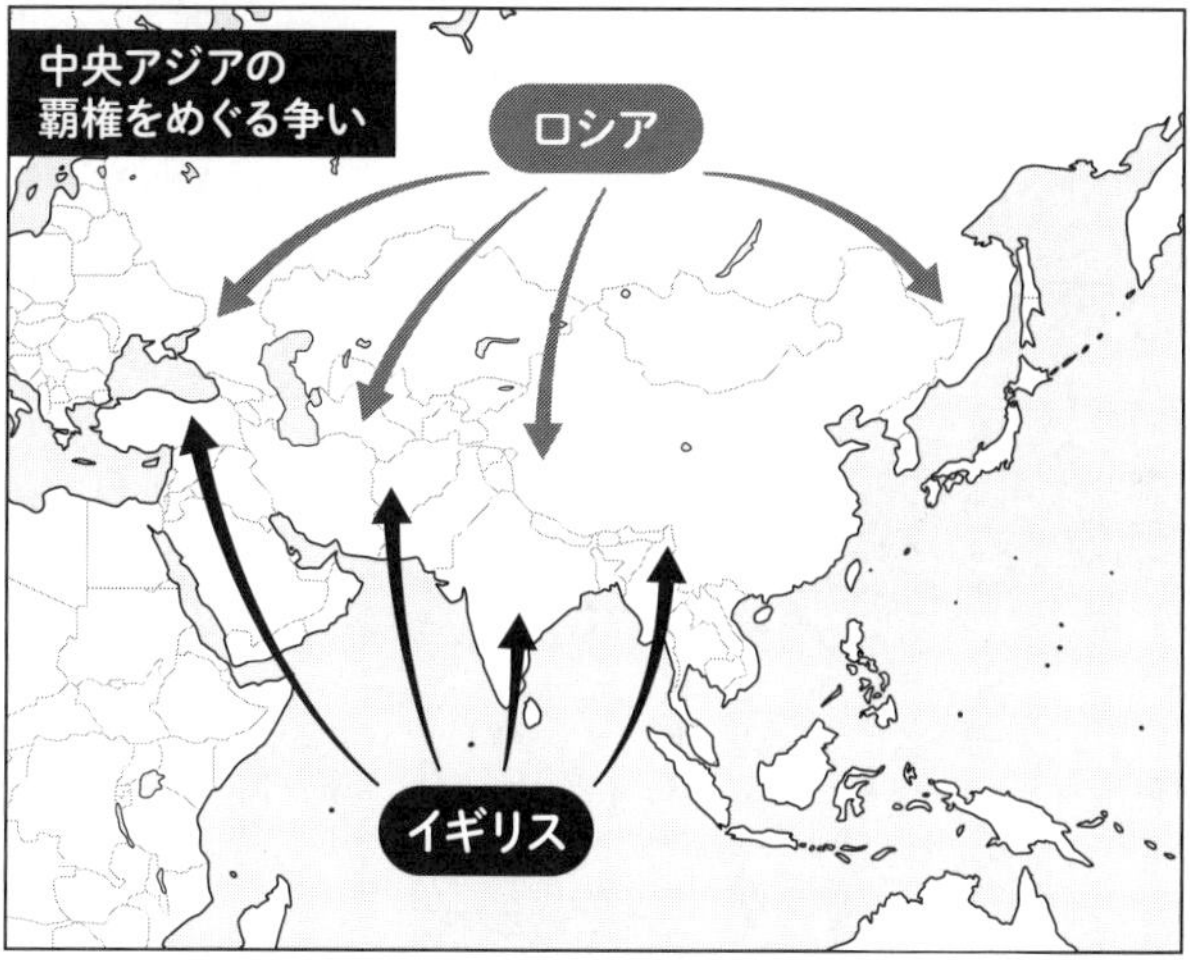

イギリスが中国と戦ったアヘン戦争とアロー戦争、ロシアがこの混乱に乗じて日本海に面する沿海州を獲得したことがそのいい例です。ユーラシアではこのイギリスとロシアの対立（グレート・ゲームと呼ばれる）が展開されますが、アフリカではフランスやドイツ、ベルギー、イタリア、ポルトガルといったヨーロッパの国々が植民地化を進めました。

このことはヨーロッパの原理、つまり**主権国家体制がアフラシア（アフリカとユーラシアを合わせた用語）に広がっていく**ことを意味します。

その際、当然ですが植民地にする側

は、自らの都合で国境線を引いていきます。**今の世界地図には定規で引いたようなまっすぐな国境線が見られますが、それは植民地化に際して引かれた国境線がそのまま残っているから**です。それほど人為的な国境線とはいえなくとも違和感を覚える国境線もこの時代につくられたものです。

2つほど例を挙げましょう。一つがワハーン回廊です。アフガニスタンの北東部に細長く延びている地域です。ここは北からロシア、南からイギリスが力を伸ばしていく中で、両国が緩衝地帯として設けたところです。

もう一つがカプリヴィ回廊です。時のドイツの首相の名をとった地域です。ドイツは植民地にしていた現在のナミビアからインド洋へ抜けるルートを模索していました。当時、イギリスはアフリカ縦断政策を進めていたために、ドイツのこの行動はとても邪魔になります。そこでカプリヴィ回廊をドイツ領とする代わりに、インド洋に浮かぶザンジバルをイギリス領とする交換条約を結びました。

この帝国主義の時代のヨーロッパ勢力の行動を世界分割と呼びます。さらに、この植民地化を肯定する言説があらわれます。それがフランスでは「文明化の使命」、イギリスでは「白人の責務」と呼ばれているものです。人間を優れたものと劣ったもの

ロシア
ワハーン回廊
アフガニスタン
イラン
イギリス領インド

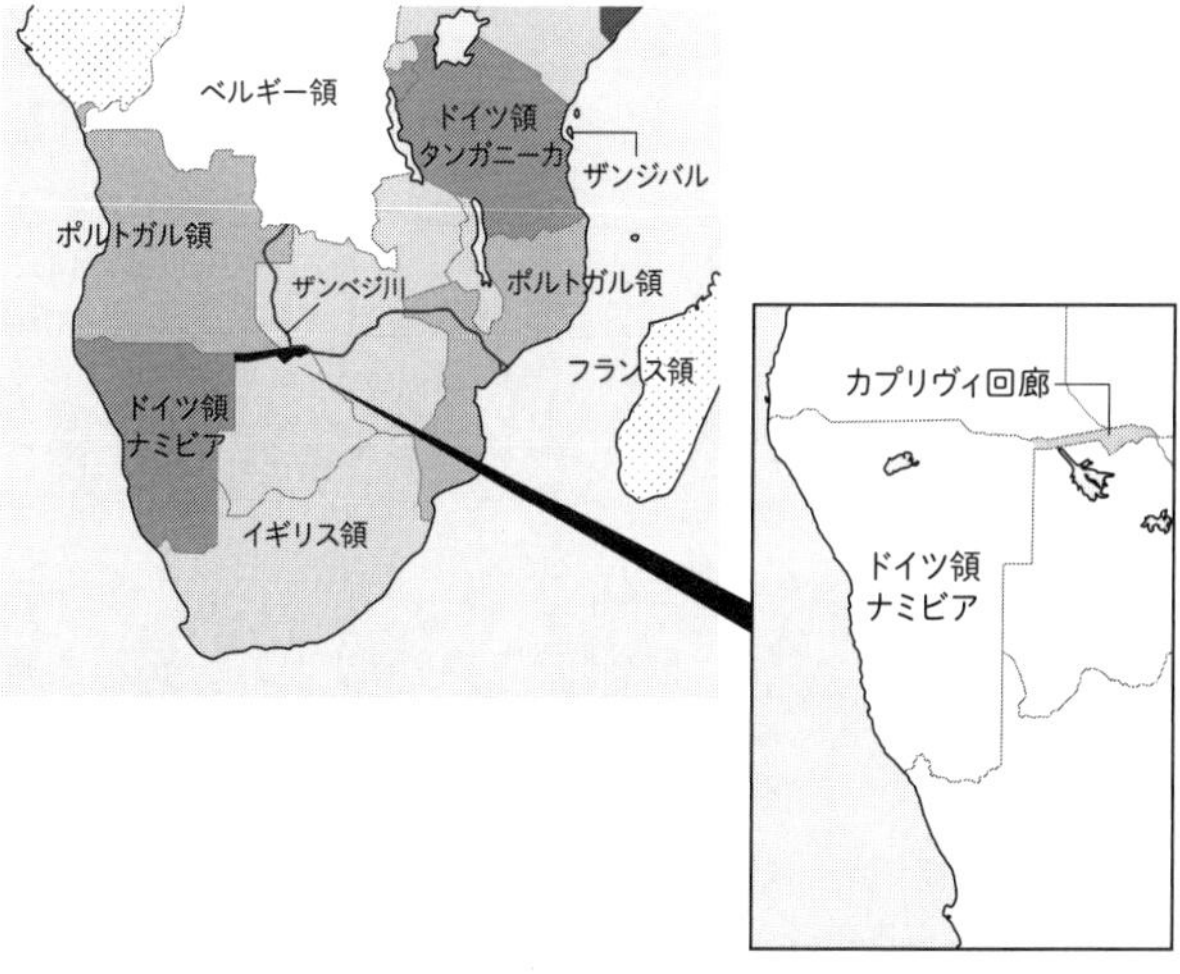
ベルギー領
ドイツ領
タンガニーカ
ザンジバル
ポルトガル領
ザンベジ川
ポルトガル領
フランス領
ドイツ領
ナミビア
イギリス領
カプリヴィ回廊
ドイツ領
ナミビア

に区別し、**自らを優れたものとして、他者の支配を正当化するこうした考えを人種主義***（レイシズム）**といいます。

こうして20世紀初頭までに、国境で区切られた主権国家体制が地球上を覆い、ヨーロッパではナショナリズムの進展によって平等化（均質化）が進むにもかかわらず、人種主義の下で植民地の民衆を支配することが正当化されました。現在まで続く支配と差別の構造が広がったのが帝国主義の時代です。

（＊人種主義にもとづく差別が人種差別である。人種差別は肌の色の違いによる差別だけではない。性差別や部落差別なども人種差別である。）

総力戦としての第一次世界大戦

19世紀の100年間を通してヨーロッパ各国は国民国家を形成、つまり内部の同質性を高め、列強といわれる一部の国々は植民地帝国を目指す。こうした動きの中でもう一つ、重要な動きが進んでいました。それが**科学技術の進歩**です。

科学技術は地下に眠る資源を活用する術を生み出しました。従来、人も住めない場所には利用価値がなかったわけです。ところがその地下に石油や希少金属が眠っているということがわかった途端、重要度が増します。それが国境の価値を高めるわけです。

領土獲得（国境変更）をめぐる争いが資源を獲得するための戦争となったのは、自然科学の進歩による科学技術の発達が引き起こしたものです。科学技術が武器の性能を著しく向上させ、そのため第一次世界大戦はおびただしい被害を出すことになります。

1914年から足掛け5年間続いた第一次世界大戦は、実質的な意味で20世紀の開始をもたらす＝19世紀の終わりを告げた事件でした。

第一次世界大戦は19世紀までの戦争と違い、始まってから各国とも武器弾薬を大量に消耗する戦いとなります。男性は徴兵されて戦場へ赴き、軍需産業だけでなく日常生活を支える工場には女性が従事します。このことが**女性の社会進出及び女性参政権獲得**につながります。女性の力を借りずにこの戦争を遂行することはできなかったからです。

日本人には第二次世界大戦のほうがよく知られていますが、ヨーロッパでは第一次世界大戦のほうが第二次世界大戦よりも死傷者の数が多いのです。そのため**戦争観が大きく変容**します。

主権国家体制が成立して以来、戦争は外交の延長と捉えられ善も悪もなかったのですが、第一次世界大戦を経て、戦争それ自体が悪とされるようになります。この戦争違法化と呼ばれる流れが1928年の不戦条約へとつながります。

もちろん、規範として戦争を禁止するものの、現実には戦争は現在まで止むことなく起こっています。これを指して規範に意味などないとシニカルに捉えるか、規範を実体化しようと努力するかは人によりますが。

戦争が革命を引き起こしたことも第一次世界大戦の特徴でした。長期にわたるこの戦争では生活が苦しくなった国で政府に対する反発が強まり、敗戦が革命を引き起こします。

ドイツ、ロシア、オーストリアといったヨーロッパの典型的な君主制国家が倒れ、共和政になります。第一次世界大戦で生き残ったイタリアのような君主制国家も第二次世界大戦後は共和政となり、フランス革命が生み出した共和政の原理が100年以上の歳月を経て普遍化されていく流れが、第一次世界大戦から広がっていくのです。

戦争が長期化する中で、戦争遂行のために国内の経済活動を徐々に軍需中心に移行させるには、民間の経済活動を自由にさせることはできません。メディアとしても、戦争報道を中立公正になどといって事実をありのままに伝えると厭戦《えんせん》気分が高まります。だから報道に規制を加えることが始まります。

科学技術も戦争に利用しなければならないので、学問にも国家が関与し始めます。こうして国家が生活の隅々に入り込んでくることで、国家と市民社会の関係が変容していくのです。

こうして、**19世紀までの国家の価値観は外交と警察、軍事をやっていればよいというもの（夜警国家）でしたが、第一次世界大戦を経て国家が社会に介入して社会政策**

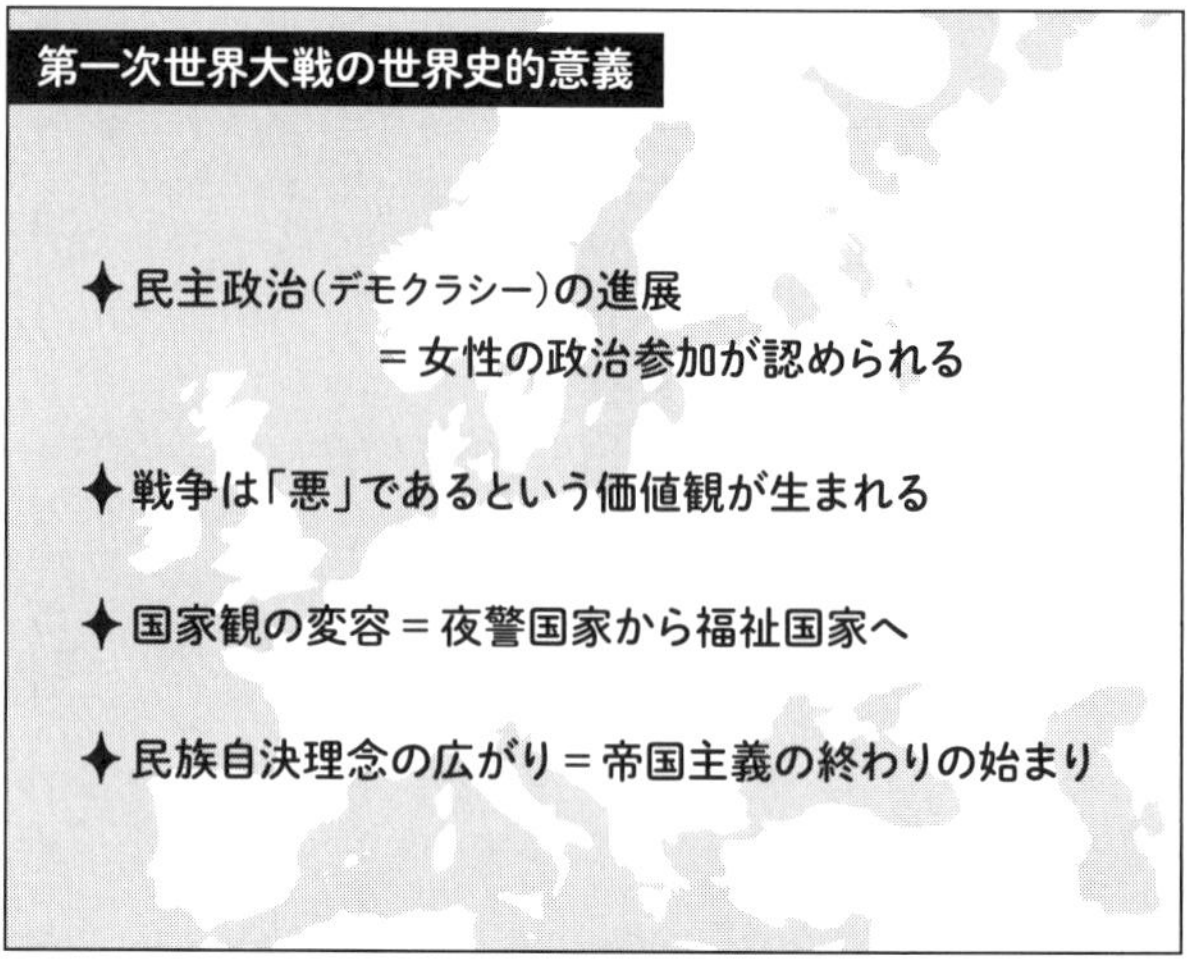

第一次世界大戦の世界史的意義
✦民主政治（デモクラシー）の進展
＝女性の政治参加が認められる
✦戦争は「悪」であるという価値観が生まれる
✦国家観の変容＝夜警国家から福祉国家へ
✦民族自決理念の広がり＝帝国主義の終わりの始まり

によって個人を救済する干渉国家（福祉国家）に変化していくのです。

最後に、第一次世界大戦は帝国主義の時代の真っ只中で起こりました。そのことにより、植民地獲得競争が戦争につながったという認識から植民地を持つこと自体の当否が問われることになります。

これは大きな時代のパラダイムの変化になります。つまり、帝国主義の終わりが始まるわけです。この植民地否定の考えが**民族自決**と呼ばれるものになります。

複合戦争としての第二次世界大戦

第一次世界大戦終了からわずか20年で再び世界大戦が起きます。第一次世界大戦と異なり、日本が重要な関与国となったことでアジアにも大きな被害が生じます。第二次世界大戦は第一次世界大戦で生じた流れに棹《さお》さす結果となりました。夜警国家から福祉国家へ、さらにイギリス、フランス、日本といった帝国主義国家の勢力が大きく減衰することで**民族自決理念の普遍化**は決定的となります。

この第二次世界大戦は様々な性格が複合した戦争と評価されています。それをまとめてみましょう。

まず1つ目が**民族絶滅戦争**という性格です。ナチス＝ドイツがこの戦争中に600万人にも及ぶユダヤ人虐殺（ホロコースト）を行なったことを知らない人はいないでしょう。このホロコーストを「戦争」と表現していいものか。当事者の一方はナチス＝ドイツという国家なのに対して、ユダヤ人は「国家」ではありません。

ここが大事なところなのですが、**戦争とは主権国家同士の争いであるという自明の理が崩れてきている**と捉えてほしいのです。すぐ後で話しますが、こういった戦争のあり方を**非対称戦争**と表現します。

2つ目は**帝国主義間戦争**という性格です。イギリスやフランスが持っていた東南アジアの植民地を日本が奪おうとしていたことや、大戦末期にイギリスとソ連がバルカン半島分割の密約を結んでいたことがこれをあらわしています。

3つ目は**イデオロギー戦争**という性格です。当時、議会制民主主義、社会主義、ファシズムという3つの政治体制をめぐる対立があったわけですが、ファシズムを倒すために前二者が手を組んだという捉え方です。

難点はファシズムとは何かということが定式化されていないことです。社会主義もファシズムなのではないかといったような主張にも妥当性があるし、ファシズムといっても日本、ドイツ、イタリアで大きく異なっています。したがって、このイデオロギー戦争という物言いは戦勝国を正当化する考えだと思っています。

4つ目が**民族解放戦争**という性格です。2つ目の性格である帝国主義間戦争と対になっています。帝国主義間戦争が正しい戦争ではないとすると、この民族解放戦争は正しい戦争と捉えることができます。だから、この性格を強調することは第二次世界大戦は正しい戦争だったという主張になります。日本が大東亜共栄圏を掲げてアジアの解放のために戦ったという主張は、日本にとって正義の戦争だったということです。

確かに、インドにおけるチャンドラ・ボースの運動や親ナチス＝ドイツの立場を採ったアラブ人グループもあったけれど、東南アジア各地域で抗日運動が起きていた実態を考えると、これは支配下に置かれていた人々が評価すべきことでしょう。

ちなみに東南アジア各国の教科書で、日本が「アジア解放」のために戦ったと書かれているものは一冊もありません。

植民地主義の解体

第二次世界大戦はそれまで植民地保有国（帝国主義国）の国力を大きく疲弊させるとともに、民族自決の原則を積極的に掲げていたアメリカとソ連が超大国となったことで、植民地の独立が相次ぐことになりました。国際連合の加盟国のグラフを見れば一目瞭然でしょう。

ところが新興独立国の国境線を見ると、アフリカが典型例ですが、定規で引かれた、あまりにも不自然な国境になっています。これは帝国主義の時代に植民地化されるにあたって現地の住民構成などを何も考慮せず、帝国主義国間の都合で分割されたラインがそのまま国境となったからです。

このことを説明するためには、**Uti possidetis juris（ウティ・ポシデティス・ユリス）**と呼ばれる国際法の原則に触れておかなければなりません。jurisは「原則」という意味なのでウティ・ポシデティス原則と呼びましょう。読みにくいのですがラテ

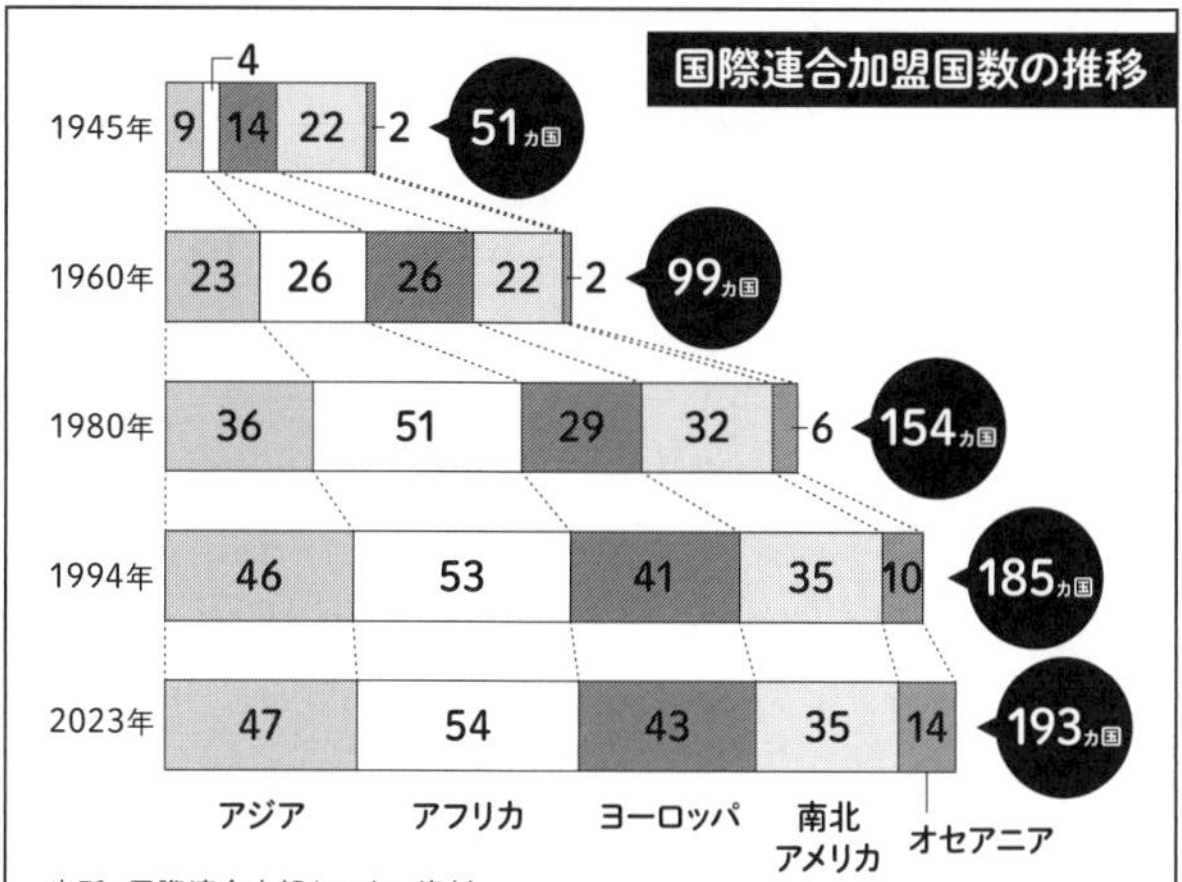

出所：国際連合広報センター資料

ン語のまま無理に翻訳しないのが一般的です。

環大西洋革命の一例としてラテンアメリカの独立がありました。ラテンアメリカは、ポルトガルが植民地としていたブラジルを除いてほとんどがスペインの植民地でした。スペインから独立したとき、多くの国々が別の国として独立することになります。それは**スペインがラテンアメリカを統治していたときの行政区分をそのまま国境にしたから**です。

たとえてみましょう。今の日本で群馬県の前橋市や高崎市あたりで日本からの独立運動が起こり、群馬国が独立

したとします。そのとき独立した群馬国の国境はどうなるのでしょうか。ウティ・ポシデティス原則に従えば、今の群馬県の県境がそのまま群馬国の国境となるということです。

この原則がなかったらどうなるかですが、どさくさに紛れて栃木県日光のあたりも群馬国に組み込んでしまえ、となると紛争が拡大する恐れが出てきます。群馬県だけでなく日本全国で独立運動が起きたとき、独立する国同士で国境紛争を起こさず安定化させるための知恵といっていいでしょう。したがって、アフリカでイギリスやフランスから独立運動が起きたときもこの原則に従って、植民地時代の行政区分を国境としたわけです。

しかしながら、**国民国家は同質性を高めていく**ということを思い出してください。言語や宗教、文化の違いを無視した人間集団において同質性を高めるために多数派の文化や言語を少数派に強制する政策をとると、少数派が反発して内戦が生じることになります。

こんにち、紛争の多くが第二次世界大戦後に独立した地域に集中しているのは、国民国家（ナショナリズム）の原理が広がったことによるものです。

変わる戦争の姿

先に、第二次世界大戦と民族絶滅戦争の話をしました。このような戦争が非対称戦争ということですが、ユダヤ人に対するホロコーストを非対称戦争と表現するのはあまりにも極端な例かもしれません。なぜならユダヤ人は一切抵抗することなく虐殺されたのですから。

一般に非対称戦争といえばゲリラ戦のような正規軍と非正規軍との戦争を指します。たとえばベトナム戦争（1960年代から70年代）です。一方の当事者はアメリカ合衆国という国家なのに対して、もう一方は南ベトナム解放民族戦線というゲリラ軍でした。

1979年から始まるソ連のアフガニスタン出兵も、ソ連軍はアフガニスタンのゲリラ軍と戦っていました。類似語に**低強度紛争**という表現もあります。

2001年、アメリカの同時多発テロの後、ブッシュ大統領の下で始められたアフガニスタン紛争や、2003年のイラク戦争といった対テロ戦争（正式には「テロとのグローバル戦争」）も、国家対イスラーム組織アルカイダという非対称戦争の典型です。

20世紀後半から**内戦**も増えてきています。内戦の原因はやはり先に述べた**国民国家の理念と現実との乖離**です。

非対称戦争や内戦は伝統的な国際法による枠組みでの処理が困難になります。従来、紛争に関する枠組みは戦時／平時、国際／国内に分けて考えられました。しかし、テロとの戦いは戦時なのか平時なのかわかりません。また、内戦の主体は国家ではないため戦時国際法が適用できず、目もあてられないほどの惨劇が繰り広げられます。ロシアとウクライナの戦争の報道で、ロシアにワグネルと呼ばれる民間軍事会社があることを知った人がいるかと思います。この民間軍事会社も国軍ではないので残虐な行為を平気でやるといわれています。

まさに紛争といえば国家間戦争だった20世紀前半までと大きく異なり、国際法で対処しにくい事態が増加していることを「世界大戦から世界内戦へ」と表現したのが笠井潔です。『**新・戦争論——「世界内戦」の時代**』（言視舎）の中で、ドイツの思想家カール・シュミットの言葉を借りて、19世紀から21世紀に至る戦争のあり方を語っています。

2022年に始まり現在も続くロシアとウクライナの戦争ですが、この戦争が始まった当初、「21世紀になってまさか主権国家同士の戦争が、しかもヨーロッパで起こるとは」という声があがりました。これは、戦争のあり方が非対称戦争になっていく流れに逆行して帝国主義の時代に逆戻りしたように見えたのです。

価値の分配をめぐる政治

2020年のアメリカ合衆国の大統領選挙、バイデンvs.トランプの戦いで、「アメリカは内戦状態になるのではないか」という見立てを述べる論者がいました。さすがに内戦にはならなかったものの、両者の主張は違っても選挙が終わればノーサイドということにならなかったのは、2021年1月6日にトランプを支持する市民が起こした合衆国議会議事堂襲撃事件を見れば明らかでしょう。

何がそこまで国内を分断しているのかですが、これはアメリカだけでなく多くの国で同じような分断が生まれています。

アメリカでいえば妊娠中絶の是非はまさに国論を二分する議論になっています。世界各国を見ても、同性婚やLGBTQをめぐってさかんに議論されていることは共通しています。こうした議論を**「価値の分配」**といいます。従来の政治は「富の分配」をめぐるものでしたが、これは妥協がつけやすいのに対して「価値の分配」は1か0

かで妥協がしにくいものになっているため分断が起きやすいのです。

20世紀後半は世界規模で経済成長が続き、ある程度の豊かな社会が世界すべてではありませんが、いわゆる先進国で生じました。アメリカの政治学者ロナルド・イングルハートは**「『脱物質主義的価値観』が政治の次元で重みを増す」**と、すでに1977年の時点で主張していました。『歴史の終わり』（三笠書房）で有名なアメリカの政治学者フランシス・フクヤマも**『IDENTITY――尊厳の欲求と憤りの政治』**（朝日新聞出版）の中で、トランプ現象やイギリスのブレグジット（EUからの離脱）の背景にあるものを分析して、経済合理性よりも敵と味方の単純な二文法で「敵だから倒す」といった感情が政治に持ちこまれることを示唆しています。

歴史認識をめぐる紛争も「価値の分配」の文脈で理解できます。**現在を、そして未来をめぐって争うのではなく、過ぎ去ってしまった過去をめぐって争う、一見不毛な議論がどこの国でも展開されています。**それは21世紀における国民創造のために不可欠な物語をどうやって再構築すればいいのかということだけではなく、国民創造のために歴史が動員されることを拒否することも含めて妥協が困難な価値をめぐる争いになっているのです。

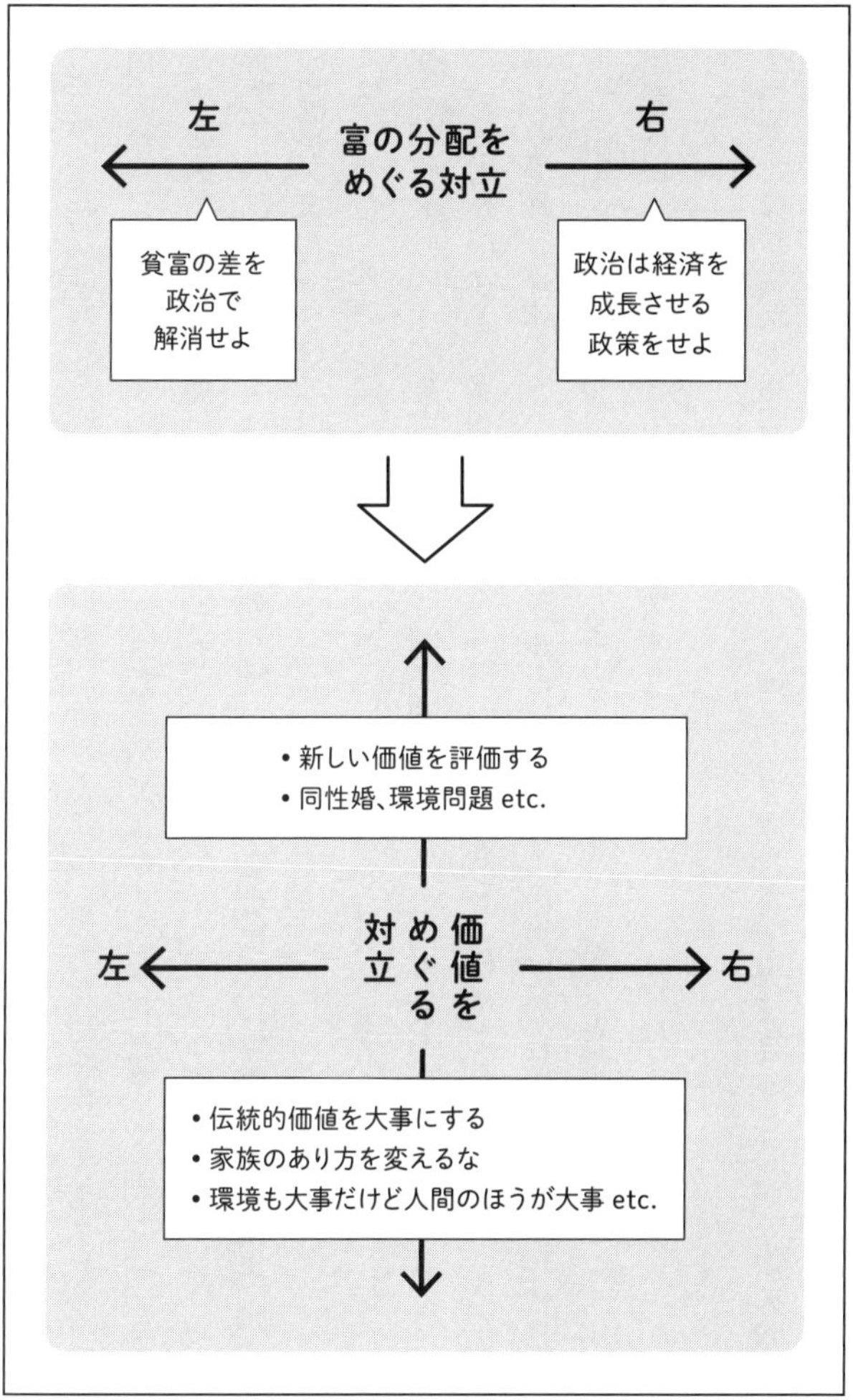
左
富の分配をめぐる対立
右
貧富の差を政治で解消せよ
政治は経済を成長させる政策をせよ
・新しい価値を評価する
・同性婚、環境問題 etc.
左
価値をめぐる対立
右
・伝統的価値を大事にする
・家族のあり方を変えるな
・環境も大事だけど人間のほうが大事 etc.

奴隷制度は19世紀に廃止されました。20世紀前半には女性参政権も実現しました。ところがこれらは人間を奴隷とそれ以外に分けること、男と女に分けることといった、人種主義的な発想に対する反省から起きたものではなく、単に経済的な利益や戦争遂行能力を高めるための要求から行なわれただけであり、「ブラック・ライヴズ・マター運動」の高揚やフェミニズムの運動が続いていることは、19世紀以来の国民国家建設の課題がまだ残されていることをあらわしています。

当然ながら「富の分配」をめぐる問題が解決したわけではありませんが、「価値の分配」が政治の大きな焦点になる中で国民国家としての同質性を保つことが難しくなっているのが現在といえるでしょう。「富の分配」から「価値の分配」へ向かう大きな歴史の流れを確認するのに『**リベラルとは何か——17世紀の自由主義から現代日本まで**』（田中拓道／中公新書）、『**アフター・リベラル——怒りと憎悪の政治**』（吉田徹／講談社現代新書）はとても良い本です。

この章では17世紀から現在に至るまでの流れを駆け足で見てきましたが、次の章からは具体的に、国境で区切られた世界に起きる紛争を眺めていきたいと思います。

第2章
植民地独立の光と影

第二次世界大戦以降、植民地を保有するということ自体が否定される時代が訪れます。民族自決が世界の常識になったわけです。第二次世界大戦末期に設立された国際連合は51ヵ国の加盟国で出発しました。現在の加盟国は190を超えています。このことは植民地の独立が進んだことをあらわしています。

ところが独立の仕方が問題となり各地で紛争が起きることになります。19世紀を通じて一部のヨーロッパ諸国が世界のほとんどを植民地にしていく過程で、現地に住んでいる人のことを無視して勝手に線引きしました。そのラインがほとんどそのままで独立することになるのです（Uti possidetis juris →44ページ参照）。だから、一つの国の中に異なる宗教や異なる民族を内包することになり、同質性が低くなってしまうのです。

経済がうまく回って豊かになっていればいいのですが、経済力が低い場合、国内を平等にする分配がうまくいかないときには、「どうして、あの集団だけが得をしているのだ」という不満が生まれることになります。

こうしたかたちで紛争が相次いでいる典型例がアフリカです。アフリカの国々の国境が定規で引かれた（ヨーロッパ諸国の都合で国境線が引かれた）ことから見ても明らかです。こうしたかたちでの独立自体が不幸でした。だからといって植民地のままでいいのかというわけではないところが難しいところです。

そこに住んでいる人たちの生活や文化が無視され、一方的にどこかの国家に帰属させられているのはアフリカだけではありません。この章では東南アジアも眺めていきましょう。

自らの国家をつくろうとすること（ナショナリズム）が植民地からの独立への動きになるのですが、それは自分たちの国の中の多数派と少数派との対立を生んでしまうことにつながるのです。近代のヨーロッパがつくりあげてきた原理が、非ヨーロッパで受容可能なのかということを考えさせられます。

イギリスの植民地だったインドも独立後に問題を多く抱えています。このことを続けて見ていきましょう。そして最後に、植民地帝国だった日本が第二次世界大戦の敗北により解体する過程で生じた国境紛争も確認します。

では、まずはアフリカの様子から眺めていきましょう。

アフリカの紛争

アフリカが19世紀末から植民地にされて以来、植民地の独立が終了するまで100年も経っていません。ところが植民地支配の爪痕は非常に深く残されています。アフリカ各地で起こる度重なる紛争のほとんどは、この植民地支配と関係があります。ここでは独立直後から現在に至るまでのアフリカでの大規模な紛争について見ていきます。

国の場所は地図で確認してください。ここでは見慣れたメルカトル図法を使っていますが、「メルカトルの罠《わな》」という言葉があります。メルカトル図法は北極や南極に近い地域が大きく見えてしまいます。そのため本当は面積の小さいヨーロッパが大きいと錯覚してしまうのです。

地図には様々な種類があります。**世界をいろいろな見方で捉え、イメージするためには、様々な地図で世界を眺めていく**ことが良い訓練になると思います。

チュニジア
モロッコ
カーボベルデ
アルジェリア
リビア
エジプト
西サハラ
モーリタニア
マリ
ニジェール
スーダン
エリトリア
セネガル
チャド
ブルキナファソ
ジブチ
ガンビア
ギニアビサウ
ギニア
ガーナ
ベナン
ナイジェリア
エチオピア
コートジボワール
中央アフリカ
南スーダン
トーゴ
カメルーン
ソマリア
赤道ギニア
ウガンダ
ケニア
シエラレオネ
サントメ=プリンシペ
ガボン
コンゴ民主共和国
ルワンダ
ブルンジ
リベリア
セーシェル
タンザニア
コンゴ共和国
コモロ
モーリシャス
アンゴラ
モザンビーク
ザンビア
マダガスカル
ナミビア
ジンバブエ
マラウイ
ボツワナ
レユニオン
エスワティニ
南アフリカ共和国
レソト

面積の正しい地図

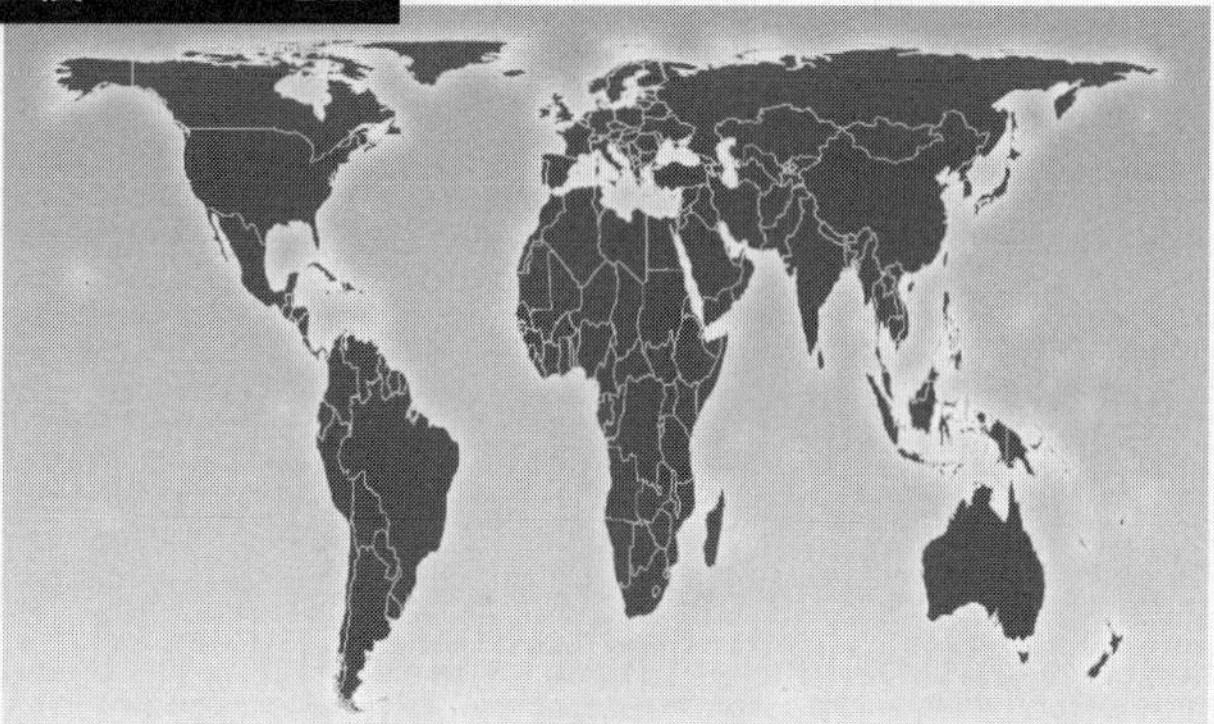

✹コンゴ動乱

ベルギーの植民地だったコンゴが1960年にコンゴ共和国として独立したとき、コンゴ南部のカタンガ州が「コンゴとは別の国として独立したい」と主張したことから内乱が始まります。

カタンガ州は鉱物資源が豊富で、宗主国のベルギーは独立後も利権を持ち続けたいのでカタンガ州の支持に回ります。国際連合がこの混乱を収拾しようとしますがうまくいかず、コンゴ共和国首相のルムンバはソ連に単独で支援を要請したため、冷戦下でソ連に対抗するアメリカがコンゴ情勢に介入してくることになります。つまり、コンゴ動乱は米ソの代理戦争ともなっていくのです。

コンゴ共和国の軍人のモブツはアメリカの支援を受け、ルムンバを解任、処刑します。カタンガ州の独立の動きが続く中、モブツ派とルムンバ派の対立が激化する三つ巴の情勢を視察にきた国連事務総長のハマーショルドの謎の事故死も起き、最終的にはモブツが勝利を収めました。モブツは独裁者として1997年まで長期政権を築きます。なお、国名は1971年にはザイール共和国、モブツ失脚以後はコンゴ民主共

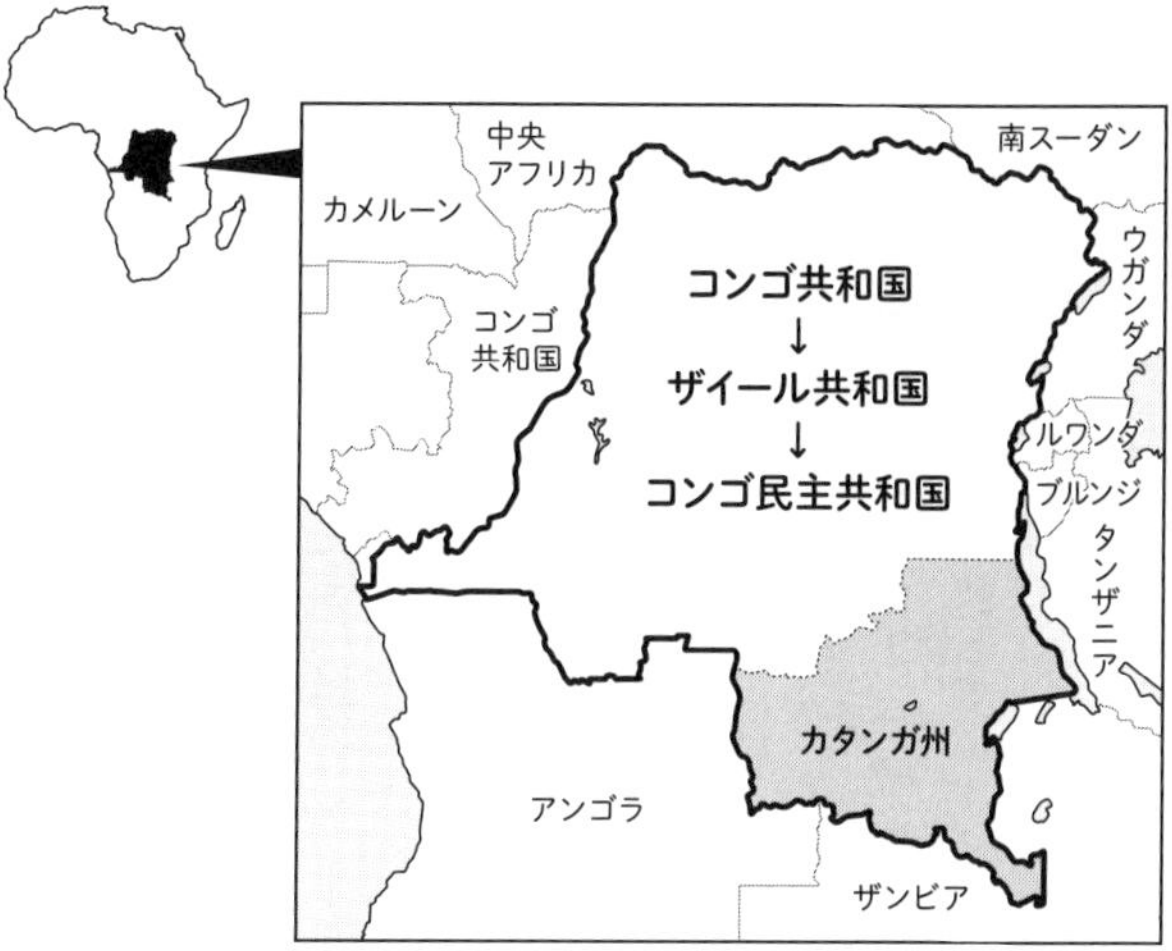

和国[*]となって現在に至っています。『ルムンバの叫び』という映画はこの動乱を知るのに良い作品です。

✸ビアフラ戦争

1960年にイギリスから独立したナイジェリアで起こった紛争です。ナイジェリアにはハウサ族、ヨルバ族、イボ族の三大部族があって、そのうちのイボ族がビアフラ共和国と称して分離独立を主張したことで内戦が始まり

＊隣国にフランスから独立したコンゴ共和国があり、一時期は同名の国家が2つあったが、今は「民主共和国」と「共和国」で区別ができる。

ます。

アメリカとソ連が呉越同舟でナイジェリア政府を応援しますが、イボ族の苦しい状況が世界的なニュースとして報じられると、同情の声が集まり多くの国々がビアフラ（イボ族）を支援するかたちで内戦が激化します。

最終的にビアフラ共和国は崩壊し、150万人近い命が犠牲になりました。

✹ 西サハラ問題

1975年にスペインが植民地であるスペイン領サハラ（西サハラ）の領有権の放棄を宣言すると、隣接するモロッコとモーリタニアが西サハラを分割することを決めました。これに対して西サハラの住民は西サハラ民族解放戦線（通称ポリサリオ戦線）を結成し、1976年にサハラ・アラブ民主共和国の樹立を宣言します。

モーリタニアは1979年には撤退しますが、モロッコは西サハラ全域の領有権を主張して現在に至るまで解決していません。サハラ・アラブ民主共和国を承認している国はアフリカ諸国を除くと少なく（日本も承認していない）、国連にも加盟していません。

なお、多くの国がモロッコの領有も認めていないため、地図帳でこの地域は色が塗

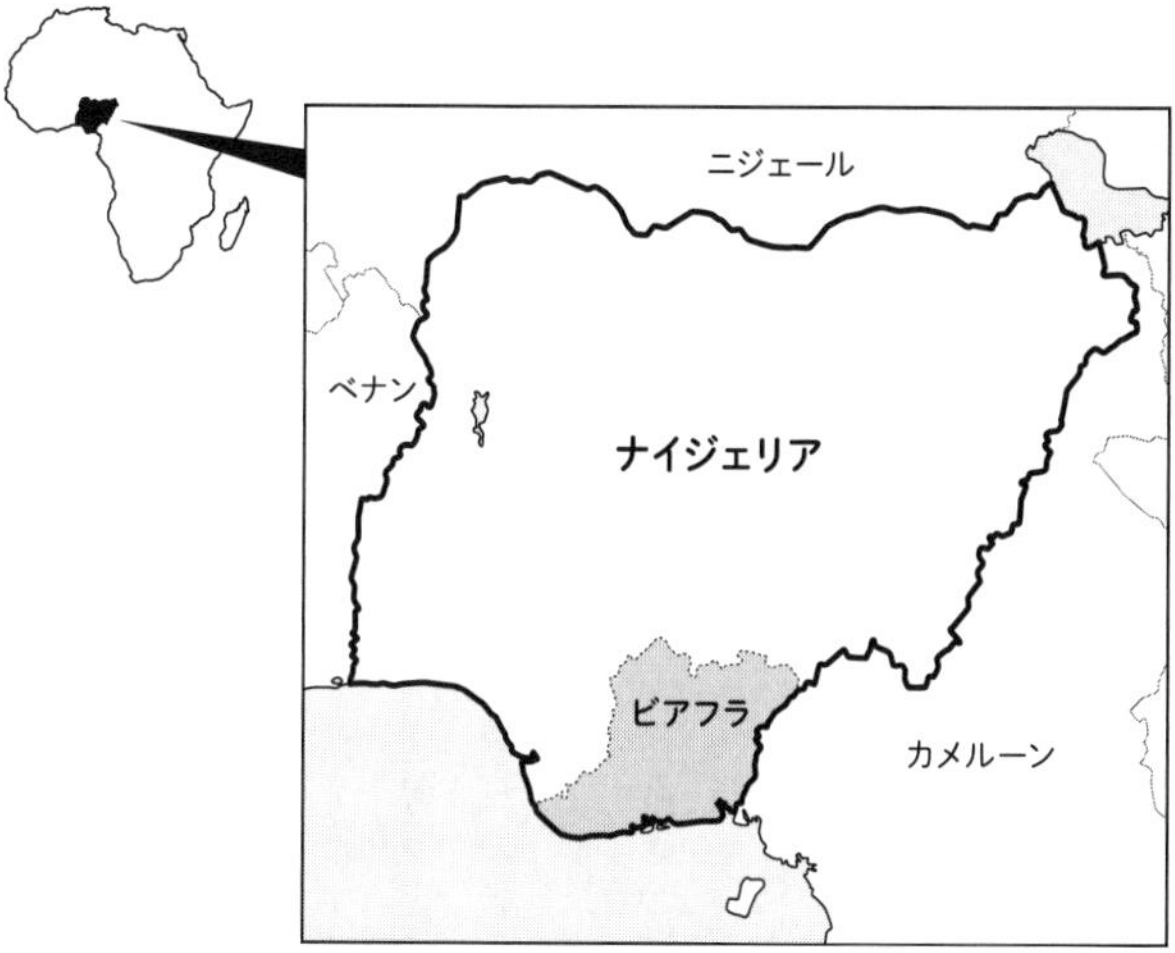
ニジェール
ベナン
ナイジェリア
ビアフラ
カメルーン

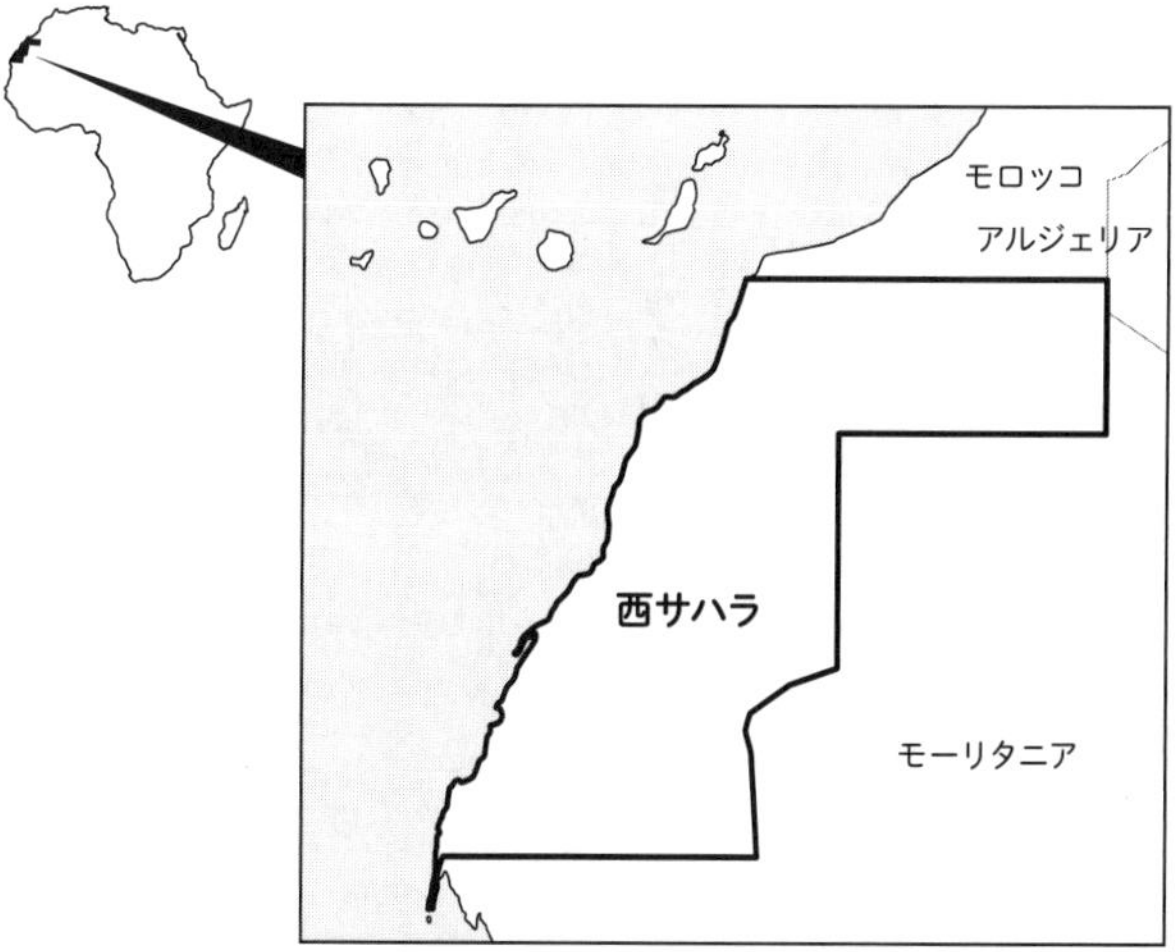
モロッコ
アルジェリア
西サハラ
モーリタニア

られていない真っ白な状態になっています。

✹アンゴラ内戦

ポルトガル領アンゴラは、1960年代から独立運動を進める3つのグループがポルトガルに撤退を認めさせ、1975年にアンゴラ人民共和国として独立します。ところが、この3つのグループの主導権争いが内戦になっていくのです。

アメリカ、ソ連、中国がそれぞれのグループを支援する典型的な代理戦争になり、冷戦終結後もなかなか解決せず、内戦による死者は350万人にのぼるといわれています。多くの地雷が残され、現在もその地雷による死亡事故が多発しています。

✹オガデン戦争

エチオピアのオガデン州には、隣接するソマリアに多く住むソマリ人が居住しています。ソマリアはオガデン州のソマリ人を支援し、独立運動を起こさせました。

当然、エチオピアは弾圧するわけで、ここからエチオピアにソ連、ソマリアにアメリカがつくかたちの代理戦争へと発展します。

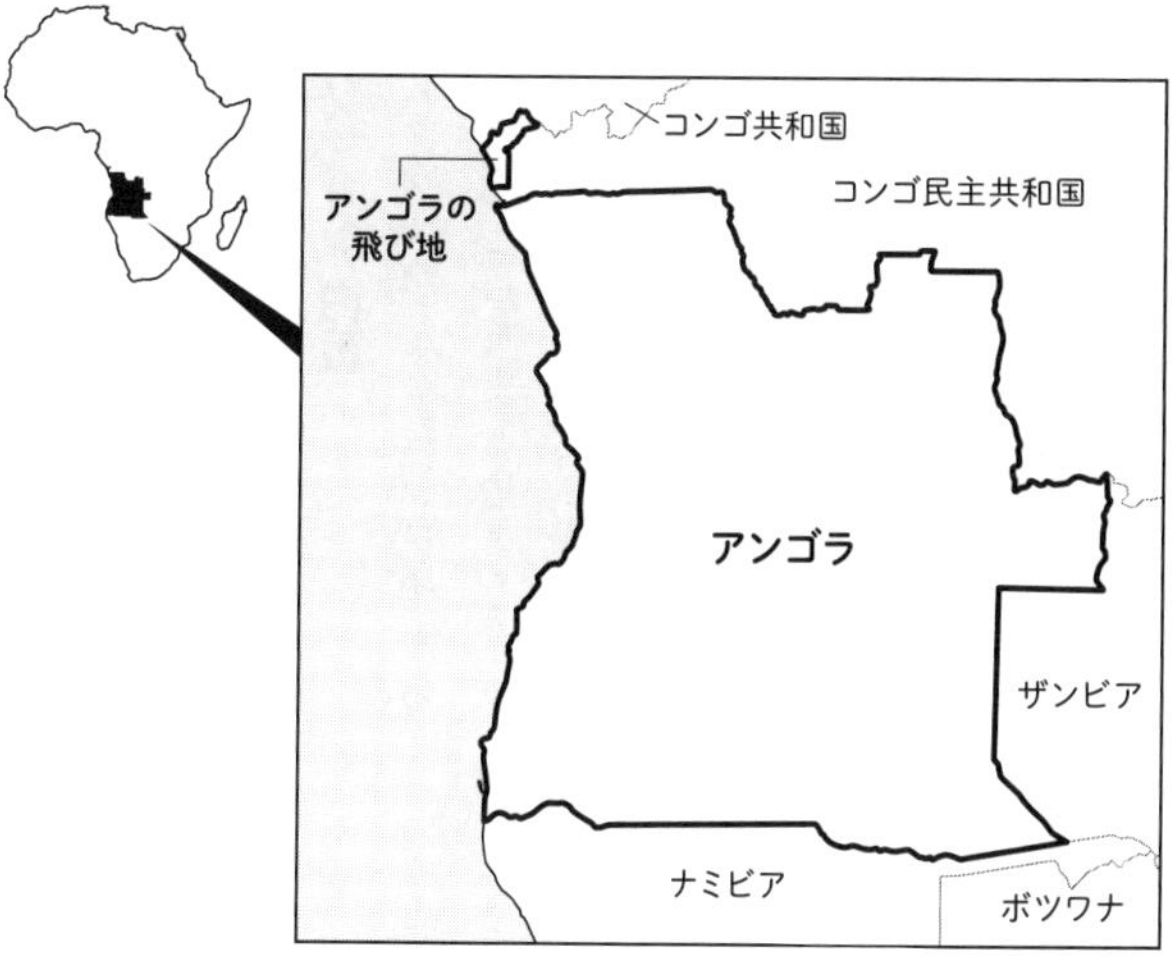
コンゴ共和国
コンゴ民主共和国
アンゴラの
飛び地
アンゴラ
ザンビア
ナミビア
ボツワナ

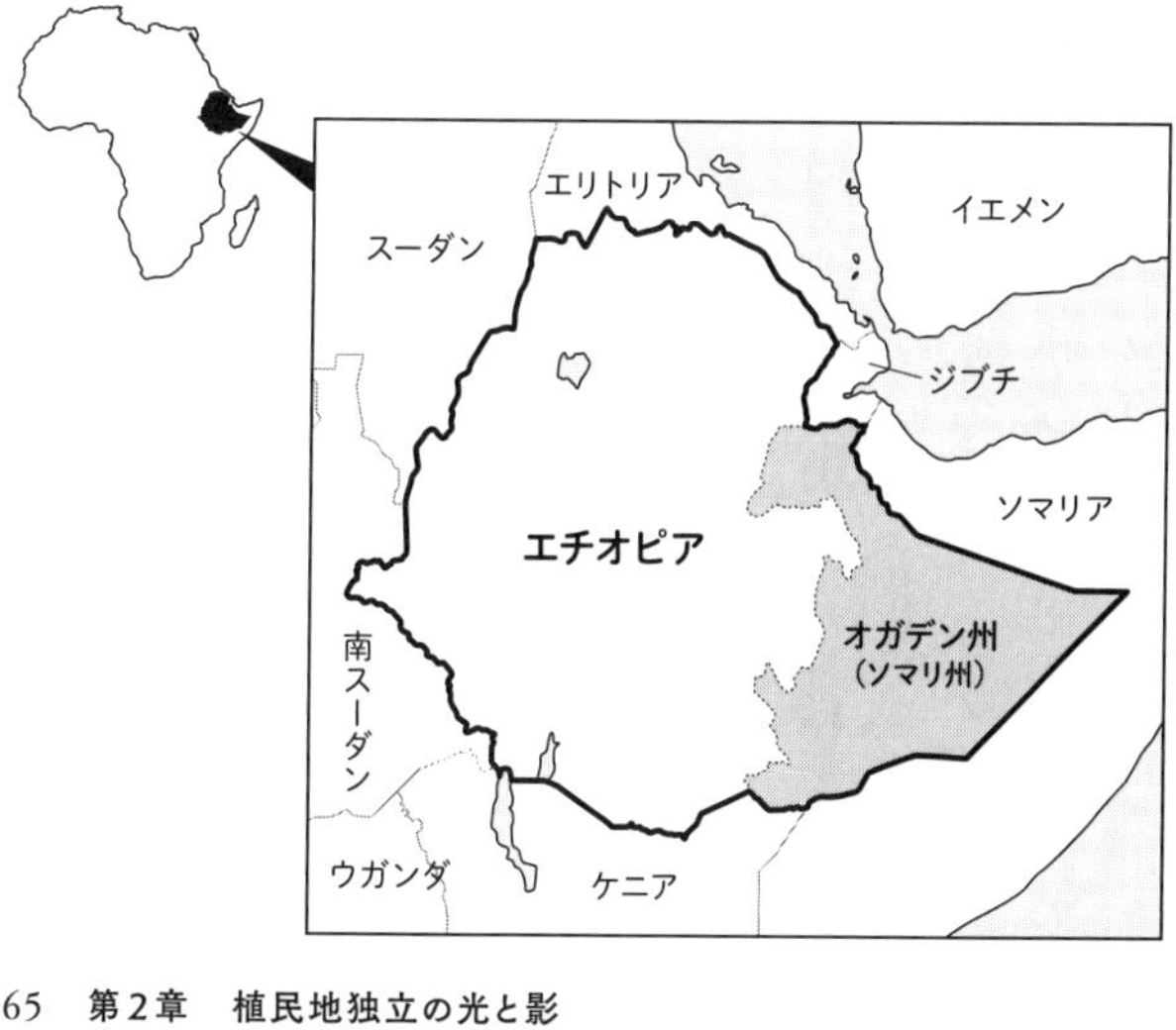
エリトリア
イエメン
スーダン
ジブチ
ソマリア
エチオピア
オガデン州
（ソマリ州）
南スーダン
ウガンダ
ケニア

次に挙げるソマリア内戦が起こったことで、1988年にソマリアとエチオピアは休戦することになります。なお、戦争中に起こった干ばつによる飢餓と合わせて最大100万人が犠牲になったといわれています。

✹ソマリア内戦

フランス領だったジブチからイギリス領ケニアの北部に至る地域に住むソマリ人を一つの国としてまとめようとする考えを大ソマリ主義といいます。

この大ソマリ主義に基づいて先に説明したオガデン戦争も起こったのですが、この戦争は何の利益も生まず、それればかりか経済も破綻し、ソマリア内部では軍閥がいくつもの半独立政権をつくり内戦が起きます。

その中で最大勢力を誇ったアイディード将軍を捕えるために国連平和維持活動（PKO）としてアメリカ率いる多国籍軍が派遣されますが、どうすることもできず撤退することになります。このあたりの経緯を描いた映画が『**ブラックホーク・ダウン**』です。

エチオピアも介入して完全に泥沼化したこの内戦は、とりあえず現在は落ち着いていますが、30万人以上の死者を出しただけでなく、インド洋海域の治安の悪化も引き

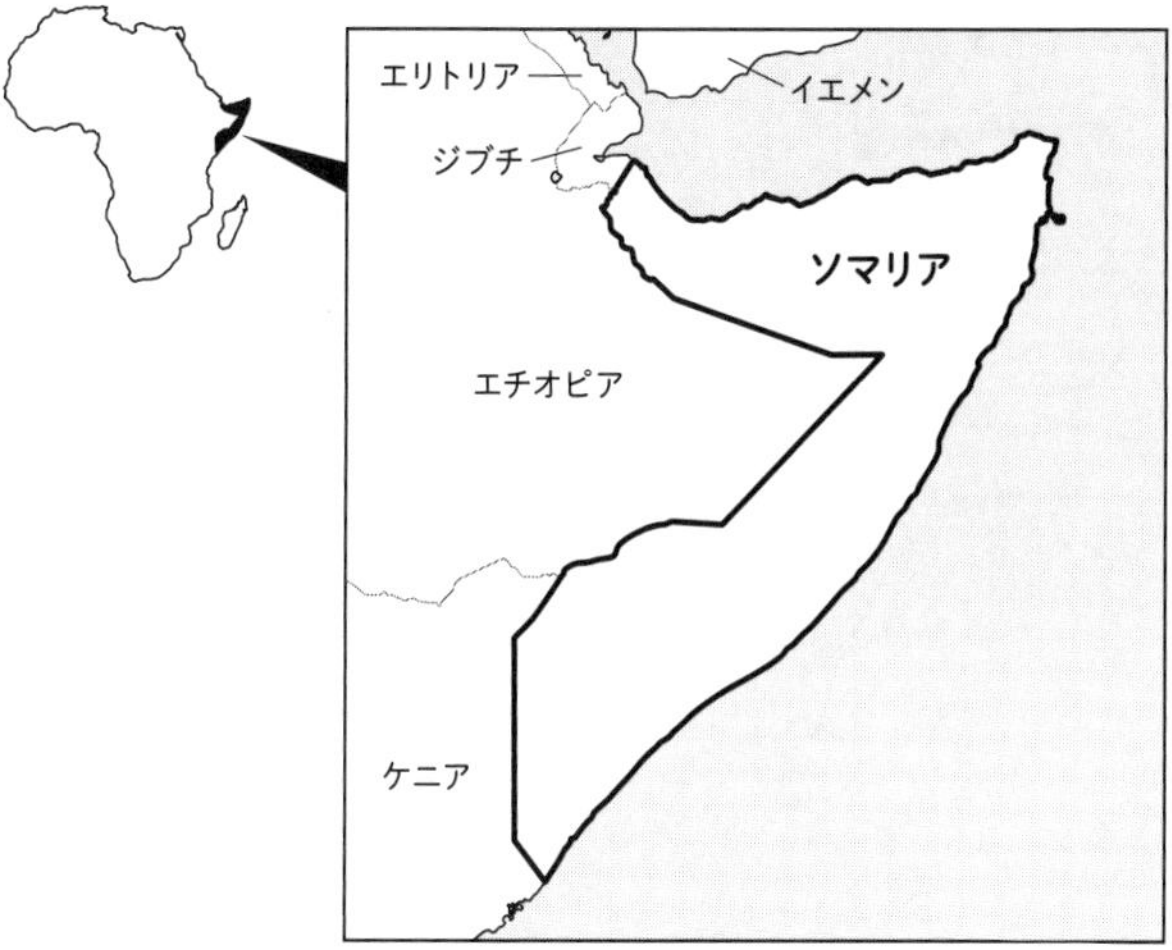

起こしていて大きな国際問題となっています。

✹ リベリア内戦

リベリア共和国は、19世紀末にアフリカの植民地化が進む中で**エチオピアと並んで植民地にされなかった国**です。

もともとリベリアはアメリカ合衆国の解放奴隷がアフリカにやってきて建国されました。これが植民地にされなかった理由です（文明化の使命→34ページ参照）。

リベリアの黒人のルーツはアメリカ、つまり文明化されているため植民地にする根拠がなかったのです。

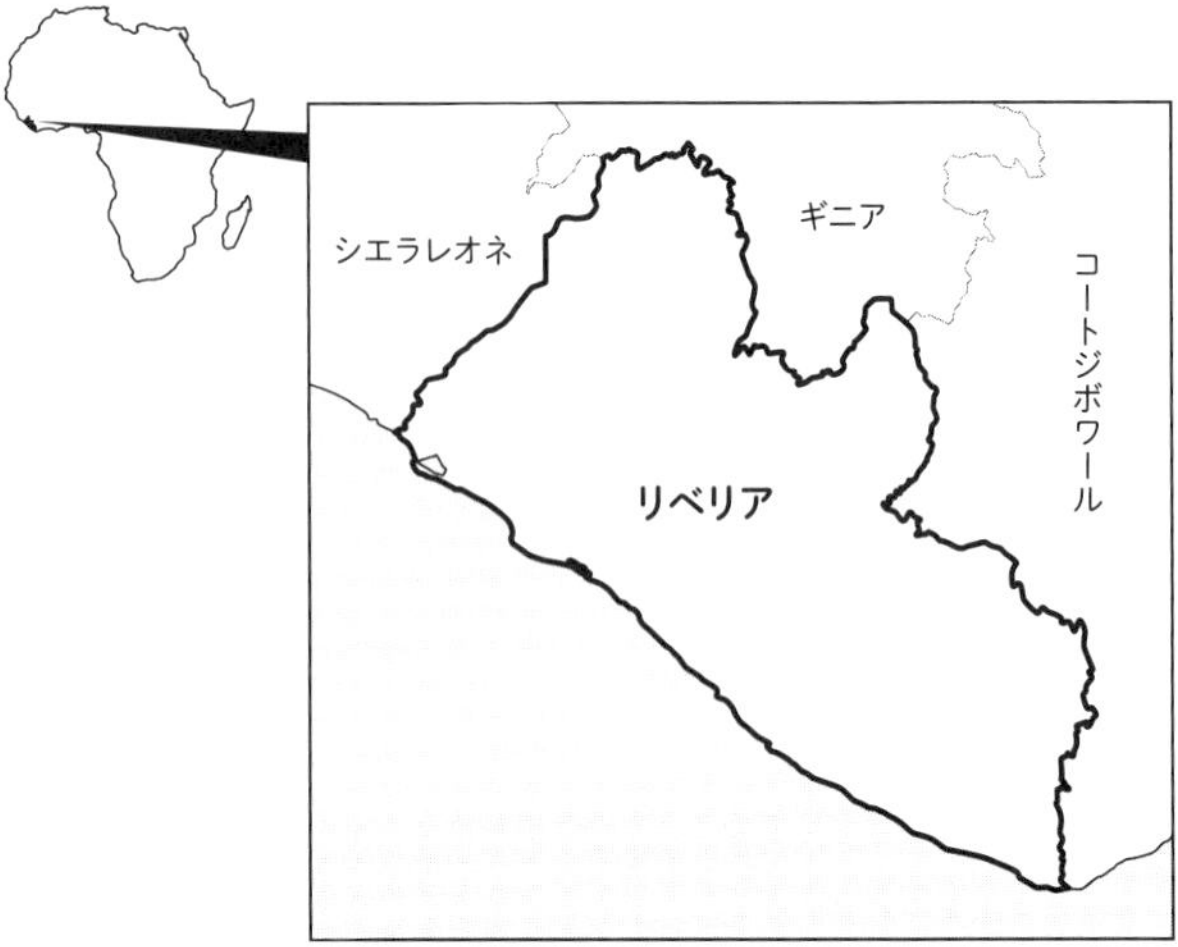

さて、このリベリアですが、長らくアメリカからやってきた建国者たち（解放奴隷）の子孫（アメリコ・ライベリアンと呼ぶ）が政治指導者の地位についていました。このことに対する不満が1980年代に爆発します。

アメリコ・ライベリアン政権がクーデターで倒されると、ここから内戦が始まります。いくつものグループが争う戦国時代の様相が呈され20万人以上の死者が出たとされています。

✹ ウガンダ紛争

ウガンダではイギリスの植民地時代、黒人の団結を妨げるために分割統治がとられていました。それを背景として内戦が始まります。

この内戦で反政府軍の中に「神の抵抗軍」と呼ばれる武装組織が加わります。「神の抵抗軍」は子どもを誘拐し「子ども兵」として、口に出すのも憚《はばか》られるほどの非人道的な残虐行為を行なわせています。

200万人以上の国内避難民を出したこのウガンダの惨状は『**インビジブル・チルドレン**』というドキュメンタリー映画で描かれています。そして「神の抵抗軍」リーダーのジョセフ・コニーを捕まえるべく奮闘するアメリカの若者たちの姿もYouTubeで見ることができます。**「Kony 2012」**で検索すれば、1億回以上再生されている動画が見られます。今もコニーは逃走中で、「神の抵抗軍」はゲリラ活動を続けています。

✹ ルワンダ紛争

ルワンダはウガンダとともにドイツの植民地でしたが、ドイツが第一次世界大戦に敗れると、ベルギー領となります。

ベルギーはこの地に住んでいた**ツチと呼ばれる少数派集団**を利用して**多数派のフツ**を支配下に置く分割統治を行ないます。なお、ツチとフツは日本でいえば埼玉の人、東京の人というくらいの違いで、部族とか民族といった説明はできないので、「ツチ族」「フツ族」といった表記はされなくなっています。

1962年にルワンダが独立し、多数派のフツが政権を握りました。少数派のツチの一部には弾圧されるのではないかと恐れ、隣国のウガンダに逃亡する人がいました。彼らが力を蓄え、フツが政権を握るルワンダに攻め込んできたのが1990年です。

内戦は1993年に終わったのですが、その直後にフツの大統領が不審死したことで、「ツチの奴らに殺されたんじゃないのか」という噂が広がり、1994年にツチに対する大虐殺が行なわれるのです。それもいわゆる普通の人々が虐殺に加担していました。

ツチもフツへ反撃し、ツチ、フツ双方に大量の難民が生まれ、わずか3か月で100万人近い死者が出ることになります。これだけの惨劇ですから、この内戦を舞台とした多くの映画や文学があります。**『ホテル・ルワンダ』『ルワンダの涙』**が有名です。

このフツによるツチの大虐殺の背景として、ラジオ放送でツチに対するヘイトスピーチがあったことは非常に有名です。ヘイトスピーチがなぜ許されないかといえば、こうした大虐殺を引き起こすきっかけにさえなるからです。

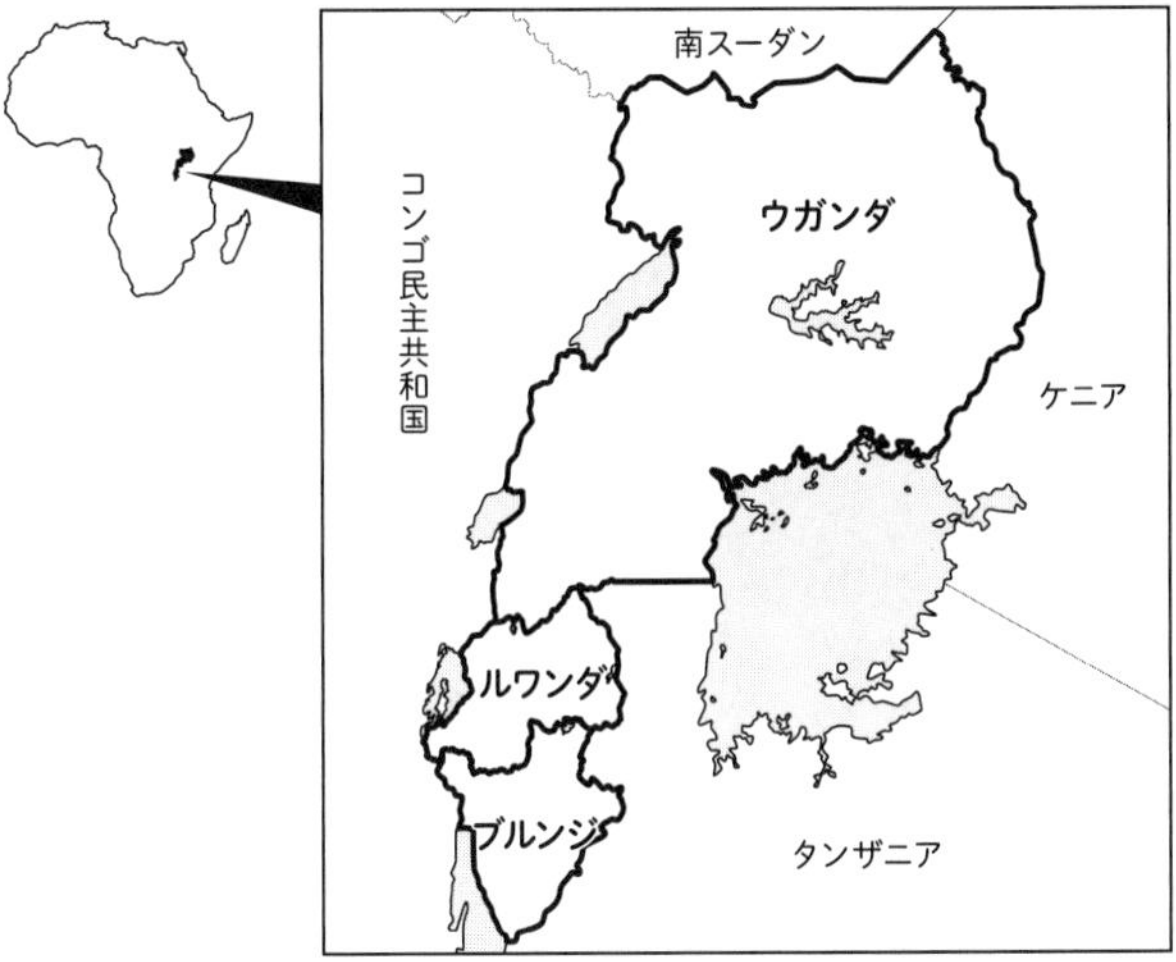

✹ブルンジ内戦

ルワンダの南にあるブルンジもドイツ領からベルギー領へという歴史、並びに少数派のツチと多数派のフツといった住民分布においてルワンダと共通しています。

1962年の独立以降、ツチとフツが互いに数万もの人を殺害するような対立状態が続き、1993年にフツの大統領が暗殺されたことから内戦が始まります。隣国のルワンダからの難民も流入して混乱が続き、死者数は50万人に達しています。

✹ **第一次、第二次コンゴ戦争**

先に述べたコンゴ動乱ではモブツという独裁者が登場するところまで話しました。国名はモブツ政権下ではザイール共和国でした。その続きです。

モブツ政権末期の1994年にルワンダでのツチへの虐殺が起きます。**大量のツチがザイールに難民として流入**してきます。ここからルワンダも逃げたツチを追って攻めてくるわ、アンゴラまで介入してくるわで大混乱の中、モブツは国外逃亡するのです（これが第一次コンゴ戦争）。

国名がザイールからコンゴ民主共和国に変わった1年後の1998年に第二次コンゴ戦争が始まります。コンゴ民主共和国内でツチが反乱を起こすと、それに乗じて周辺8ヵ国が参戦することになったのです。死者は500万人ともいわれ**「アフリカ大戦」**とも呼ばれます。2003年に一応和平合意がなされます。

✹ **ダルフール紛争**

スーダン西部のダルフール地方で反政府勢力が武装蜂起したことから内戦になりま

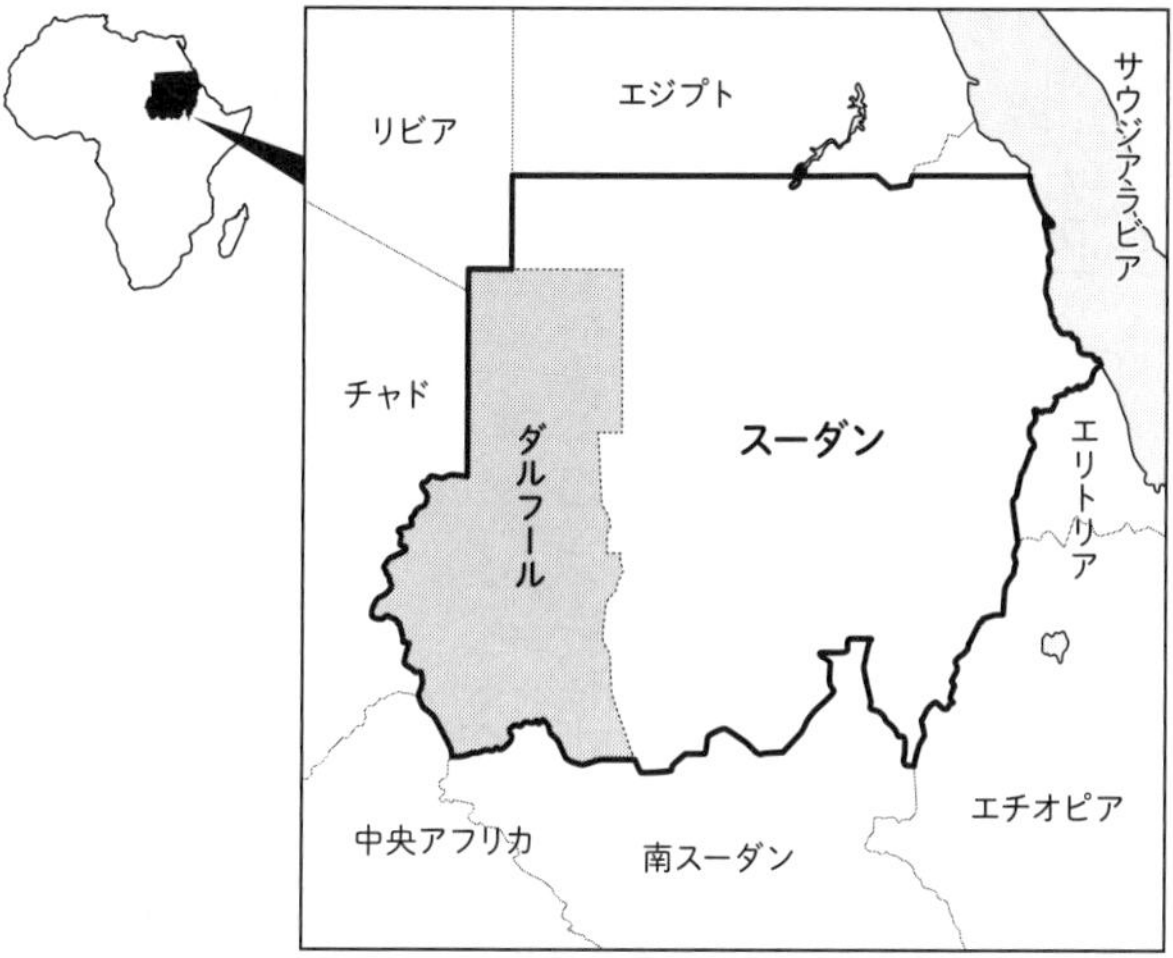

す。スーダンはイギリスの植民地でした。

1956年に独立した直後からスーダンでは政府側のアラブ人勢力と非アラブ（反政府勢力）の小競り合いが頻発していて、これを合わせると死者の合計は200万人を超えるといわれています。

南スーダンをめぐる紛争

スーダンが1956年に独立する前から、スーダン南部の人たちは別の国をつくりたいと考えていて、2度の内戦が起きています（第一次、第二次スーダン紛争）。そして2011年に南スーダンは住民投票を経てスーダンからの分離独立を宣言します。

ところが国境線をめぐってスーダンと紛争が起き、2013年には大統領派と副大統領派の間で内戦が始まり、**失敗国家（破綻国家、脆弱国家）のランキングで南スーダンはソマリアと並んでベスト5の常連**となっています。

✹ 中央アフリカの内戦

フランスの植民地だった中央アフリカ共和国は1960年に独立して以来、軍部がクーデターを何度も起こす政情不安な国として知られています。失敗国家の典型例です。約500万人の人口のうち75万人以上が難民となっています。

市民生活を支える行政サービスが行なわれていない国家が失敗国家です。行政サービスはタダでは行なえません。このサービスが提供できる経済的な支えがなければ失敗国家になるのは避けられません。また、主たる産業がなければ国家が立ちゆかなくなるのも当然で、領土面積、人口、資源、産業といった要素のバランスが悪いと武力を用いた奪い合いが起きてしまう、つまり、人間も動物並みになってしまうということでしょう。

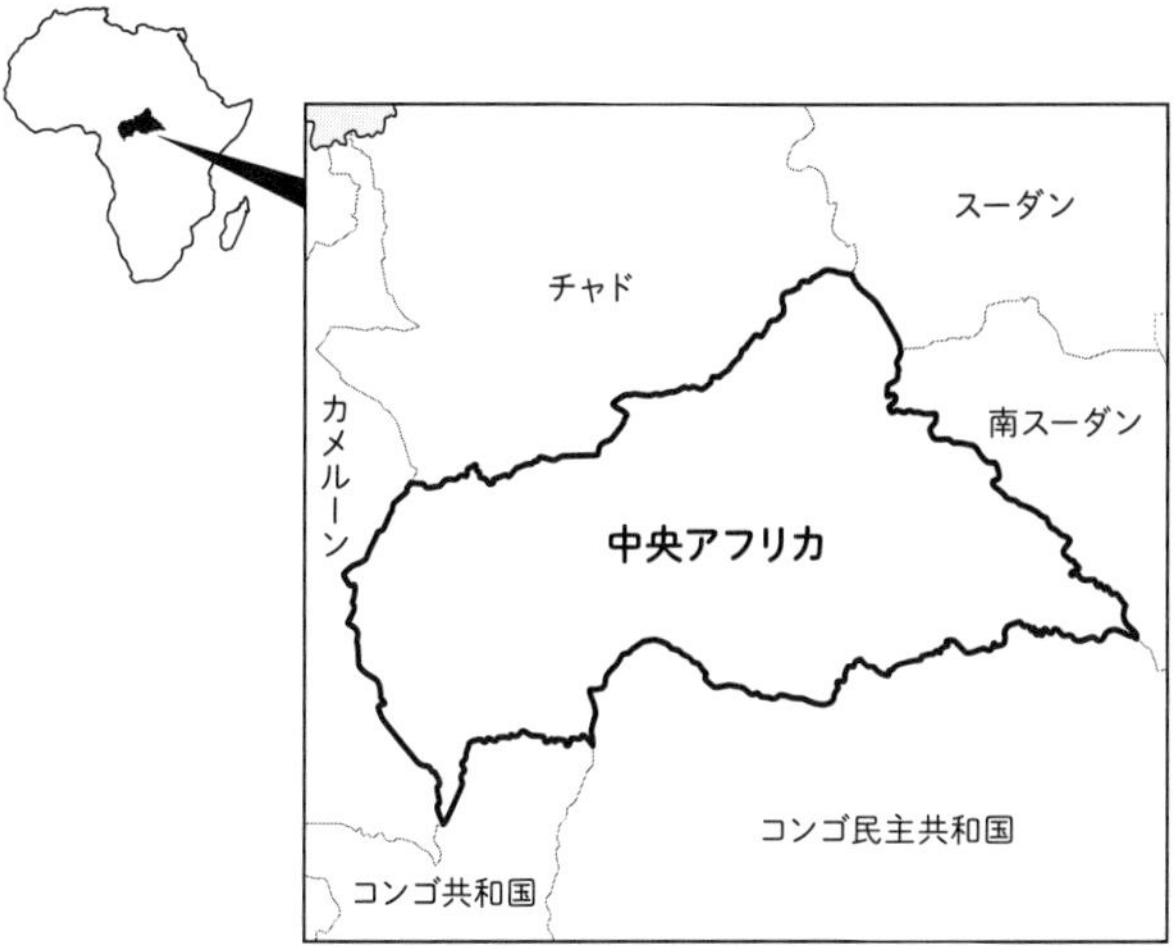

ここまでアフリカの代表的な紛争を見てきましたが、この半世紀でどれだけの人が犠牲になってきたのか。今まで挙げてきた数字を足してみてください。戦火を逃れ難民とならざるを得なくなった人を含めればその数はもっと増えます。

アフリカで起きていることを考えるとき、日本人の世界認識のある種の欠陥に気づかされます。

2022年にロシアがウクライナへ侵攻したとき、日本のメディアは集中豪雨のような報道を1ヵ月以上やりました。それに比べてアフリカでこういうことが起きていた事実はどれくらい報じられてきたのか？　ウガンダのところで紹介した「Kony 2012」の中で、「こんな出来事がアメリカで起きたら、『ニューズウィーク』の表紙を飾っているに違いない」というセリフが出てきます。紛争を起こしてしまうような人たちはレベルが低い人間なんだから相手にしなければいいんだよ、というような意識がどこかにありはしないか？　ぼく自身も反省させられます。

✹アフリカ的民主化と平和構築

政治的に独立できても（植民地ではなくなっても）、経済的に自立できるとは限りません。自給自足を崩され、プランテーション農業と資源を輸出する鉱山業くらいしか持たない植民地経済の構造がそのまま残されたからです＊。そこで政府主導で経済を成長させる必要から独裁が求められます（開発独裁）。

ところが2度のオイルショックによって経済が破綻すると、人権侵害を伴う独裁政権は国の内外から大きな批判にさらされます。世界史の大きな潮流として1980年代から世界各地で民主化が進む中で、アフリカでもほとんどの国が政治的に民主化され、憲法に複数政党制が明記されることになります。これは、独立直後から一党支配の下で独裁が続いたことに対する反省によるものです。

とはいっても、選挙で平和的に政権が交代し、話し合いで諸問題を解決していくという政治の慣習がすぐに根づくわけではありません。むしろ、選挙が内戦の引き金になることもあります。内戦だけでなく20世紀末からの世界規模の気候変動による天災もアフリカの危機を深めました。

しかしながら、実は2010年代以降、各地の紛争が小康状態を保っているともいえるのです。「アフリカの問題はアフリカで解決する」。このスローガンは1963年に設立されたOAU（アフリカ統一機構）によるものでした。これが2002年にAU（アフリカ連合）へと発展していきます。国連のPKO活動とともにAU独自の平

＊モノカルチャー経済の下で貧困から抜け出せない国々は南半球に多い。一方で豊かな工業国は北半球に多い。これを「南北問題」と呼ぶ。第二次世界大戦以後の冷戦をめぐる諸問題は「東西問題」と呼ばれていたが、1960年代以降、「南北問題」という言葉が使われるようになった（イギリスのオリヴァー・フランクスが名付け親）。南北問題解決のために1964年には国連貿易開発会議（UNCTAD）が創設される。1970年代以降、工業化を進めることができた国々（新興工業経済地域／NIES）と、依然としてそうでない国（後発開発途上国／LDC）の間の格差も顕著になり、これは「南南問題」と呼ばれている。

和維持部隊が結成され紛争解決に努力しています。

ジェノサイドの典型例ともいえるルワンダ虐殺後も、欧米流の解決の仕方ではなくアフリカの人々が納得するかたちでの解決が模索され、復讐の連鎖を抑え込むことに成功しています。ルワンダもブルンジも、あれほどひどいジェノサイドがあったにもかかわらず、事件の後で死刑制度を廃止しています。

アパルトヘイト後の南アフリカでも、黒人と白人の共存が維持されています。楽観はできませんが、アフリカ的解決の仕方はヨーロッパ的原理にとらわれない方法として、非ヨーロッパにおける紛争解決にヒントを与えるでしょう。

2000年に国連サミットで採択されたミレニアム開発目標（MDGs）は、2015年にSDGsというかたちで新たな目標を掲げました。これからは先進国も途上国もともに地球規模の目標へ進んでいかなければなりません。日本もアフリカの抱える問題を他人事とせず自分たちの課題として意識しなければならないと思っています。

アフリカの歴史を一冊で学べる良書があります。**『新書アフリカ史』**（宮本正興、松田素二編／講談社現代新書）です。新書なのになんと700ページを超える分厚さで

サブサハラ（サハラ砂漠以南）アフリカ諸国のGDP見通し

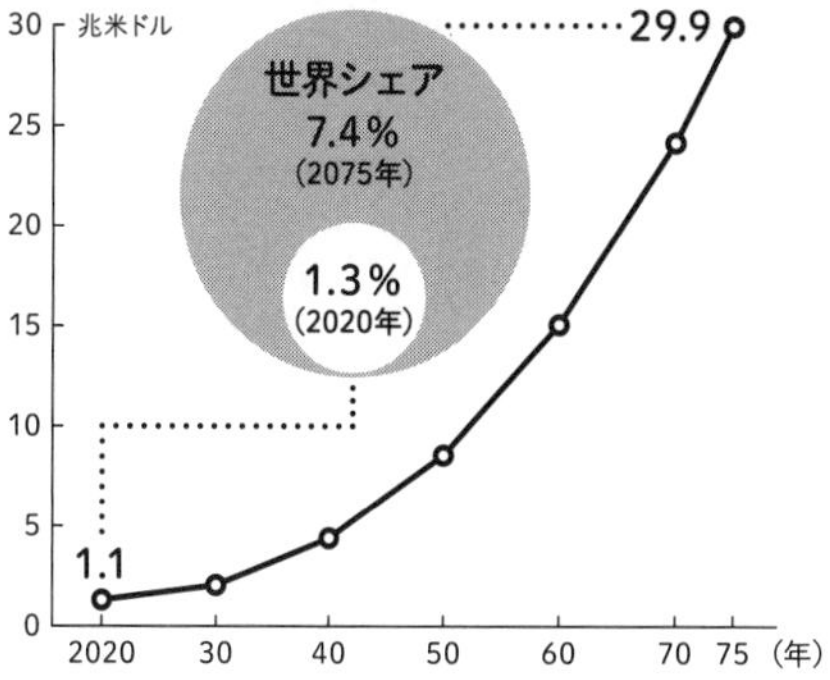

出所：米ゴールドマン・サックス

すが、アフリカのことをアフリカだけで語るのではなく、同時代の他の世界との関連でその歴史的展開を叙述しています。無意識のうちにアフリカを「劣った」と捉えるヨーロッパ発の思考をトレースしている日本人にはとても重要な視点を与えてくれます。

東南アジアの紛争

東南アジアは、一見するとアフリカのように定規で引いたような国境線にはなっていませんが、多くの紛争を抱えています。いってみれば、国境線を引くこと自体が不自然な行為なのです。定規で引かれたような国境線はそのことをわかりやすく示しているに過ぎません。

東南アジアが植民地にされた19世紀末と現在の国境線を見れば、植民地時代の爪痕が東南アジアに残っていることは明らかです。それでは見ていきましょう。

✹タイが抱える2つの紛争

まず、**カンボジアとの紛争**があります。タイの国境がどのようにして決められたかを説明しましょう。

アジア・アフリカのほとんどがヨーロッパの植民地にされていく中で、タイは**日本**

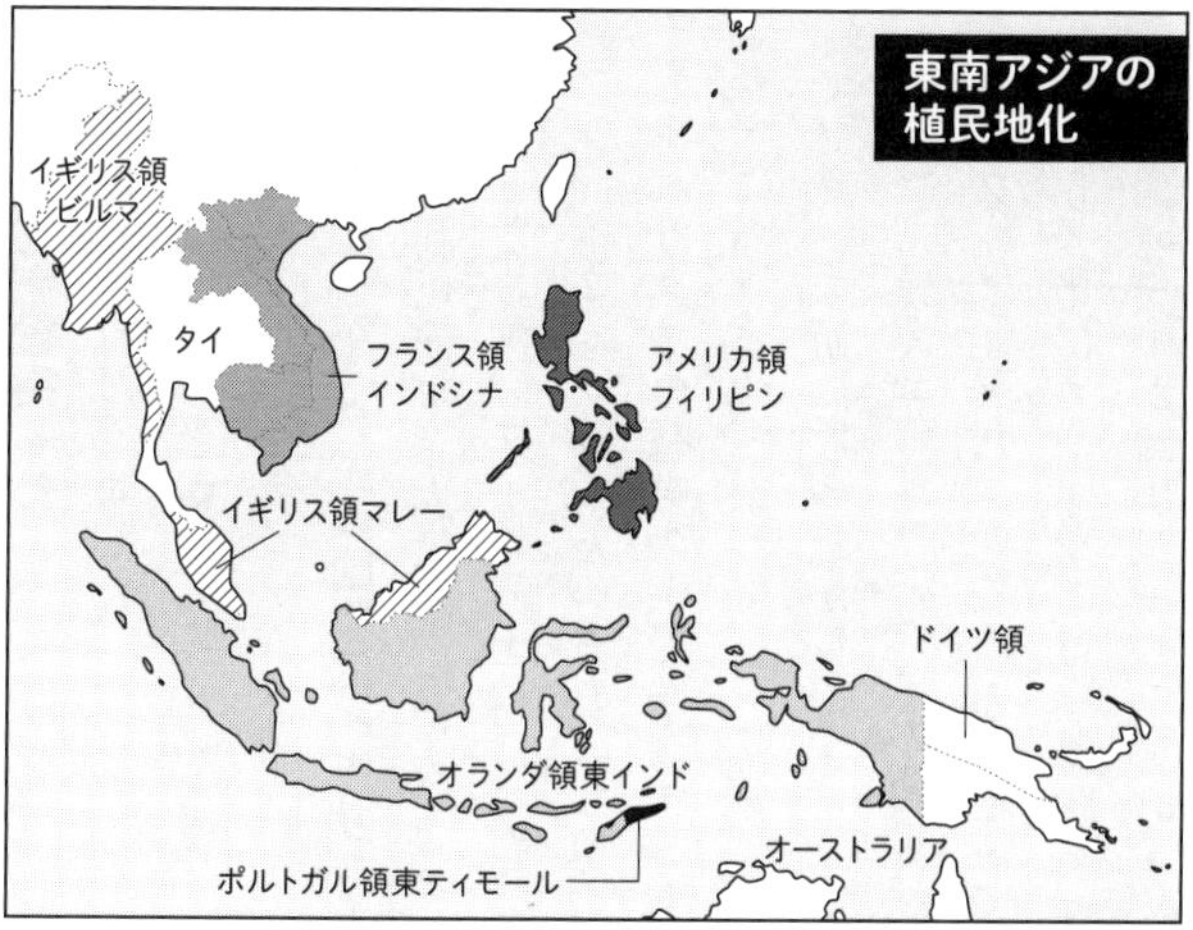
東南アジアの
植民地化
イギリス領
ビルマ
タイ
フランス領
インドシナ
アメリカ領
フィリピン
イギリス領マレー
ドイツ領
オランダ領東インド
オーストラリア
ポルトガル領東ティモール

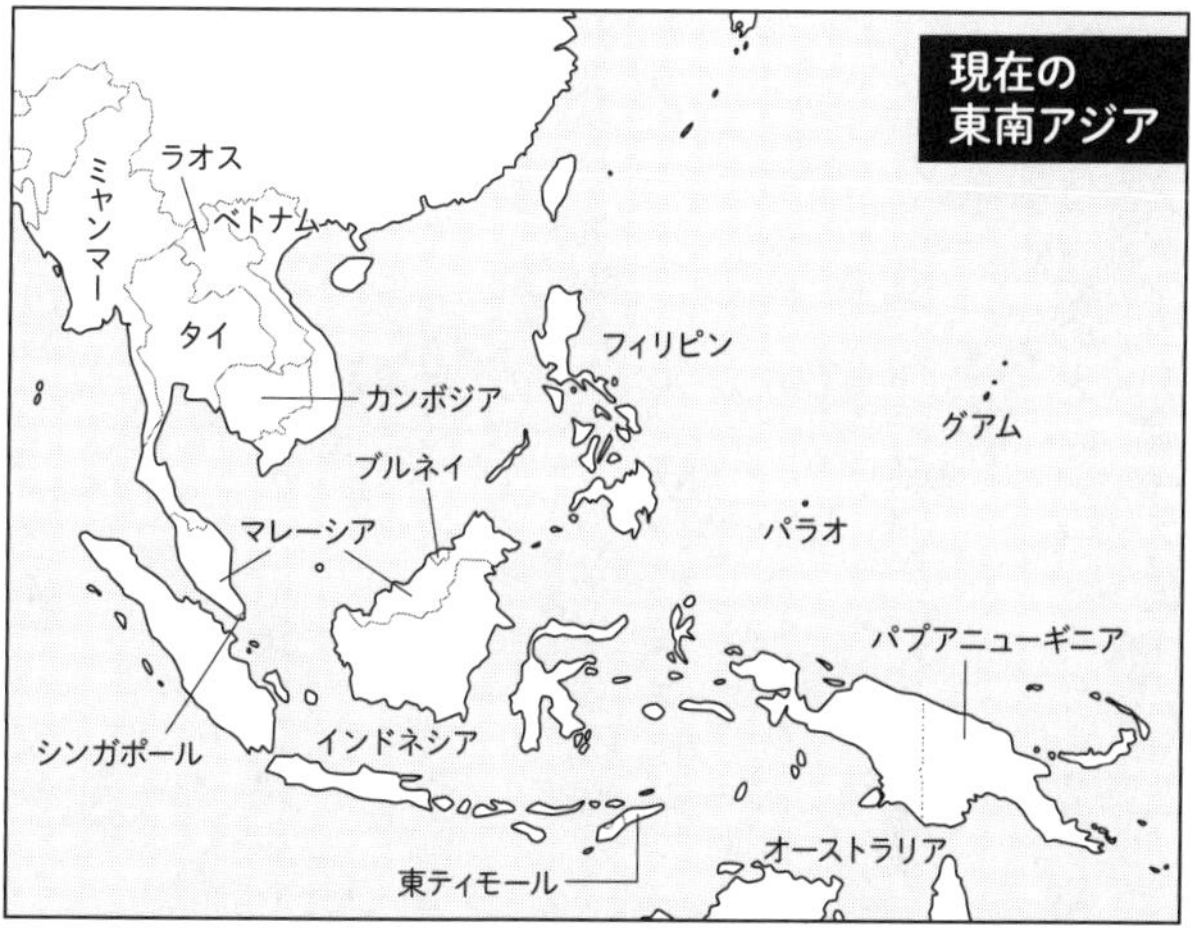
現在の
東南アジア
ラオス
ミャンマー
ベトナム
タイ
フィリピン
カンボジア
グアム
ブルネイ
パラオ
マレーシア
パプアニューギニア
シンガポール
インドネシア
オーストラリア
東ティモール

と並び独立を維持したことで知られています。でも日本と違って、タイはかなり苦しい立場に置かれていました。

東からはフランスが、西側からはイギリスが虎視眈々《こしたんたん》と狙っている状態でした。最終的にイギリスとフランスがタイを独立させておくことを決めたので植民地にはされませんでしたが、**タイの国境はイギリスとフランスが決めてしまった**のです。従来（主権国家体制以前）、明確な国境線などなかった東南アジアでタイがなんとなく支配していたところに、タイの領土はここだ、と明確に決められたのです。

アンコール＝ワットという有名な遺跡があります。アンコール＝ワットの話をしようとすればタイの歴史の中で登場するものですが、アンコール＝ワットは現在、カンボジアにあります。かつてはタイ領に属していましたが、この時代に決められた国境線でフランス領になったからです*。

フランス領カンボジアとタイの間には一部国境線の主張で食い違いが生じています。それがプレア＝ビヒア寺院のある地域です。

1953年にカンボジアはフランスから独立します。そのとき以来、タイとカンボジアの国境紛争が始まりました。タイにしてみればフランスに領土を奪われていたと

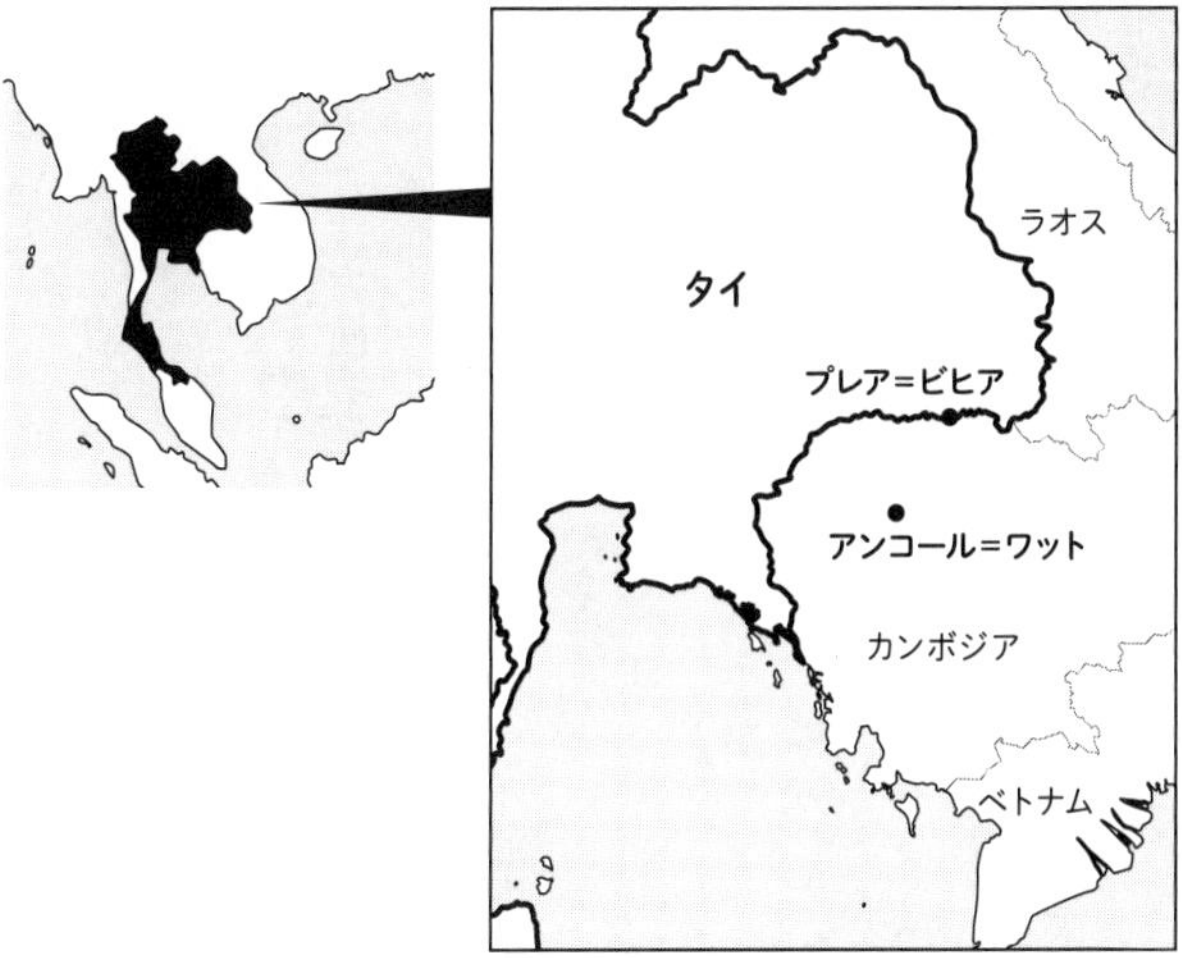

感じるわけで、フランスがインドシナ半島から退くならば、タイから奪った領土も返すべきである、といった考え方でしょう。

国際司法裁判所はプレア＝ビヒア寺院のある地域はカンボジア領であるという決定を下しますが、タイがそれで引き下がったわけではありません。第

＊2003年にタイの女優スワナン・コンギンが「アンコール＝ワットはタイのもの」と発言したというニュースが広がった（この発言を本人は否定している）。するとここからカンボジア国内では彼女が出演しているドラマが放映禁止になり、タイ大使館やタイ系企業が焼き討ちに遭うといった騒動が起こっている。

二次世界大戦のどさくさ紛れだったとはいえ、タイがここを実効支配していたからです。プレア＝ビヒア寺院自体、断崖絶壁に建てられていて、タイ側から行けてもカンボジア側からは行けないという事情もあります。

2008年、プレア＝ビヒア寺院が世界遺産に登録されると、タイ国内で反発の声が高まり武力衝突に発展しました。2013年に国際司法裁判所は改めてこの地域をカンボジア領と認め、事態は鎮静化されています。

タイの抱える紛争の2つ目が**タイ深南部**です。タイはマレー半島の中部にまで領土が広がっており、その最南端でマレーシアと国境を接する地域をタイでは深南部と呼んでいます。

マレー半島はイスラームが広がっていて、この深南部もムスリム（イスラーム教徒）が多い地域です。タイは敬虔《けいけん》な仏教徒が多い国ですから宗教の違いが国民統合を妨げているという捉え方でいいと思います。2004年以降、武力衝突にまで発展したのですが、2013年になって対話が始まり、和平を試みる機運が高まっています。

なかなかうまくはいかないものの、現地の解決の動きを後押しするためにも、この地域に**国際社会の監視の目を光らせる**ことが必要でしょう。監視し続けることで紛争

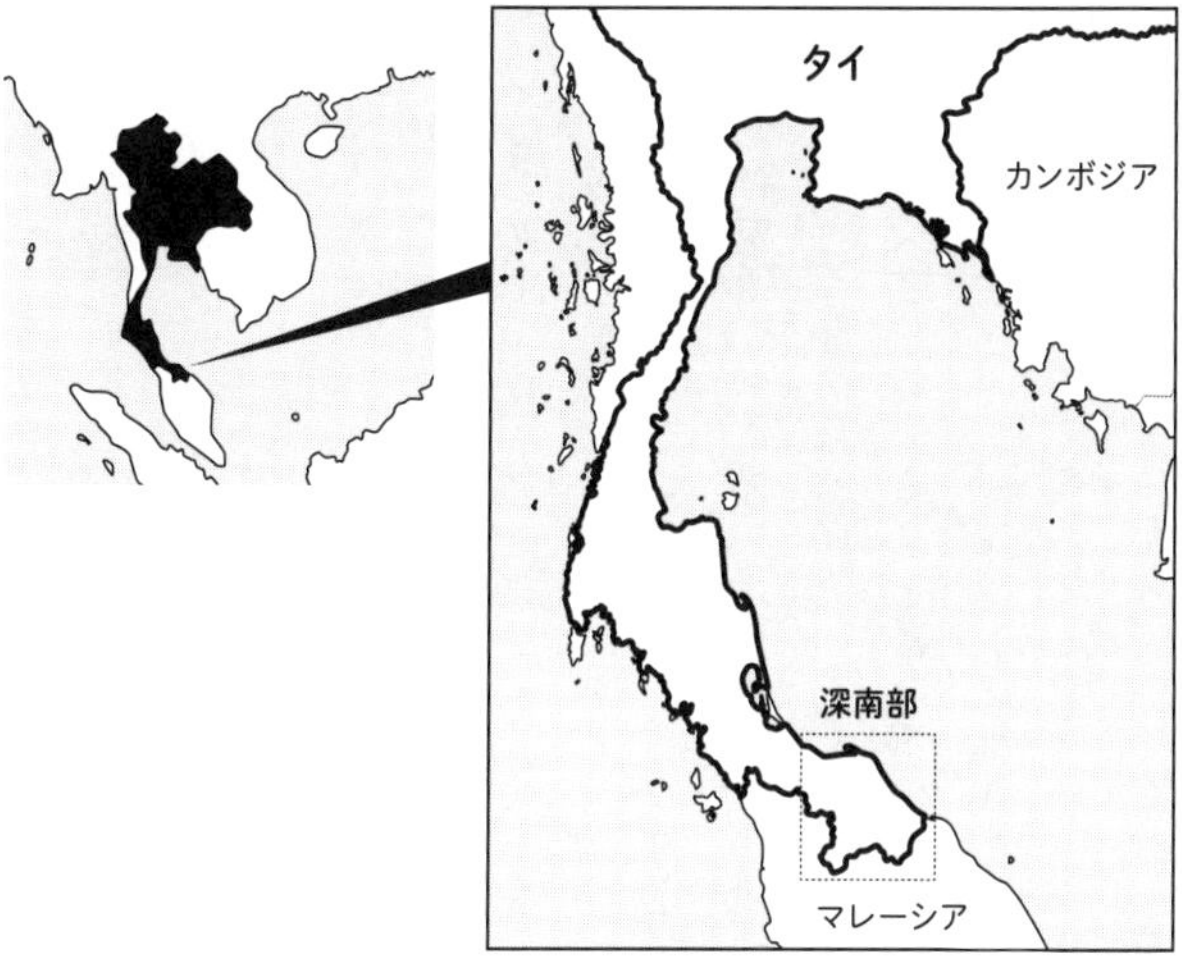

当事者への無言の圧力になると思っています。

✹ラオスの国語政策

ラオスはあまり馴染みがない国ではないでしょうか。ラオスについて興味深い話があったのでここで紹介しておきます。**『国民語が「つくられる」とき――ラオスの言語ナショナリズムとタイ語』**（矢野順子／風響社）に国民国家をつくるとはどういうことなのかがわかりやすく書かれてあったので、これを要約して伝えていきましょう。

ラオスはタイの東側、つまり19世紀末から20世紀半ばまでフランスの植民地だったところです。このタイとラオスにまたがって居住しているのがラーオ語を話すラーオ族です。このラーオ語と非常に近い言語がタイの人たちが話すタイ語で、ラーオ語とタイ語は東京弁と大阪弁ほどの違いもない、非常に似通った言語です。

タイとフランスの国境を決める際、ラーオ族は地図のように二分されてしまい現在に至っています。タイから見ればラオスをフランスに奪われたという意識が強いため、何とかしてラオスをタイ領に組み込もうとする一方で、植民地となったラオスはフランスからの独立を目指すことになります。

第二次世界大戦後、フランスはインドシナ半島から撤退し、ラオスは1953年に正式に独立するのですが、タイとの対立が始まります。皮肉なことに、タイに対抗するためにフランスに植民地にされていたことを美化する発言もラオス内では聞かれます。以後、ラオスはタイとの対立の中でタイ語とは違う言語として「正しい」ラーオ語を「創設」していくことになるのです。

ラオスのエリートはフランス植民地下でフランス語に長けていたためフランス語を国語（公用語）にすべきだとの意見もあり、ラーオ語の整備がなかなか進まない中で、ラオスでは隣国のタイから流れてくるラジオやテレビを通じてタイ語を使う人たちが

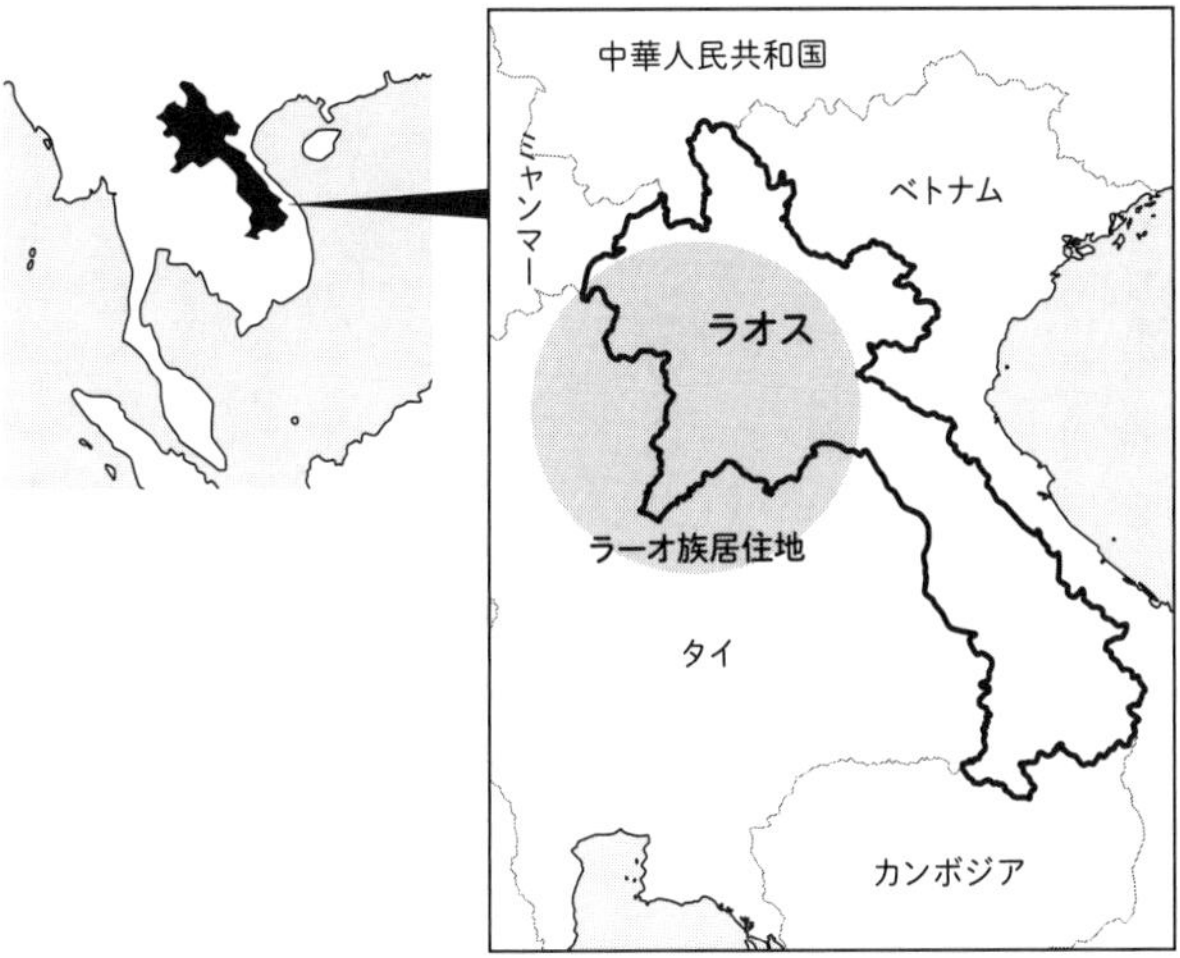

増えていきます。ラオスに比べてタイのほうが経済水準が格段に上であることから、タイ語による文化の発進力のほうにラオスの人たちは惹かれるわけです。

しかし一部の人たち、とりわけエリートは、タイ語話者が増えるとラオスがタイの一部になるのではないかという懸念からラーオ語の整備を進めます。こうした運動が**言語ナショナリズム**と呼ばれるものです。

たとえるならば、韓国の芸能人が好きな西日本の若者たちが韓国語で会話をし始め、それを見て「このままでは日本が危ない」と考える人たちが「日本語を話そう運動」を進める、といった感じです。

一つの言語に一つの民族、これが一つの国家をつくるというナショナリズムの思想や運動は、植民地からの独立を目指すものではありましたが、独立後は隣国との違いを過度に強調することで対立につながります。

隣接しながらも緩やかに違いが生まれ、ある言語の方言が広がりを見せる地域に国境線が引かれることで、「国語」と「外国語」に二分されていく過程をこの本で学ぶことができました。

✹フィリピンのミンダナオ紛争

フィリピンは7000を超える大小の島々から成り立っています。首都のマニラのあるルソン島から離れて南部にあるミンダナオ島が紛争の舞台になります。

フィリピンは1571年にスペインがマニラを建設し、当時のスペイン国王フェリペ2世にちなんでフィリピンと命名されたことで、19世紀末までスペインの植民地としての歴史を歩みます。ルソン島ではスペイン支配下でカトリックが住民の間に広がります。この間、ミンダナオ島にスペインの支配は及んでいませんでした。

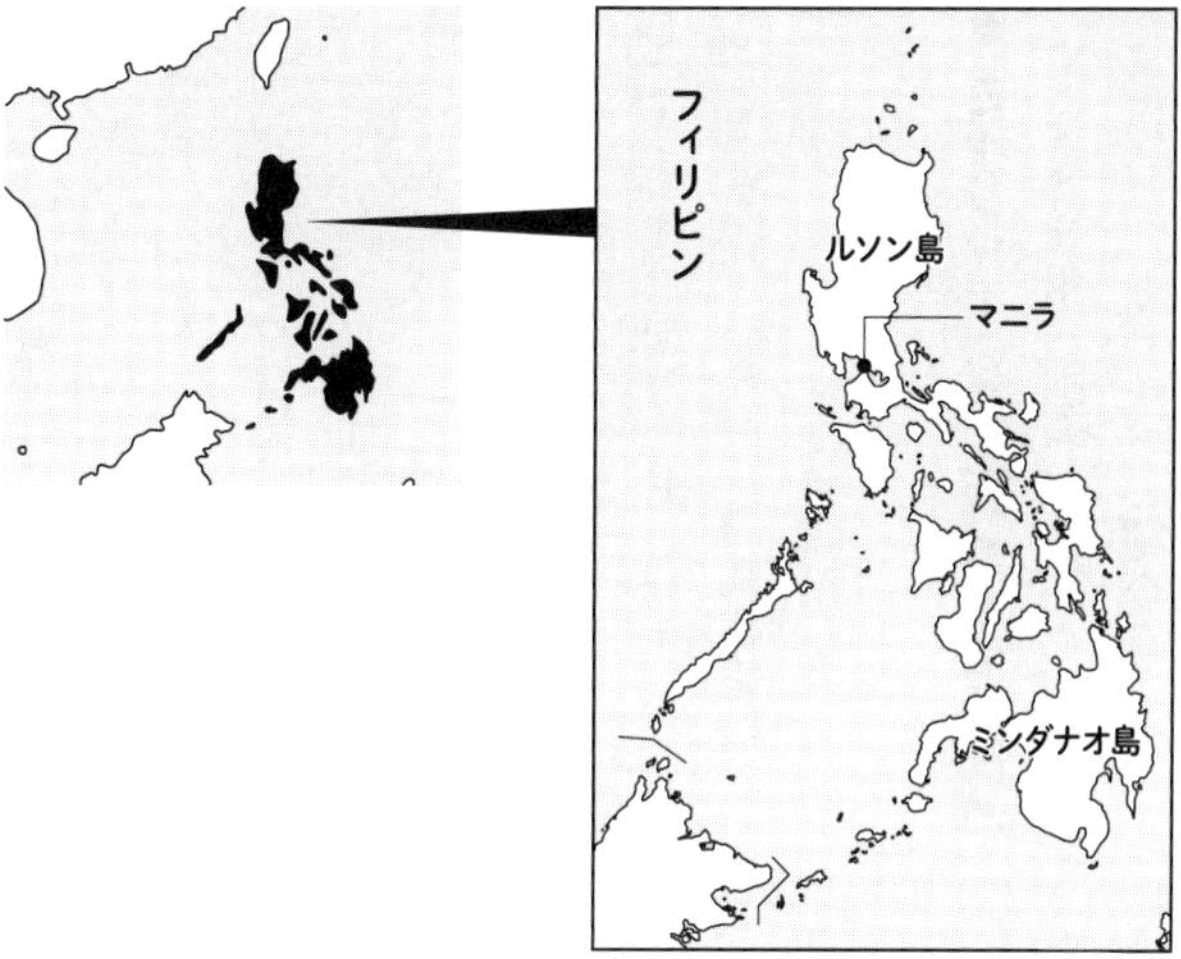

1898年に米西戦争が起き、フィリピンは独立のチャンスに恵まれるのですが、うまくいかずアメリカの植民地になってしまいます。その後、アメリカはマニラのあるルソン島だけでなくミンダナオ島にまで支配を広げました。

ミンダナオ島の南部には16世紀頃からイスラームが広がっていたのですが、アメリカの支配下でルソン島からミンダナオ島へ移住する人が増え、ミンダナオ島のムスリムは少数派になってしまいます。

第二次世界大戦が終わりフィリピンは独立しますが、ミンダナオ島のムスリムはルソン島を中心とするフィリピンの支配を嫌い、1970年にモロ民族解放戦線（MNLF）を結成してフィリピンに対する武装闘争を開始します。モロはタガログ語でムスリムを意味します。

MNLFはフィリピン政府への対応の違いをめぐって内部分裂します。フィリピン政府に強硬に対抗しようとするグループが離脱し、モロ・イスラーム解放戦線（MILF）が結成されるのです。

こうして三つ巴の争いが展開される中で、中東のイスラームテロリストとの関係もあるアブ・サヤフやバンサモロ・イスラーム自由戦士といった過激なグループが台頭してきます。MNLFとMILFはこの過激派の台頭に対してフィリピン政府に接近し、半世紀にわたった内乱状態は終わろうとしていますが、過激派の動向によっては、落ち着くまでにまだ時間がかかるかもしれません。

✹ミャンマーの民主闘争と難民問題

1989年に国名がビルマから変更されたミャンマー。軍事政権によって変更されたため、今もビルマと呼び続けている国も多いですが、日本はあっさりとミャンマーに変更し、教科書の表記もすべてミャンマーになりました。それでもやはりビルマと呼び続ける人もいます。

この国の正式名称はミャンマー（ビルマ）連邦共和国です。連邦の文字からわかるように典型的な多民族国家で、カウントの仕方にもよりますが100以上の民族から成り立っています。そのうち7割近くを占めるのがミャンマー（ビルマ）人です。

19世紀末にイギリスの植民地となり、1930年にはイギリスからの独立を目指すタキン党が結成されます。タキン党のスローガンは、「ビルマこそ我らの祖国、ビルマの文字は我らの文字、ビルマ語は我らの言葉、我々の国を愛し、我々の文学を改善し、我々の言葉を尊重しよう」というものでした。

先にラオスの話をしましたが、このスローガンからもわかるように言語ナショナリズムの色濃い主張が読み取れます。イギリスからの独立といえば聞こえはいいですが、多くの少数民族を「ミャンマー化」しようとする点にも注目してください。

ミャンマーは軍事政権が長らく続いていますが、アウン・サン・スー・チー率いる国民民主連盟（NLD）のように民主化を求めるグループもあります。このNLDと結んで少数民族の権利を勝ち取ろうとするカレン族やカチン族などが軍事政権に対して武装蜂起を行なっていて、東南アジア諸国の中では現在、一番政情が不安定な国になっています。

ミャンマーには**ロヒンギャ**と呼ばれる少数民族がいます。**「世界で最も迫害された少数民族」**といわれており、ミャンマー内に100万人ほど居住していますが、迫害から逃れて国外で難民となった人たちも100万人近くいるのです。

ミャンマーとインドの国境のあたりに住んでいるイスラーム教徒で、ミャンマーの大半が仏教徒であるという宗教的な違い、さらには肌の色や言語も違うことからロヒンギャは国民として認められず無国籍扱いとされ弾圧を受けています。多くのロヒンギャがミャンマーを離れ難民となっているのはそのためです。

ロヒンギャ難民は日本をはじめ世界各国に亡命していますが、多くはバングラデシュの難民キャンプで劣悪な環境に耐えながら生活しています。難民人口が増えることでロヒンギャに対するバングラデシュの国民感情も悪化し、保護ではなく監視の対象となっており、国際社会からの援助なしにはどうしようもない状態に置かれています。

ロヒンギャについては、**『ミャンマーの矛盾——ロヒンギャ問題とスーチーの苦難』**（北川成史／明石書店）が理解を深めてくれる優れた本です。ドキュメンタリー映画

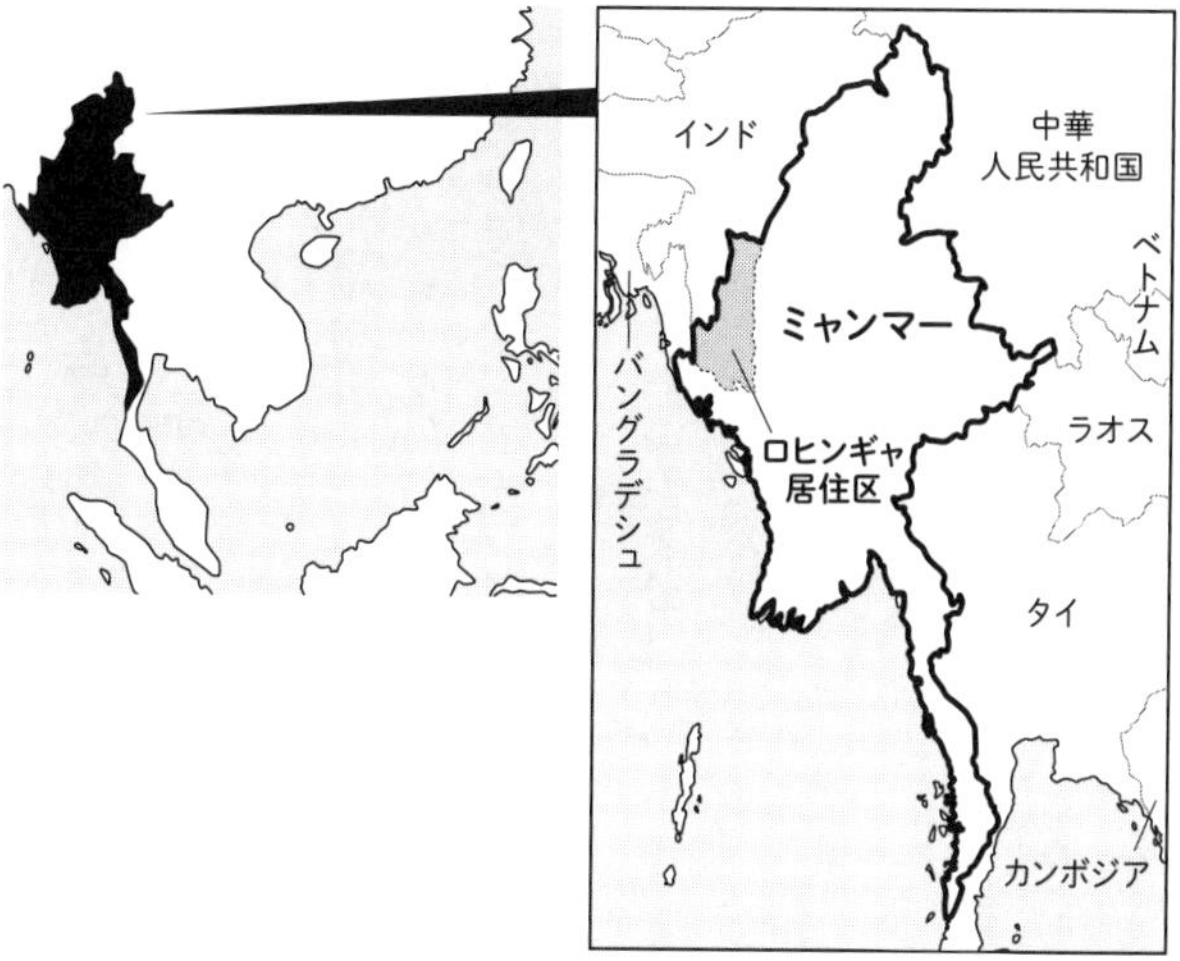

の**『ロヒンギャの夢』**もお薦めです。

✸インドネシアの分離独立運動

まず、ニューギニアに住む**パプア人の問題**から見ていきます。

ニューギニア島は19世紀末にオランダ、ドイツ、イギリス（第一次世界大戦後はオーストラリア）に三分されました。定規で引かれた、あまりにも不自然な国境線ですね。この島に住んでいる人たちがパプア人です。ドイツ領は第一次世界大戦後に日本領に、第二次世界大戦後はオーストラリア領となり、１９７５年に独立してパプアニューギニアとなります。

オランダ領ニューギニアのことをイリアンジャヤと呼びます。ここは、インドネシアが第二次世界大戦終了直後の1945年に独立する際にオランダ領にとどまり独立できなかったのです。オランダとしてはイリアンジャヤの支配を失いたくないものの、時代は脱植民地化が進む20世紀後半ですので、結局はイリアンジャヤを手放すことになり、1963年にインドネシア領になるのです。

イリアンジャヤに住むパプア人はオランダの支配下にあるときから独立運動を進めていたので、インドネシア領になることに納得がいかず、インドネシアからの分離独立運動が開始されるわけです。これまでに約10万人が犠牲者になったといわれています。

ニューギニア島の西半分はインドネシアなので東南アジア諸国連合（ASEAN）に加盟していますが、パプアニューギニアはASEANには加盟していません。それは軍事独裁政権を率いたスカルノをはじめとしてインドネシアの人々がパプア人を劣った民族として下に見ていたから、つまり、人種差別の意識があったからです。

ヨーロッパの人々がアジアの人々を見下していたことを非難したいのならば、自らも他の人々を見下すような姿勢をとることを反省するのが先だと思います。同じことは日本にもいえます。日本はアジアの解放のために第二次世界大戦を戦ったのだと主

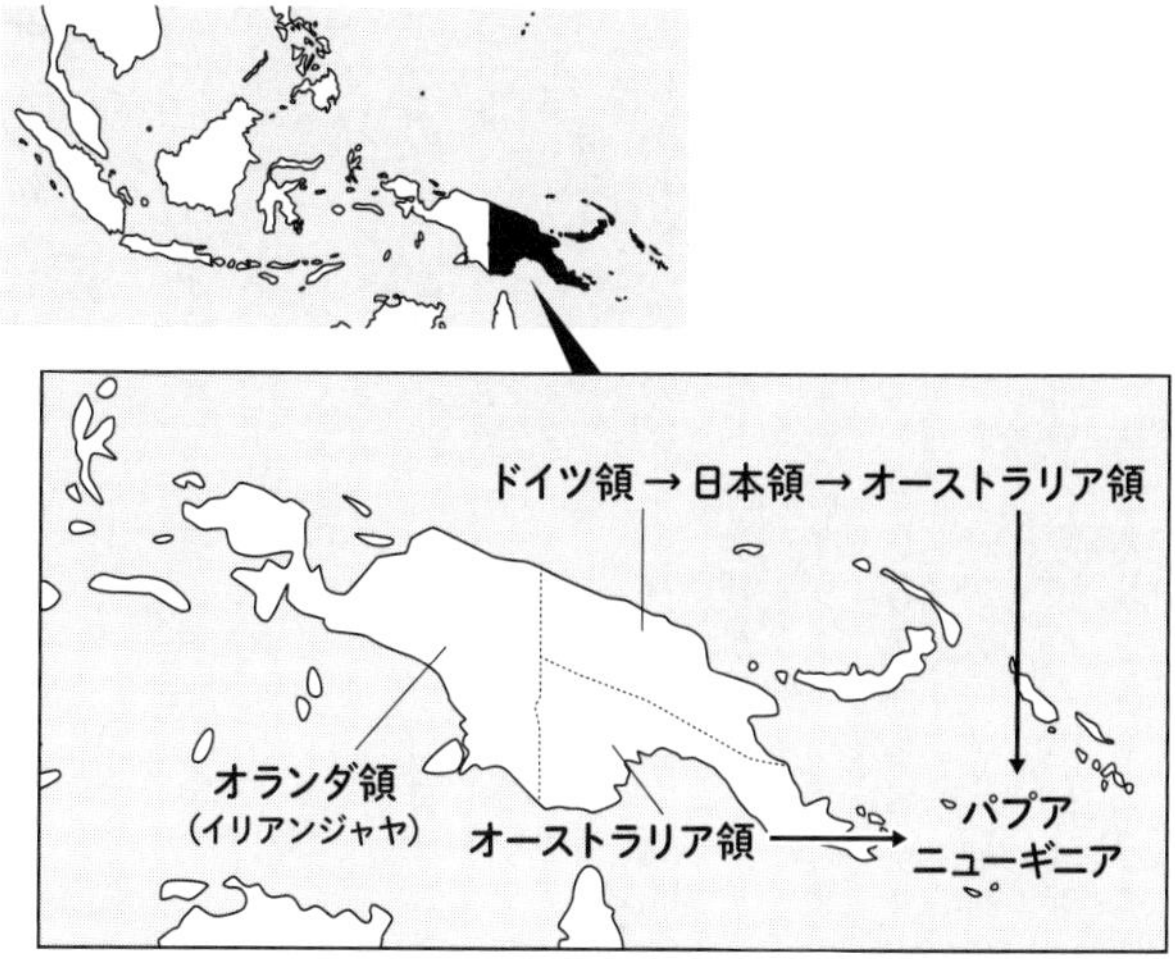

張するのは構いませんが、そのことと韓国や中国を見下す態度は両立しないのではないか、ということです。

次に、今は解決している**東ティモール紛争**の話をしておきましょう。

ティモール島は16世紀以来、ポルトガルの植民地となっていました。17世紀になってこの地に進出してきたオランダとの間でティモール島を東西に分割することが決まります。

西ティモールは第二次世界大戦終了直後の1945年にインドネシアの一部となりますが、東ティモールはポルトガル領のままでした。

ポルトガルは1930年代からサラ

ザールによる独裁がずっと続いていましたが、ポルトガルが支配するアフリカの植民地（アンゴラ、モザンビーク、ギニアビサウ）で独立運動が活発になると、その鎮圧のために財政が破綻していきます。サラザールが政界から引退すると、青年将校の間で体制変革を目指す動きが高まり、１９７４年に独裁体制が倒れます（カーネーション革命）。

この本国の変革を受けて東ティモールでも政治的な自由が認められると、独立を掲げるグループができる一方でポルトガル領にとどまろうとするグループとの対立が始まります。

しかも独立派のグループは共産主義的色彩が強かったため、そこにインドネシアが介入して東ティモール全域がインドネシアに併合されました。以後、東ティモールの独立を目指す人たちはインドネシアによって徹底的に弾圧されます。

インドネシアは１９６５年からスハルト率いる軍事独裁政権が続いていましたが、１９９８年にインドネシアの民主化運動の高揚でスハルト政権が倒れると、東ティモールもようやく独立への道筋が開けます。しかし、これを認めないインドネシア国軍が介入したため、混乱状態に陥り、国連の介入で事態は収拾され、２００２年に正式

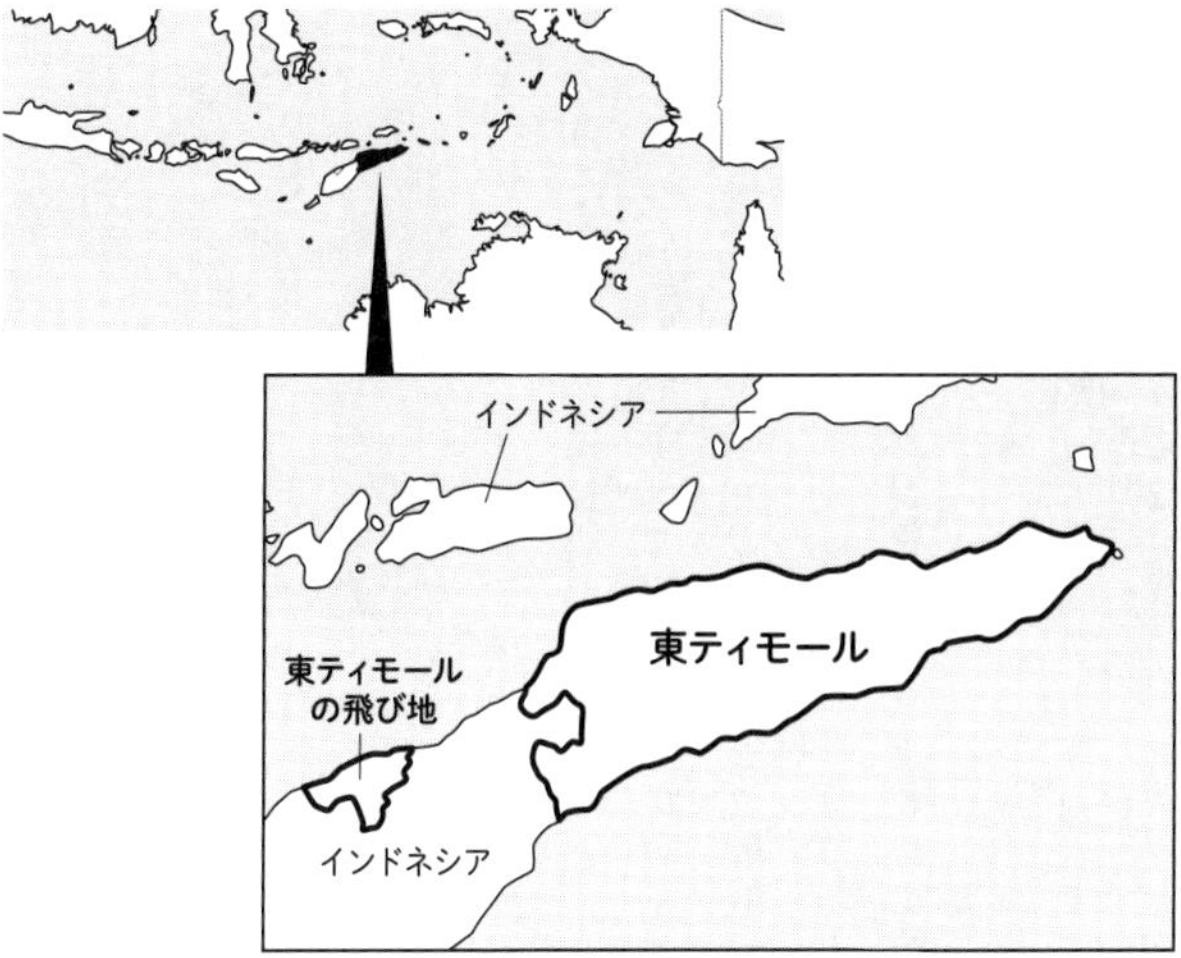

に独立することが決まります。
個人的な体験ですが、大学生のときに街角で東ティモールの人権弾圧に抗議する署名活動をしている人たちがいました。彼らの署名活動を数名の背広姿の人たちが監視しています。署名をしていた人たちと話をすると、「公安の人たちだよ」と教えてくれました。なぜ、こんな運動が目をつけられなければならないのか、10代のぼくにはわかりませんでしたが、冷戦下において共産主義と結んでいる東ティモールの独立運動を支援する行為が監視されるのは当たり前だと気づくのは数年経ってからでした。東ティモールの人権弾

圧への反対運動が普通のことになるのは冷戦が終結し、アメリカが東ティモール問題を重視するようになってからです。

最後に、インドネシア内の紛争で代表的なケースとして知られる**アチェの独立運動**のことをお話ししておきましょう。

インドネシアは多くの島々から成り立っている国家で、島ごとに文化が違います。500近い言語が使われている典型的な多民族国家です。インドネシアの中で面積及び人口で群を抜くスマトラ島とジャワ島も、歴史を辿れば別の国に治められていた時期のほうがはるかに長いのです。

こうした島々をすべてオランダが植民地にしたことでインドネシアという国がつくられるのですが、当然ながらある支配的な集団に他の島々は同化を迫られるわけで、それが反発を招く。その典型例がアチェです。

アチェ王国はオランダがスマトラ島の支配を南から広げていく中で最も抵抗した勢力でした。

アチェ王国の歴史は古く、15世紀にはこの地で勢力を伸ばしていました。東南アジアにイスラームが広がりを見せるのもこのアチェの役割が非常に大きく、東南アジア

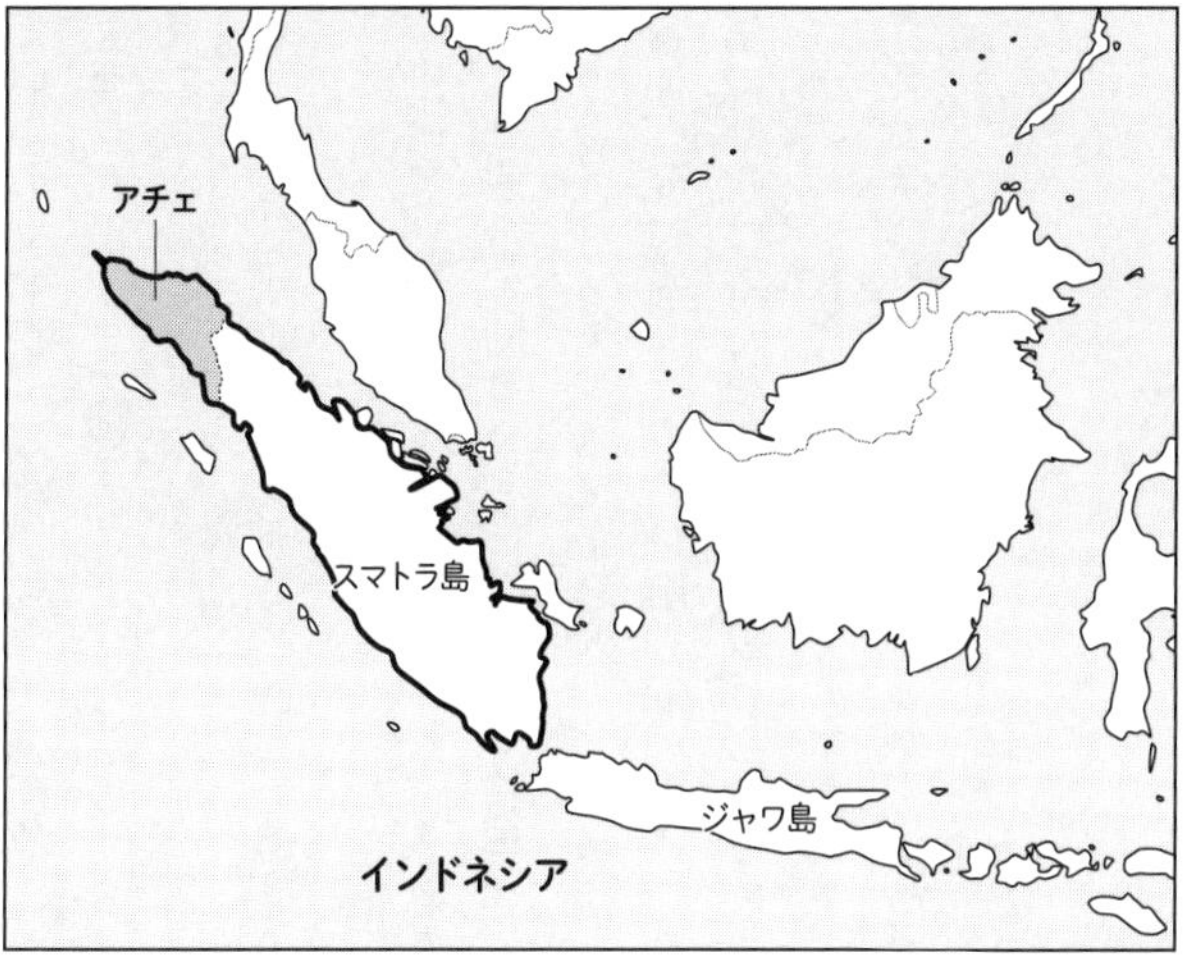

におけるイスラームの盟主といってよい存在でした。植民地にされてからもオランダに対して抵抗を続け、第二次世界大戦中に一時期ですが日本の支配下に置かれたときも抗日運動を展開しています。

第二次世界大戦が終わり、インドネシア独立戦争がオランダとの間で勃発します。インドネシアの独立運動の指導者はスカルノで、彼の出身がジャワ島であること（インドネシアの首都はジャワ島のジャカルタ）からインドネシアの中心はジャワ島なのです。

アチェは独立戦争の最中、独立後には大幅な自治をスカルノから約束されていたのですが、これが独立後に反故《ほご》にされたことから、インドネシアからの分離独立運動が現在まで続くことになるのです。

この分離独立運動をインドネシアが徹底的に弾圧したことから犠牲者が多く出ました。このことが恨みの連鎖を生じさせ現在も解決の糸口は見えていません。


東南アジアには1967年に設立された地域協力機構のASEANがあります。アフリカ連合と同じく「地域のことは地域で解決する」という原則があります。しかし、東ティモールをめぐる紛争では国連が介入しなければならなかったし、インドネシア自体、先に見たように分離独立の動きを抱えていて、ASEANが東南アジアの安定化につなげるために努力が続けられています。

東南アジアについては多くの本が出ていますが、比較的新しくかつ歴史を踏まえたうえで全体像を見渡しているのが、**『東南アジア史10講』**（古田元夫／岩波新書）です。

南アジアの紛争

18世紀から19世紀の100年にかけて、イギリスはインド全域を植民地にしました。第二次世界大戦が終わり、イギリスは英領インドの統治終了を決めます。ところが、1つの国として独立するのではなく、4つの国家が成立します。インド共和国、パキスタン＝イスラーム共和国、バングラデシュ人民共和国、スリランカ民主社会主義共和国の4つです。この中でインドとパキスタンでは建国以来、現在に至るまで対立が続いています。このことを中心に20世紀後半の南アジアを見ていきましょう。

インドとパキスタンの分離独立

第二次世界大戦以前から、インドではイギリスからの独立運動が盛んに行なわれていました。運動を進めていたグループの一つがマハトマ・ガンディーがいたインド国民会議です。インド全域が一つの国として独立しようとする考えでした。

このインド国民会議に対して、インドのムスリムだけで一つの国家をつくろうと主張していたのが全インド＝ムスリム連盟で、当然両者の考えは食い違っています。

第二次世界大戦が終わり、イギリスの影響力が大きく低下したところでインドでは独立の動きが本格化しますが、全インド＝ムスリム連盟とインド国民会議の対立の溝は埋まらず、１９４７年に全インド＝ムスリム連盟はイスラーム国家としてパキスタンを、仕方なくインド国民会議もインド連邦（１９５０年にインド共和国と改称）を、というかたちで分離独立を果たしたわけです。

パキスタンはイスラームを奉じるイスラーム国家です。しかし、インド共和国はヒンドゥー国家ではありません。確かにインド共和国の民衆の8割近くがヒンドゥー教徒です。でもインド共和国はどの宗教も特別扱いをしないセキュラー国家なのです。

セキュラー国家という言葉は耳慣れないかもしれませんが、日本もアメリカもヨーロッパもほぼすべての国がそうなので意識していないだけで、どの宗教にも特定の地位を与えない、つまり、政教分離の原則がとられている国のことを指します。

実際にインド共和国には1割強のイスラーム教徒が住んでいます。他にもシク教やジャイナ教といった信仰を持つ人たちもいます。インド共和国はこうした宗教対立をなるべく避ける国家運営をしてきました。

もっといえば、インドでは現在もカースト制度が残存していてカーストによる対立があり、加えて公用語も20近くあります。

それゆえ言語による対立もあり、インドはヒンドゥー教徒が多いといってもその内部に対立を抱えており、ヒンドゥー教でひとまとめにできない多様性があります。したがって、パキスタン＝イスラームvs.インド＝ヒンドゥー教といった対立図式はあまりにも表面的な見方に過ぎないことを強調しておきます。

「宗教の違いによる対立」もないわけではありませんが、もっと解像度を上げる必要があります。**同じ宗教の信徒であっても、熱心な信徒もいれば、親が信徒だったからなんだよね、という人もいるなど、濃淡があるわけです。**こうしたことを無視して宗教対立と一言で片づけるのは思考停止だと思っています。

インドとパキスタンの対立はセキュラー国家と宗教国家の対立であって、言い換えれば**国民統合の理念をめぐる対立**なのです。宗教による対立ではなく、宗教を使って国民をまとめあげようとするパキスタンと、宗教によらず国をまとめあげようとするインドの対立というわけです。

✹ カシミールをめぐる紛争

インドとパキスタンが分離独立した直後の1947年に両国の軍事衝突が起きました。これを第一次印パ戦争（カシミール戦争）と呼びます。

イギリスの植民地だったインドは、イギリスが直接治めている地域と、イギリスから支配を任された藩王が治める地域がありました。分離独立の際、藩王はパキスタンとインドのどちらかに帰属することを迫られます。このときカシミールを治めていた

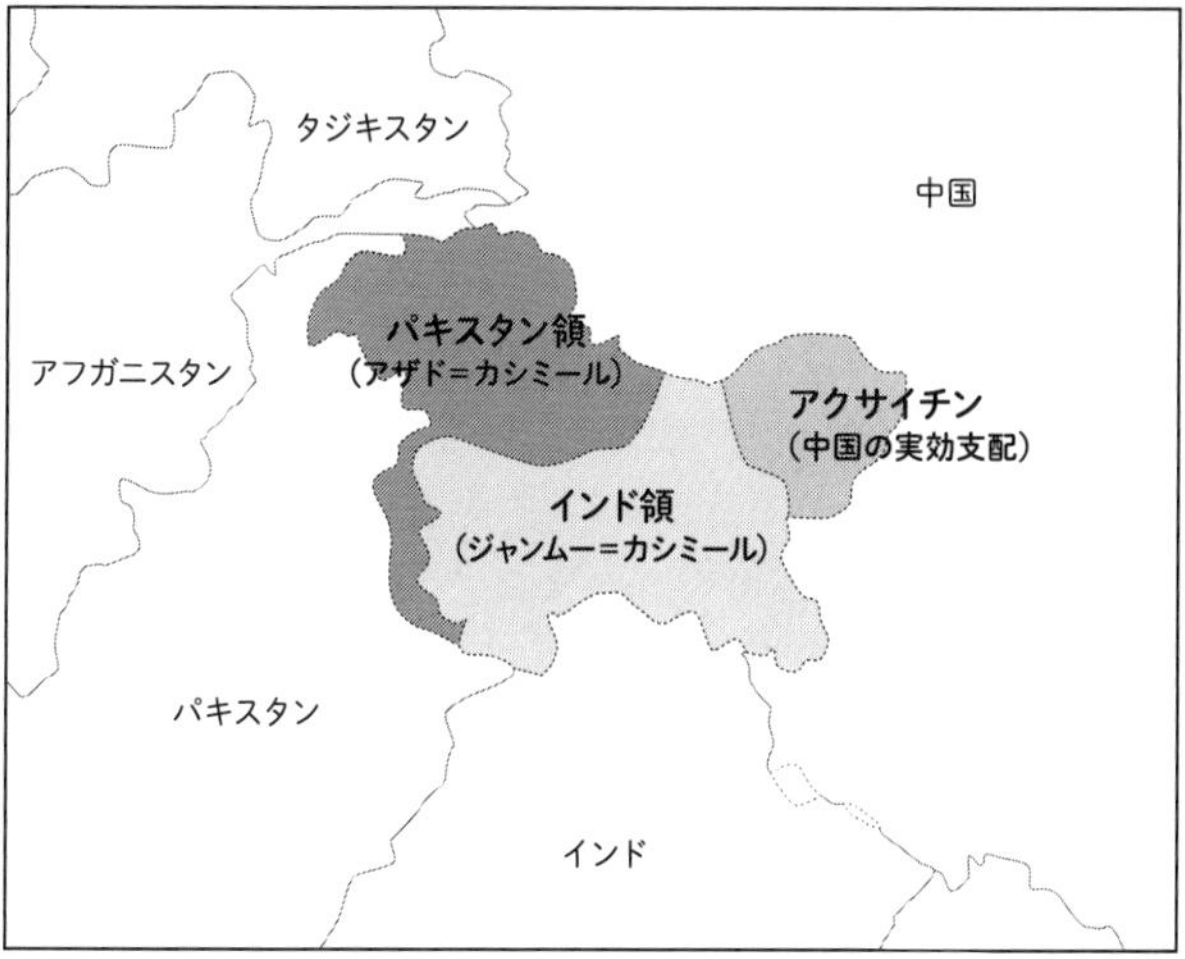

藩王はインドに帰属することを決めますが、このカシミールは圧倒的にムスリムが多いためにインドとパキスタンが揉めることになったのです。

結局カシミール地方は南北に分断され、北部はパキスタン、南部（ジャンムー＝カシミールと呼ぶ）はインドが暫定的に統治することになります。

1965年には同じくカシミール地方で武力衝突が起きます（第二次印パ戦争）。カシミール問題は今も決着はついていません。なお、カシミールの一部であるアクサイチン地区は現在、混乱に乗じて中華人民共和国が実効支配しています。

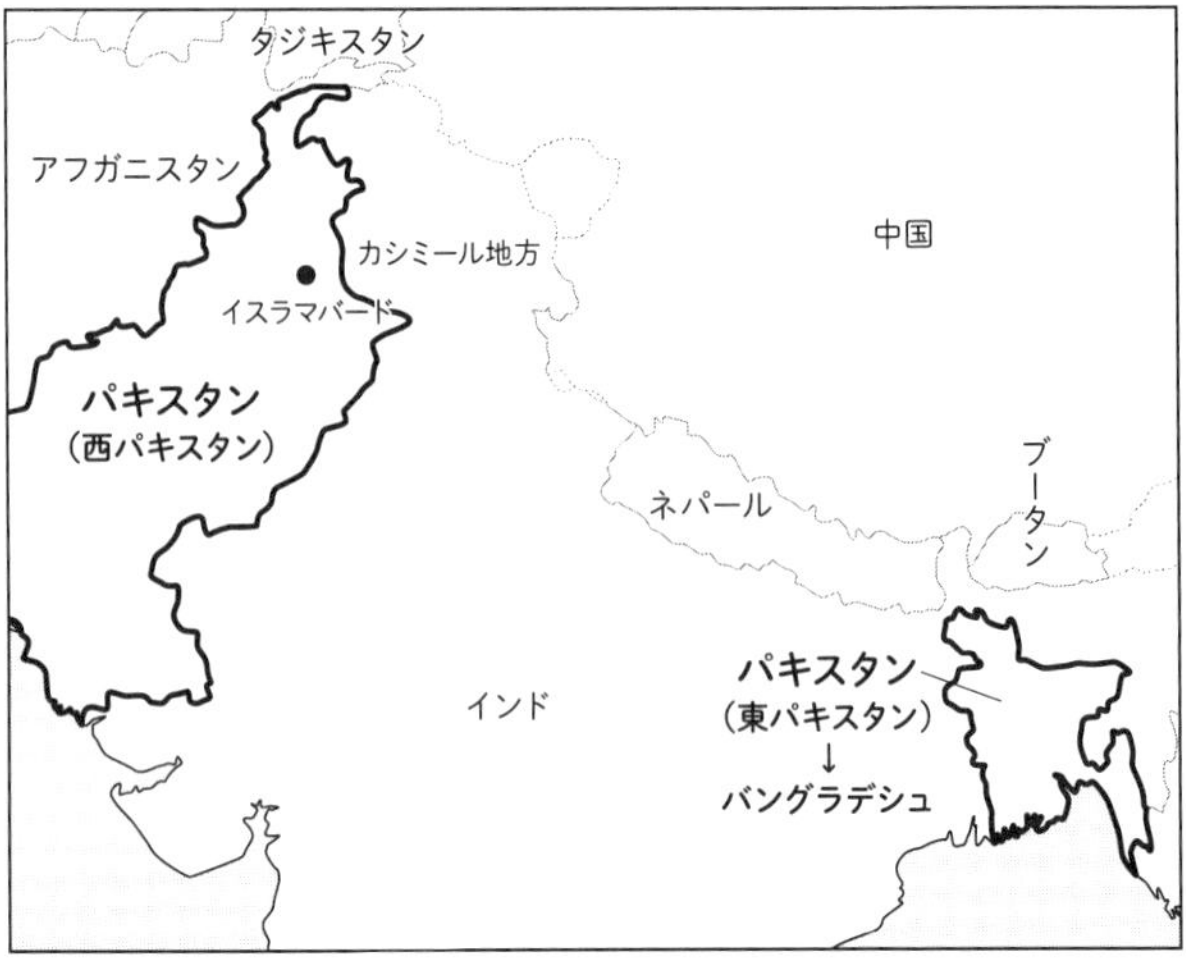

✹バングラデシュ独立戦争

１９７１年には第三次印パ戦争が起きます。これはカシミール地方をめぐるものではなく東パキスタンをめぐる戦争です。

パキスタンは独立当初から国土が二分されていました。東パキスタンは人口も西パキスタンと同じくらいなのですが、首都のイスラマバードは西パキスタンにあるし、西パキスタンで広く話されているウルドゥー語に対して東パキスタンではベンガル語が使われていて、同じイスラーム教徒でも東パキスタンの住民は冷遇されていました。

そこで、東パキスタンが独立の動きを強めると、それをインドが支援するかたちで戦争が始まります。戦争の結果はパキスタンが敗北し、東パキスタンはバングラデシュとして独立し現在に至ります。

✹ 核兵器開発競争

インドは1974年に初めて核実験を行ないました。これに対抗してパキスタンも核開発を進めます。1998年5月になって本格的な核実験をインドが実施すると、その直後にパキスタンも核実験を行ないます。

パキスタンの核開発を担った技術者にアブドゥル・カディール・カーン博士がいます。カーン博士はイラン、リビア、北朝鮮などに核兵器の製造技術を売ったのではないかといわれていますが、その全貌はいまだに明らかにされていません。

さて、インドが支配していたジャンムー＝カシミールでは、次第にインドからの分離独立を目指す動きが生まれてきます。両国が核実験を成功させた直後の1999年にカシミール地方で武力衝突が起きます。短期間で終了したため「第四次印パ戦争」と名付けられることはありませんでしたが、このときパキスタンは核兵器を準備していたといわれ、緊張が高まった瞬間でした。

2019年にはパキスタンの過激派に属する青年がジャンムー＝カシミールで自爆テロを行なった報復として、インドがパキスタンに対して空爆を開始し（バーラーコート空爆）、インドとパキスタンの対立は両国の独立から80年近くが経とうとしているのに良好になる気配はまったく見られません。

両国とも核を保有しお互いに手が出せない（核抑止論）ために戦闘が起きても小規模なものに終わるのか。それとも実際に核が使われることになるのか。両国の対立には常に国際社会が目を配る必要があります。

✹ヒンドゥー・ナショナリズムの台頭

1980年代以降、インドではヒンドゥー・ナショナリズム（ヒンドゥー至上主義）と呼ばれる思想・運動が広がりを見せます。名称から見てヒンドゥー教を重んじる運動のように見えますが、仏教やジャイナ教、シク教といったインドを起源とする宗教は包摂する姿勢をとります。

外来宗教としてのキリスト教やイスラームであっても、ヒンドゥー文化とインド国家に忠誠を誓えば同じ仲間であるという捉え方をします。つまり、彼らのいう「ヒンドゥー」は**メタ宗教的な概念**なのです。似ているものとしては日本の天皇崇拝です。キリスト教徒でもイスラームでも天皇を尊崇していれば日本人とみなすというもので、天皇は日本におけるメタ宗教です。でも、日本も戦前・戦中に過剰な天皇信仰によって、宗教弾圧（たとえば大本教事件）が行なわれたように、ヒンドゥー・ナショナリズムは現在、他の宗教、特にイスラームへの抑圧を強めています。

このヒンドゥー・ナショナリズムの思想及び運動の源流を辿ると古くからありますが、それはさておき彼らは「民族義勇団＝民族奉仕団（ＲＳＳ）」というグループを結成します。イギリスとナチス＝ドイツが戦っていた第二次世界大戦中、イギリスが倒れれば独立できるわけで、ＲＳＳはナチス＝ドイツを支持していました。インド独立に際し、ムスリムに妥協的な態度をとっていたマハトマ・ガンディーを殺害したのも、ＲＳＳに所属していた青年でした。

ＲＳＳがヒトラーを擁護する立場は今でも変わっていません。ちなみにインドではヒトラー人気が高く、アイドルみたいな扱いでヒトラーアイスクリームとかヒトラーコーヒーなんてものが平気で売られています。このＲＳＳがつくった政党がインド人民党で、2014年から政権を握っているモディ首相率いる与党です。2023年の9月に、モディ首相がインドの国名を「バーラト」に変更するというニュースが流れました。日本が国名を「ヤマト」に変更するような感じです。

国名や都市の名前が変わることはよくあります。グルジアがジョージアへ、ビルマがミャンマーへ、といった例が有名です。でも、それを世界が受け入れてくれるかどうかは別物です。日本の教科書や新聞がインドをバーラトと表記することは今の時点ではないでしょう。

インド人民党が勢力を伸ばしていく中で、ナチスを礼賛するような歴史否定論やムスリムに対する差別的扇動（ヘイトスピーチ）、イスラームがインドを裏で支配しているといった陰謀論的思考がインドで広がりを見せています。これはまさに現代的な特徴ともいえるでしょう。

✹中印国境紛争

インドは中国との間に国境紛争を抱えています。この中印国境紛争を見ていきます。

紛争地は中華人民共和国の中のチベットとインドが接する地域です。チベットと中

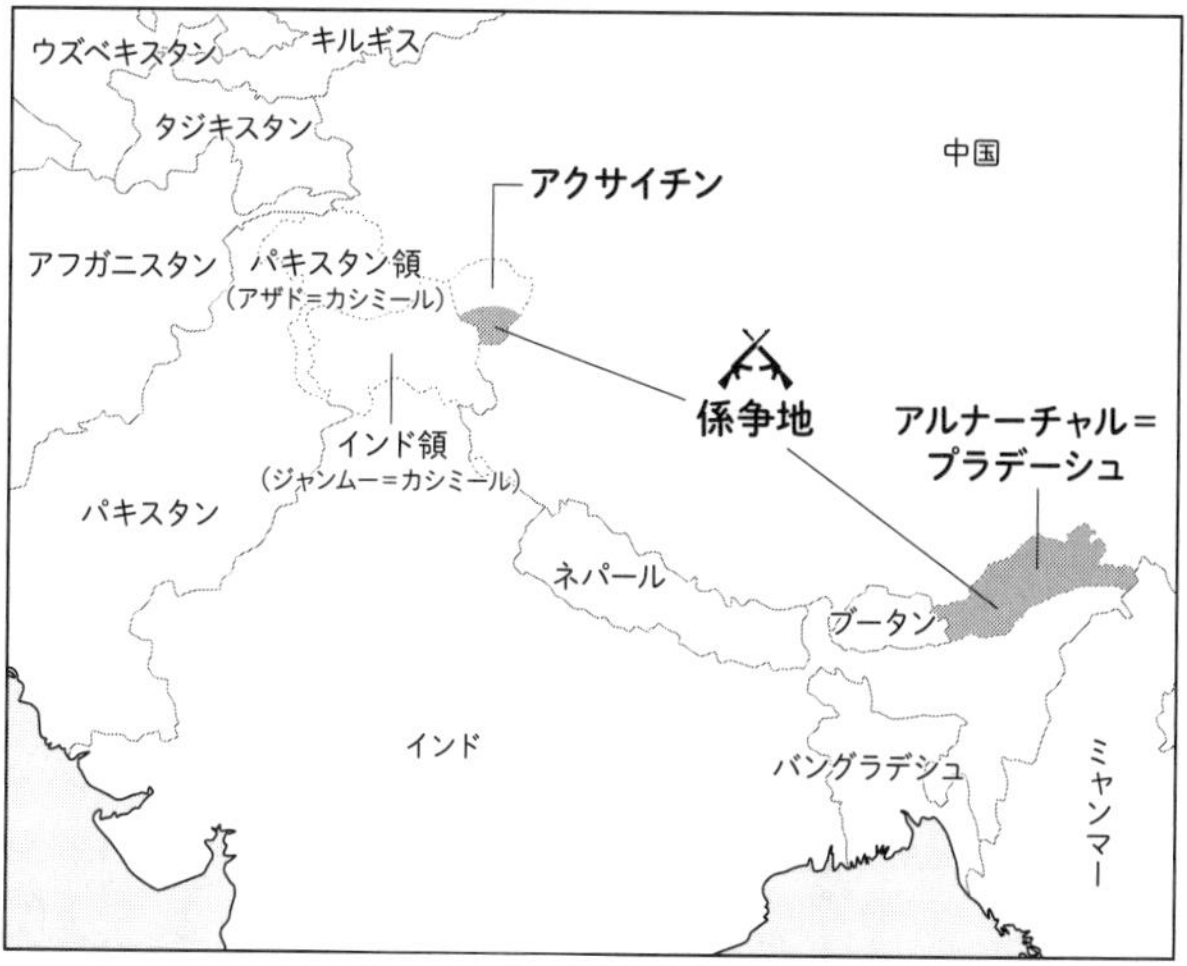

国との関係は次の章で説明します。ここでは中国が19世紀末から第二次世界大戦後まで国家の体《てい》をなしておらず、そのためにこの時期に結ばれた条約を中国側が認めていないことが原因となっていることがわかれば十分でしょう。

地図にあるように、ブータンの東側（アルナーチャル＝プラデーシュ）にイギリス領インドとチベットの国境線として１９１４年にマクマホンラインが決められます。ところが、中国がこんな条約は結んでいないと主張したため、このエリアは中国領なのかインド領なのかをめぐって１９６２年に武力衝突が起こっています。

中国とインドの国境紛争はカシミール地方でも展開されています。アクサイチンと呼ばれるエリアは現在中国が実効支配を行なっていますが、これにインドが反発しています。中国とインドは現在に至るまでこの国境問題をめぐって対立しており、インドとパキスタンの仲が悪いために中国はパキスタンと結ぶという国際関係が半世紀以上も続いていることになります。

✹ スリランカ内戦

イギリスの植民地だったセイロン島は1948年に独立、1972年にはスリランカと改称して現在にいたっています。

スリランカが抱える揉め事はタミル人問題です。スリランカは人口の7割以上が仏教徒のシンハラ人で、2割弱がヒンドゥー教徒のタミル人です。

タミル人居住地はインド南部に広がっていますが、すでに紀元前からスリランカに居住している人たちもいました。19世紀になりイギリスの植民地支配下で茶のプランテーションが開かれると、その労働力としてさらに増加します。

このとき、イギリスが少数派のタミル人を重用する分割統治を行なったことがシン

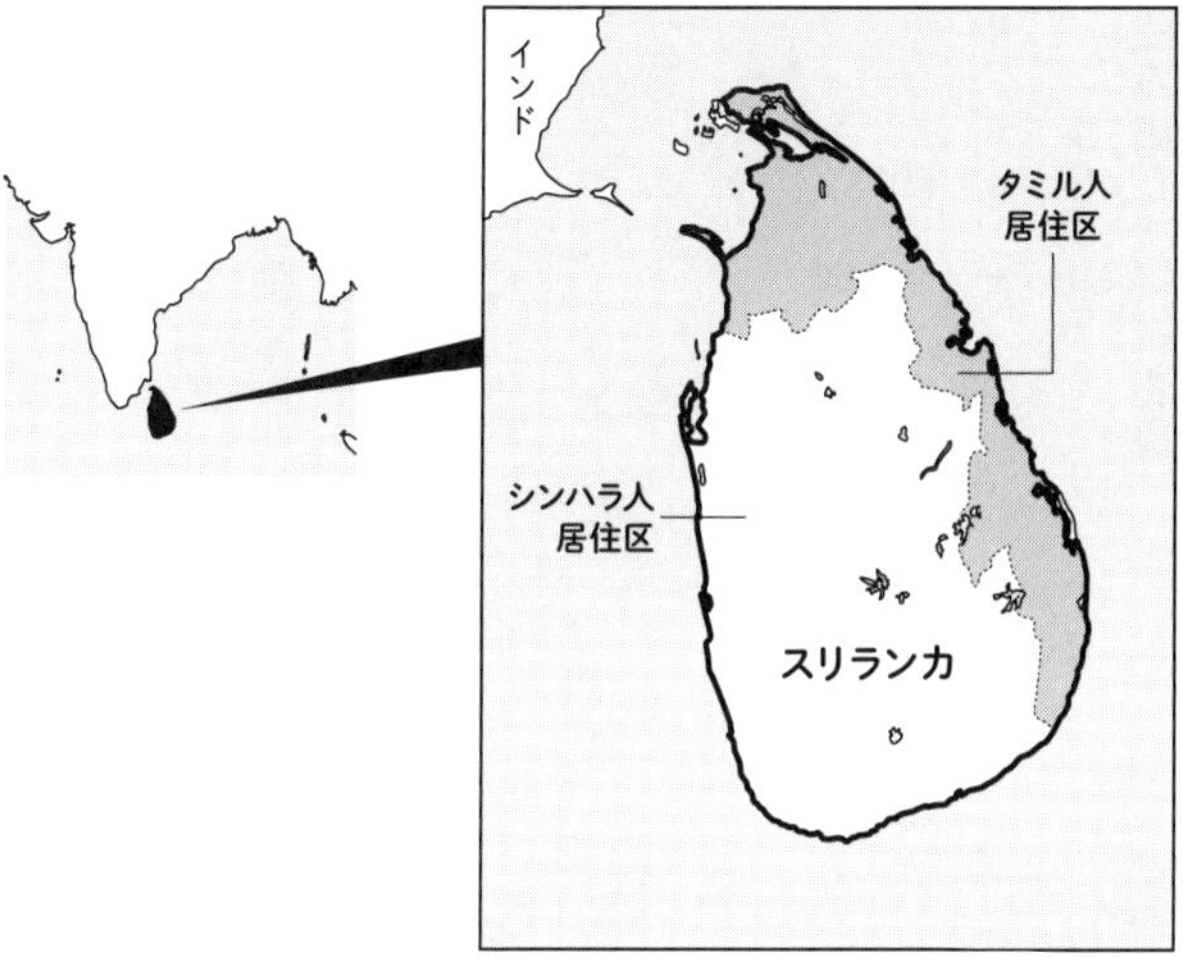

ハラ人とタミル人の対立の原点となります。イギリスが**少数派のタミル人を利用して多数派のシンハラ人を支配させる**構図です。ルワンダ内戦のツチとフツの関係と類似しています。

イギリスから独立した後、政権を握った多数派のシンハラ人はタミル人の選挙権を剝奪、シンハラ語を公用語とし、タミル人は公職から排除されます。そのためタミル人は武装グループ「タミル＝イーラム解放の虎（イーラムとは国の意味）」＝LTTEを結成し、分離独立運動を始めるのです。

1983年から2009年までに大規模な内戦が4度起こり、最終的にL

ＴＴＥは敗北することになりますが、内戦の過程で明らかになった双方の残虐行為が人権問題に発展し、現在でもタミル人の多くが避難民となって国内でキャンプ生活を強いられています。

タミル人国家が北スリランカに建設されたとしても、インドとパキスタンが対立しているようにタミル＝スリランカとシンハラ＝スリランカがにらみ合っていたのでは解決とはいえません。分離独立が問題解決のゴールにならないのならば、スリランカ内でタミル人（タミル人以外にもわずかながら少数民族もいる）の不満解消のための国づくりをしていくほうが、類似した他の紛争の解決モデルになるのではないかと思っています。

インドに関する本は様々なテーマで無数に出版されています。ここで話したテーマとは無関係ですが、**『カーストとは何か――インド「不可触民」の実像』**（鈴木真弥／中公新書）はインドの複雑さを感じさせる一冊です。

インドの現在をつかまえようとするなら**『「モディ化」するインド――大国幻想が生み出した権威主義』**（湊一樹／中公選書）がお薦めです。

日本が抱える3つの問題

現在、日本が抱えている国境の問題としては尖閣諸島、竹島、北方領土がよく知られています。このテーマについてはあまりにも多くの本が出ていることに加え、紙面が限られているので肝心なことをおさえておくにとどめます。

もっと知りたい方は**『ニッポンの国境』**（西牟田靖／光文社新書）がお薦めです。

✹ 竹島問題

日本が第二次世界大戦に敗北したことで、それまでの領土は大きく縮小されました。日本の領土をどうするかを決めたのが1952年のサンフランシスコ講和会議及びサンフランシスコ平和条約なのですが、この会議における日本の国境の決め方があまりにもいい加減だったことが竹島問題の背景にあります。

会議が始まる以前の1948年に、日本の植民地だった朝鮮半島に韓国と北朝鮮が成立しました。韓国の李承晩《イスンマン》政権は会議に際して、アメリカに対し竹島を韓国領にするように要求するのです。

日本もアメリカに対し竹島を日本領にするようにお互い裏工作をするのですが、結局、サンフランシスコ条約に竹島のことが記載されなかったために、日本も韓国も自国の領土だと主張する余地を生んでしまったのです。

サンフランシスコ平和条約における日本の領土についての条文を挙げておきます。竹島だけではなく尖閣や北方領土に関する問題もこの条約に起因するところが大きいので一度は目を通しておかなければなりません。

第二章　領域

第二条

(a) 日本国は、朝鮮の独立を承認して、済州島、巨文島及び鬱陵島を含む朝鮮に対するすべての権利、権原及び請求権を放棄する。

(b) 日本国は、台湾及び澎湖諸島に対するすべての権利、権原及び請求権を放棄する。

（c）日本国は、千島列島並びに日本国が千九百五年九月五日のポーツマス条約の結果として主権を獲得した樺太の一部及びこれに近接する諸島に対するすべての権利、権原及び請求権を放棄する。

（d）日本国は、国際連盟の委任統治制度に関連するすべての権利、権原及び請求権を放棄し、且つ、以前に日本国の委任統治の下にあつた太平洋の諸島に信託統治制度を及ぼす千九百四十七年四月二日の国際連合安全保障理事会の行動を受諾する。

（e）日本国は、日本国民の活動に由来するか又は他に由来するかを問わず、南極地域のいずれの部分に対する権利若しくは権原又はいずれの部分に関する利益についても、すべての請求権を放棄する。

（f）日本国は、新南群島及び西沙群島に対するすべての権利、権原及び請求権を放棄する。

第三条

日本国は、北緯二十九度以南の南西諸島（琉球諸島及び大東諸島を含む。）

孀婦岩の南の南方諸島（小笠原群島、西之島及び火山列島を含む。）並びに沖の鳥島及び南鳥島を合衆国を唯一の施政権者とする信託統治制度の下におくこととする国際連合に対する合衆国のいかなる提案にも同意する。このような提案が行われ且つ可決されるまで、合衆国は、領水を含むこれらの諸島の領域及び住民に対して、行政、立法及び司法上の権力の全部及び一部を行使する権利を有するものとする。

サンフランシスコ平和条約は第二次世界大戦で日本と交戦していた国々との条約ですから、韓国は参加していません。韓国は日本の一部だったからです。

サンフランシスコ平和条約で決着がつかなかったことから、韓国の李承晩政権は竹島に警備隊を常駐させ実効支配を始めます。日本の漁民が韓国によって拿捕《だほ》されたり、死傷者も出る中で、当時日本と韓国は国交さえ結ばれていなかったのです。

ようやく1960年を過ぎて交渉が始まり、1965年に日韓基本条約が結ばれることになりますが、そこで竹島をめぐる交渉が行なわれました。このあたりを詳細にドキュメントしたものが、ロー・ダニエルの『**竹島密約**』（草思社文庫）です。竹島

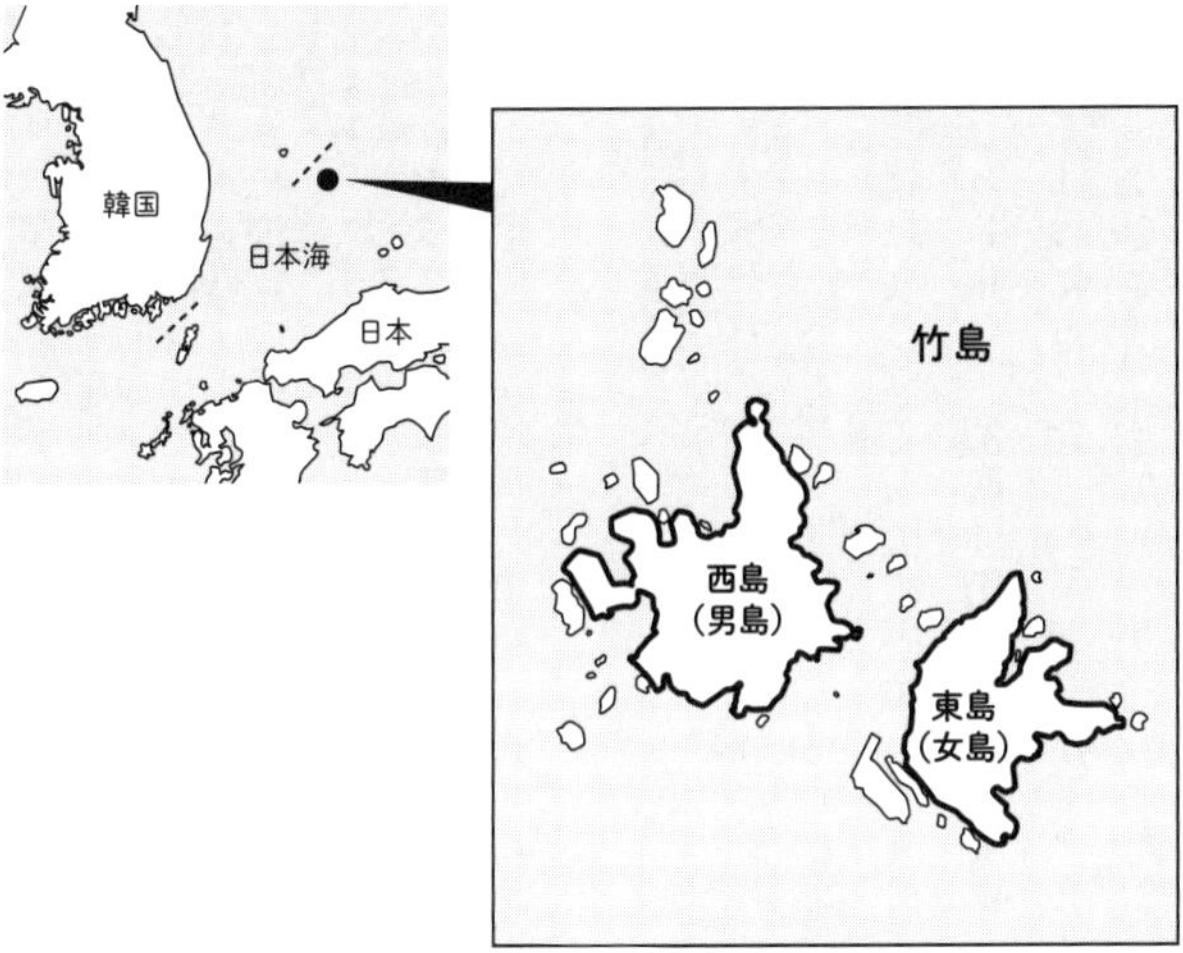

のことについて学ぶ際の必読書といっていいでしょう。

結局、日韓基本条約においても竹島のことは明記されませんでした。ところが**「竹島・独島《トクト》（韓国側の呼び名）問題は解決せざるをもって解決したとみなす。したがって、条約では触れない」**という密約が結ばれていたのです。

日本と韓国双方が「両国とも自国の領土である」と主張するだけで、自国の領土に組み込むような行為は行なわない。まさに「解決せざるをもって解決とみなす」という見事な解決の仕方です。

しかし、この密約は韓国が朴正熙《パクチョンヒ》

の下での軍事独裁政権だからできたことでした。1980年代に韓国では民主化が進みます。その過程でこの密約は受け継がれず、韓国が竹島の実効支配を強め、日韓の間で「喉に刺さった魚の骨」となり現在に至っています。

確かに漁業の権益の問題はあるのでしょうが、こんな人もろくに住めない、到底島とも呼べないようなところをめぐって揉めることがナショナリズムです。『**竹島とナショナリズム――「国益」から「域内益へ」**』（姜誠／コモンズ）は、竹島問題をどう解決していくかを冷静に考えるためにも目を通してもらいたい本です。

✹尖閣諸島問題

次に尖閣諸島の問題です。日本政府は尖閣諸島に領有権問題は存在しないというふうにいっていますが、誰がどう見ても問題になっています。

尖閣諸島についての揉め事はかつて日本と中国の間ではありませんでした。ところが1968年に、**海底油田があるのでは、といわれ始めたことで中国側が領有権を主張するようになった**という経緯があります。そのため日本としては中国が一方的に言いがかりをつけてきたという姿勢を崩さないわけです。ちなみに、サンフランシスコ

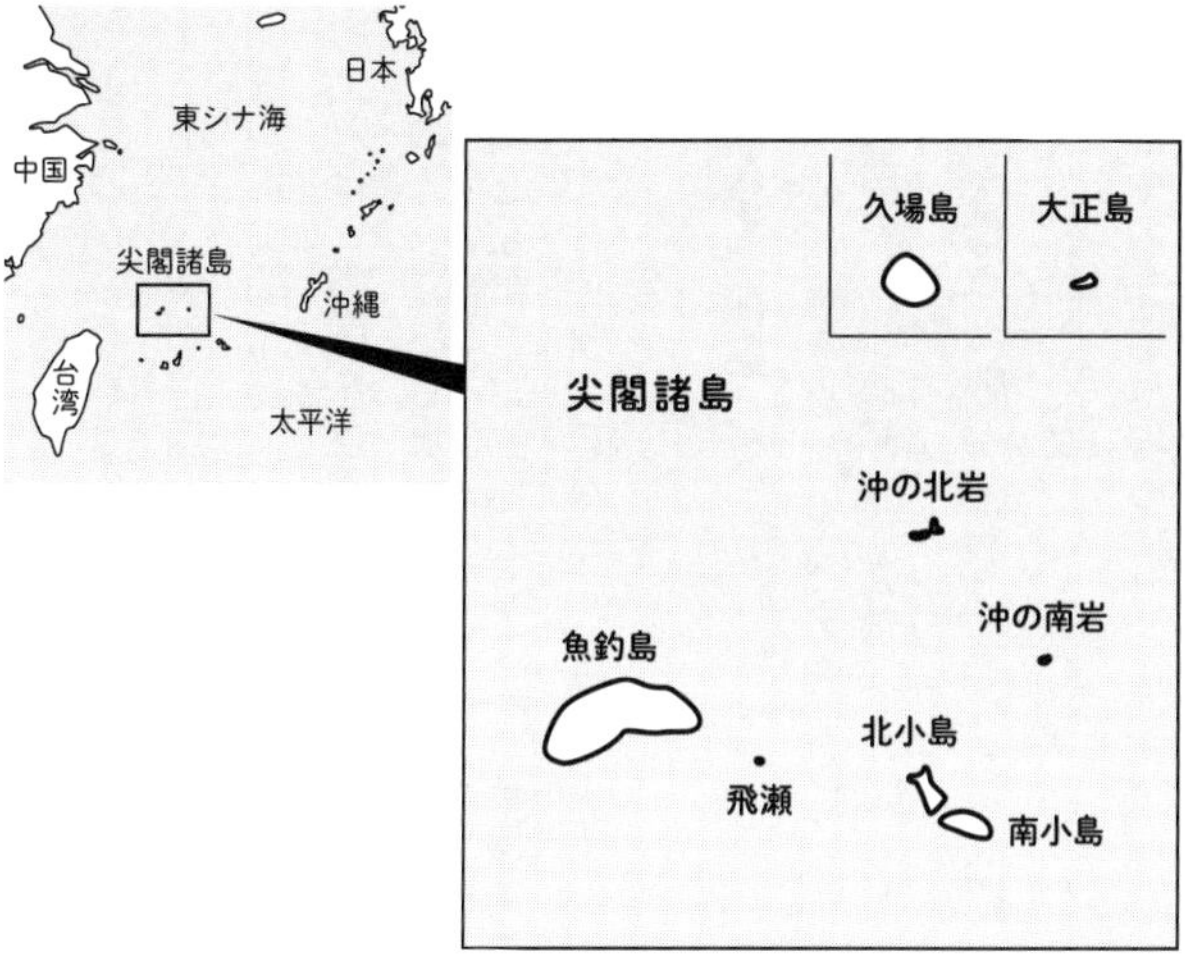

平和条約に尖閣諸島のことは一言も出てきません。この点は竹島と似ています。

1978年に日中平和友好条約が結ばれた際、日本を訪れた中国の副首相の鄧小平《とうしょうへい》が記者会見で尖閣諸島について、「我々の世代では知恵が足りなくて解決できないかもしれないが、次の世代は、我々よりももっと知恵があり、この問題を解決できるだろう。この問題は大局から見ることが必要だ」という竹島密約と同様の発言をします。この「解決せざるをもって解決とみなす」というやり方で尖閣諸島の問題を永久に先送りにしようという話をしたのです。

ところが2000年代に入り中国が国力を増し、かつ国内でナショナリズムが台頭する中で、尖閣諸島をめぐる情勢は徐々に緊張を高め現在に至っています。

確かに尖閣諸島については中国側が勝手すぎるように見えます。でも相手の国力を考えれば、中国を挑発しないようにという姿勢は当然で、弱腰外交という物言いは無責任のように感じます。

「秦檜《しんかい》と岳飛《がくひ》」＊は物語としてみれば多くの人が岳飛に思いを寄せるのでしょうが、現実政治では秦檜のほうが正しいこともあると考えています。

✹ 北方領土問題

日本の国境をめぐる紛争の最後は北方領土（北方四島）です。北方四島とは国後《くなしり》島《とう》、択捉島《えとろふとう》、歯舞群島《はぼまいぐんとう》、色丹島《しこたんとう》の4つです。

第二次世界大戦が終わりを迎える間際の8月8日に、日ソ中立条約を一方的に破ってソ連が日本に侵攻してきます。日本が8月15日に降伏を受け入れ戦争が終わったと思いきや、ソ連は攻め続け、樺太全域と千島列島及び、いわゆる北方領土を9月5日

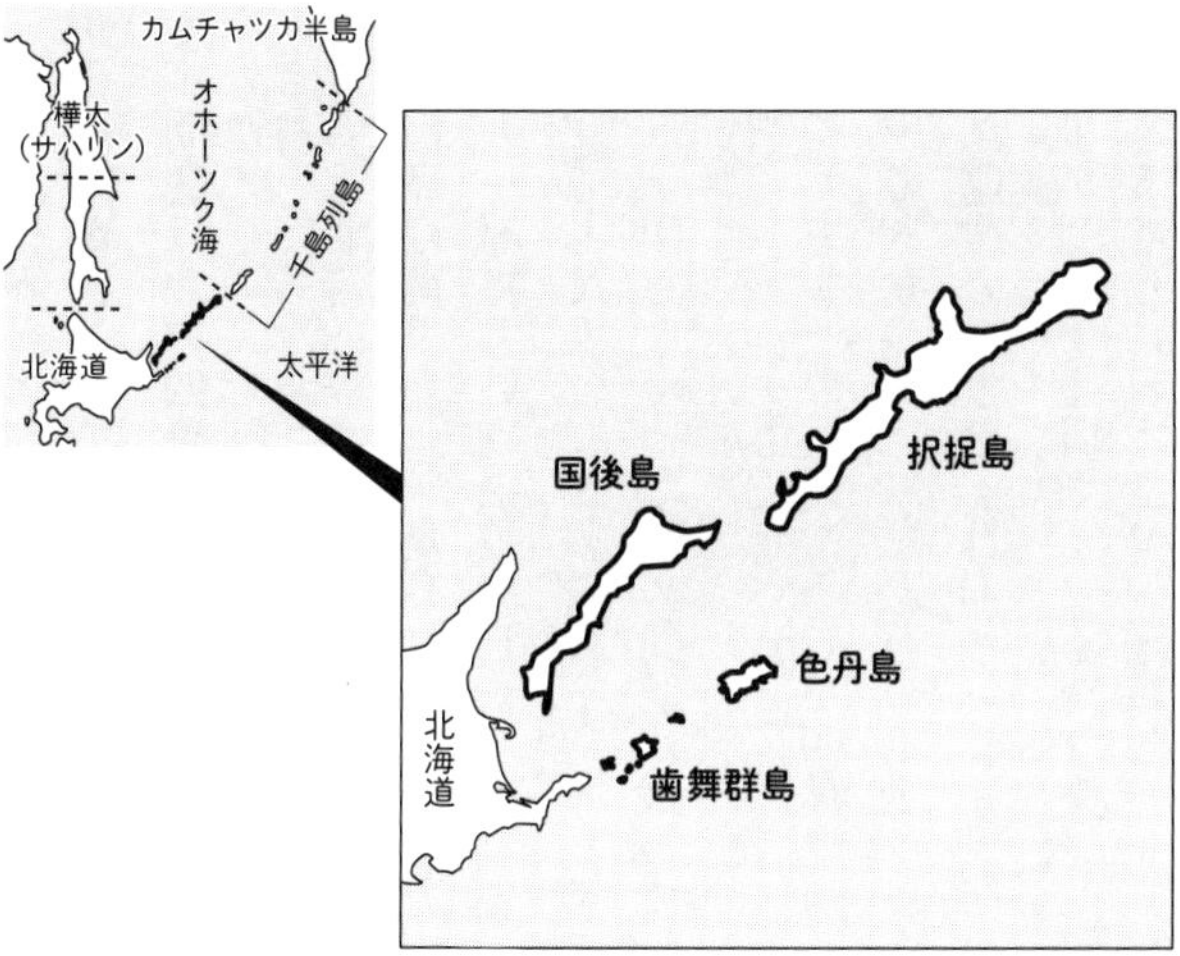

までに支配下に置くのです。**8月15日を過ぎても戦争は続いていた**わけです。いかに戦争を上手に終わらせるのが難しいことか。

北方四島ではなく樺太の話ですが、**『樺太1945年夏 氷雪の門』**という日本映画があります。1974年の作品ですが、当時ソ連からのクレームで上映中止に追い込まれたというエピソードがあります。

＊12世紀の中国、南宋では北方から南下してくる金に対して、和平を主張する秦檜と交戦を説く岳飛の二陣営が対立した。和平派が勝利し、金と和議を結んだが、秦檜は売国奴として国民に嫌われた。

さて、日本がアメリカの占領下から独立するためのサンフランシスコ平和条約ですが、第2条の（c）に「千島列島と樺太の一部に対する権利を放棄」と書いてあります。問題は**北方四島が千島列島なのかそうでないのか**ということです。

戦前の日本では千島列島を三区分して北千島、中千島、南千島と呼んでいました。とすると北方四島はすべて失われるのか、となるわけですが、日本の外務省は国後島と択捉島は南千島（千島列島の一部）だが、**色丹島と歯舞群島は千島列島ではなく北海道の一部だ**という主張をします。

結果として条文に歯舞群島と色丹島のことも明記されなかったうえに、この条約にソ連は調印しなかったため問題が残ってしまい、北方四島はその後もソ連の支配下に置かれ続けるのです。

よく北方領土の返還に際して四島返還、二島（歯舞群島と色丹島のみ）返還という話が出てきますが、二島返還の主張は以上の説明で理解してもらえると思います。

四島返還の主張は、日本とロシアが初めて条約を結んだ1855年の日露和親条約で択捉島までが日本領だと決められたことが元になっています。

1956年に日本はソ連と戦争を正式に終わらせるために交渉を始めます。もちろん北方領土についても議論はされますが、日本としてはサンフランシスコ平和条約のときと同じように歯舞群島と色丹島だけの、つまり二島返還で妥協する予定でした。ところがここでアメリカが、四島返還を主張しなければ沖縄は返さないとメチャクチャなことをいってくるのです。日本がソ連と良好な関係になることをアメリカが嫌がったのがその理由です。

四島返還なんてソ連は絶対に呑んでくれるわけがありません。結局、日ソ共同宣言が出されますが、北方四島については現状維持でソ連の支配下に置かれ続けるのです。

ちなみに、この四島返還論が出てきてから国後島と択捉島は南千島ではない、つまり、サンフランシスコ平和条約で放棄していないのだという理由で、歯舞群島と色丹島と合わせて北方領土という言葉が生まれてくるのです。

清水書院から出ている「歴史総合パートナーズ」というブックレットのシリーズに、**『北方領土のなにが問題？』**（黒岩幸子）という中高生向けの良書があります。ぜひお読みください。

竹島、尖閣諸島、北方領土のいずれもサンフランシスコ平和条約、つまり第二次世界大戦の戦後処理の曖昧さをずっと引きずってきた問題であることがわかってもらえれば十分です。

冷戦下における日本とアメリカの特殊な関係が背景にあるために、単に日韓、日中、日露の二国間の話にとどまらないところが事態を複雑にしています。さらに、自国の領土であるがゆえに客観的に見ることができないこともあるでしょう。

でもだからこそ、こうした問題を自分で考えるのに良い材料なのではないでしょうか。何が問題でどのように解決の糸口を探っていけばいいか、早急に答えを出そうと思わず、のんびりと考えていきましょう。

第3章
帝国解体の余波

一民族一国家を理想とする国民国家ですが、世の中、そんなにシンプルには割り切れません。それが典型的にあらわれたのが第2章でお話しした、人為的に引かれた国境線によってつくられたアフリカの新興独立国家でした。

定規で引いたような国境線でないところでも当然、異なる民族を内包してしまう東南アジアのようなケースもありました。

この章でも多くの国境線をめぐる紛争のケースを見ていきますが、主に「帝国」の解体というテーマで話していきます。

「帝国」とは皇帝がいる国という意味もありますが、一般には文化や宗教などが異なる人々を内包する空間を帝国といいます。今風にいえば多民族国家と表現しても構わないでしょう。

ちなみに「帝国」は概念なのですが、時代によってその内容は異なってきます。

有名なローマ帝国も、秦の始皇帝が治めていたのも帝国です。帝国の概念について真剣に話すと本一冊ぶんになりますので、ここでははしょって「近世帝国」を取りあげます。

近世という時代はおおよそ16世紀から18世紀を指します。この時代にヨーロッパで主権国家体制が成立しますが、この秩序は近世の時代にはヨーロッパにだけしか広がっていませんでした。さらにいえば、フランス革命以前なのでナショナリズムもまだ生まれていません。

この時代、ユーラシアではオーストリア帝国、ロシア帝国、オスマン帝国、清帝国が存在しましたが、ナショナリズム（＝一民族一国家の理念）が広まると帝国は解体することになるので、その解体を食い止めようとする中で現代まで続く多くの揉め事が生まれてきます。その姿を見ていきましょう。

オーストリア＝ハンガリー二重帝国の崩壊

オーストリアと聞いてどのようなイメージを持つでしょうか。首都がウィーンであるということはよく知られていますが、そんなに印象が強い国ではないかもしれません。皮肉なことですが、大規模な紛争が起きてないからでしょうね。よかれ悪しかれ、紛争が起こりでもしない限りニュースにならないので、印象が薄くなるのでしょう。

第一次世界大戦が始まったとき、オーストリアは現在の領土とは比べ物にならないほどの大国でした。13世紀からある古い国で、最初はウィーンの周辺の小さな支配領域から次第に領土を広げていきます。それは元来ドイツ人による小さな国だったのが、やがてドイツ人以外も内包する帝国になっていくわけです。

19世紀に入るとこの帝国は内部の独立運動に悩まされます。フランス革命の影響でナショナリズムが広がってきたためです。特に抵抗が強かったのがマジャール人居住地域（＝ハンガリー）でした。そこで1867年にオーストリアの支配層であるドイ

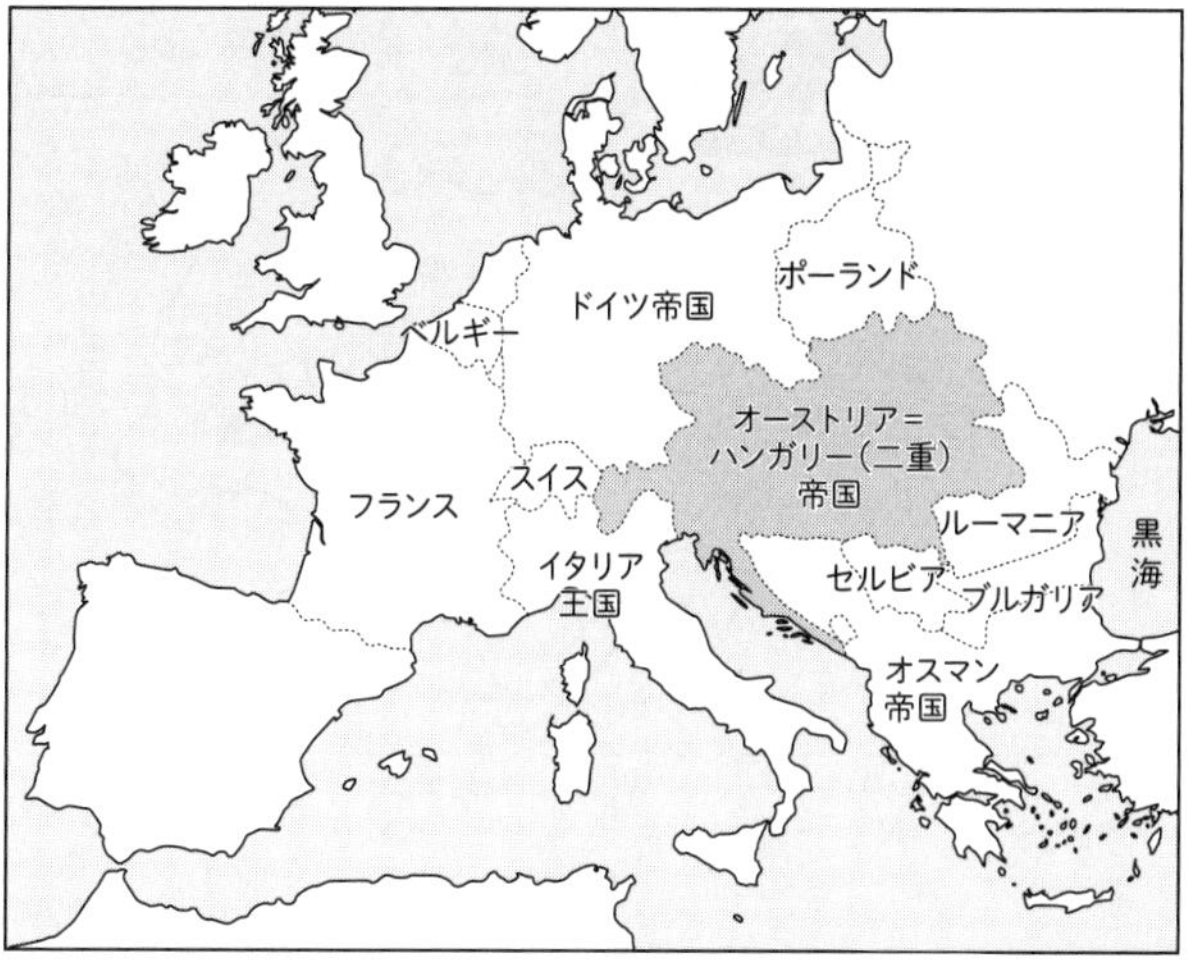

ツ人とマジャール人の間で「妥協」が取り決められました（妥協のことをドイツ語でアウスグライヒと呼ぶ）。

その内容は、**マジャール人に独立国に等しい地位を与える代わりにオーストリアの中にとどまる**というものでした。これによって、オーストリア帝国はオーストリア＝ハンガリー二重帝国へと移行します。

見方を変えれば、ドイツ人（ゲルマン人）とマジャール人でその他の民族を支配しようというものです。オーストリアにはマジャール人以外にもポーランド人、セルビア人、クロアチア人、イタリア人、チェック人など多くの民

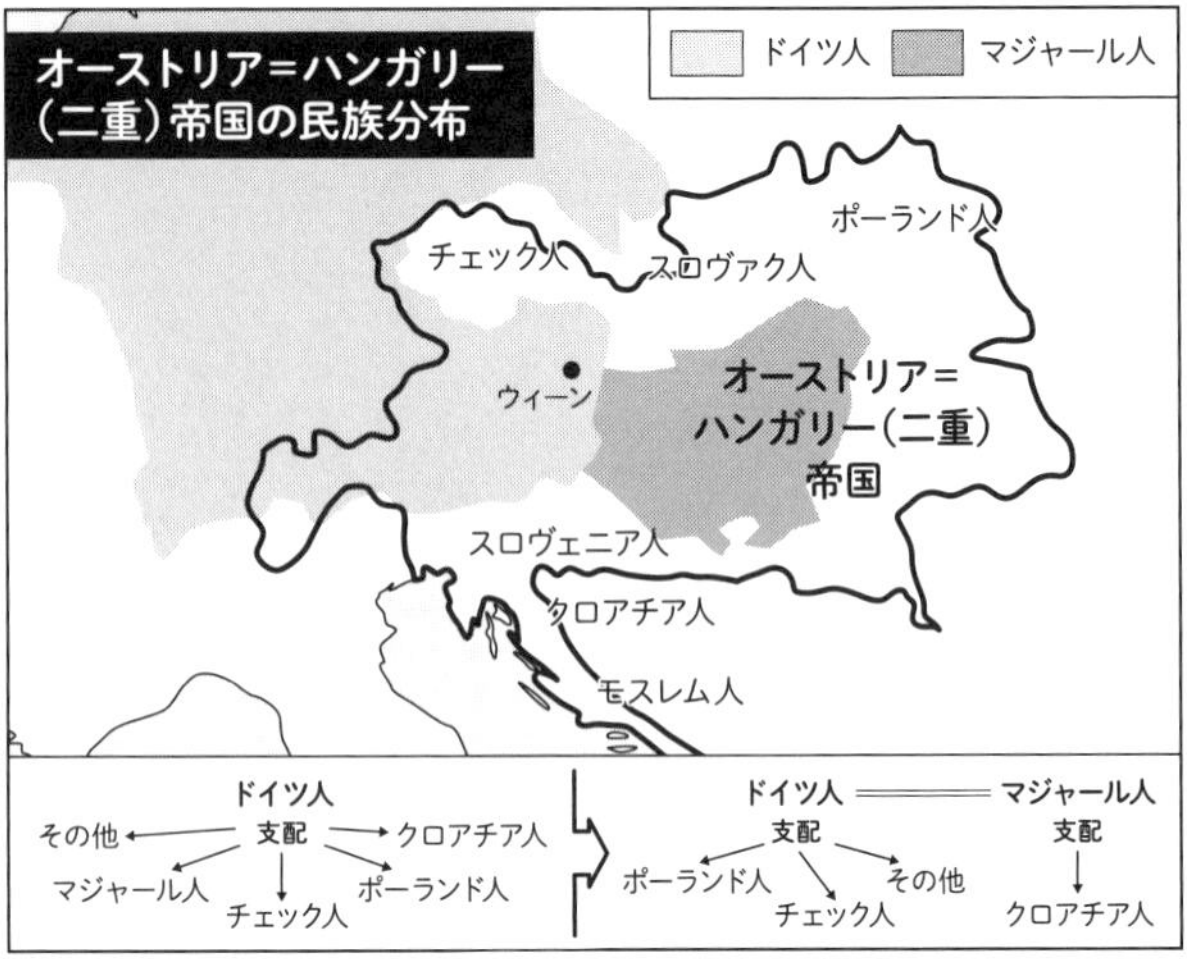

オーストリア＝ハンガリー（二重）帝国の民族分布

族が住んでいました。

　このオーストリア＝ハンガリー二重帝国は第一次世界大戦で敗戦国となります。戦後のパリ講和会議において、民族自決に基づき帝国の解体が決まります。民族の居住地ごとに国境線を綺麗に引くことが困難なことは今まで見てきた通りです。そのため、このときの線引きがその後の歴史に大きな影響を与えることになるのです。

✸ マジャール人問題

　マジャール人はオーストリアの中でゲルマン人と並んで支配層の地位にあったため、第一次世界大戦後にマジャ

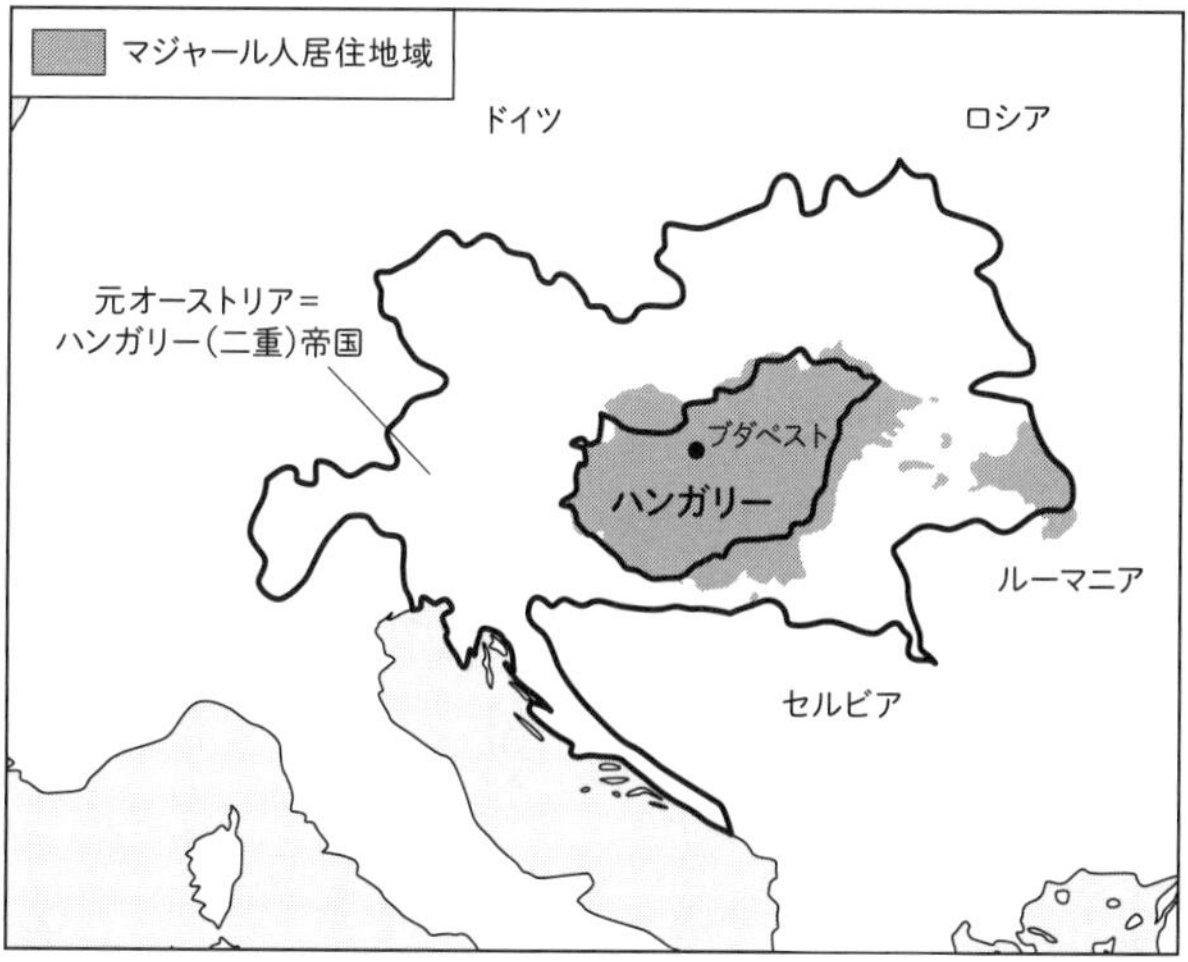

ール人の主権国家としてハンガリーが正式に成立するのですが、敗戦国という扱いとなり、新領土はマジャール人居住区とかなりずれています。**マジャール人居住区よりもハンガリーが小さくなっている**のです。

こういうところだけUti possidetis juris（44ページ参照）が適用されないところが、第二次世界大戦でハンガリーが枢軸国（ドイツ側）に立つ原因となります。敗戦国扱いだから仕方がない、ともいえますが。第二次世界大戦では当然敗北を喫し、領土を拡大することはできませんでした。

現在、ハンガリー（内にいるマジャ

ール人）の人口は約１０００万人です。隣国のルーマニアには１２０万人ほどのマジャール人がいます。ルーマニアは彼らをルーマニア人に同化させようとしますが、そうした動きへの反発が１９８９年のチャウシェスク政権の崩壊のきっかけをつくったという背景も第一次世界大戦まで遡らないと見えてきません。

スロヴァキアにも50万人ほどのマジャール人がいますが、公用語はスロヴァキア語のみなので、ハンガリー語話者のマジャール人にとって不満が残っています。ウクライナにも15万人のマジャール人がおり、両国の関係は微妙なものになっています。といっても、現代は世界にあまりに多くの揉め事があるためにマジャール人問題は後景化しています。

✹ユーゴスラヴィアの成立

第一次世界大戦前の地図と戦後の地図を見比べてみてください。セルビア、モンテネグロに加え、オーストリア＝ハンガリー二重帝国の支配下にあった地域と合わせたユーゴスラヴィアが成立していることがわかりますね。

成立直後はセルブ＝クロアート＝スロヴェヌ（スロヴェーン）王国という名前でし

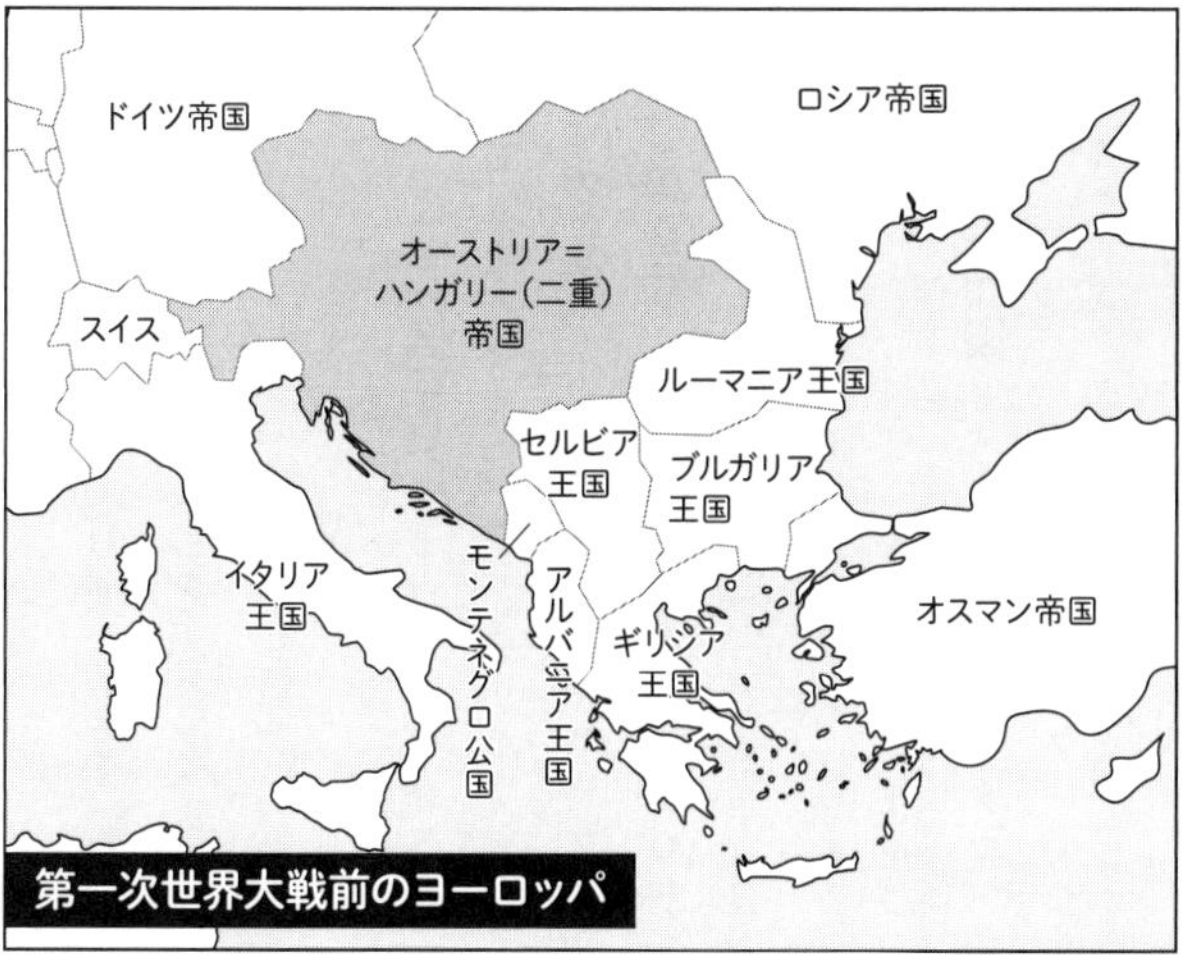

第一次世界大戦前のヨーロッパ

「ヴェルサイユ条約」以後のヨーロッパ

たが、1929年にユーゴスラヴィア王国と改称されます。ユーゴとは南という意味で、まさに南スラブ人の国ということです。でも建国当初の名前を見れば、明らかに帝国であることがわかると思います。

実際にユーゴスラヴィアはかなり複雑です。

1つの連邦国家（ユーゴスラヴィア）

2つの文字（ローマ字とキリル文字）

3つの宗教（カトリック、ギリシア正教、イスラーム）

4つの言語（スロヴェニア語、クロアチア語、セルビア語、マケドニア語。これらは皆、大阪弁と東京弁ほど離れていない言語）

5つの民族（スロヴェニア人、クロアチア人、セルビア人、マケドニア人、モスレム人［イスラーム教徒］）

6つの共和国（スロヴェニア、クロアチア、ボスニア＝ヘルツェゴヴィナ、セルビア、モンテネグロ、マケドニア）

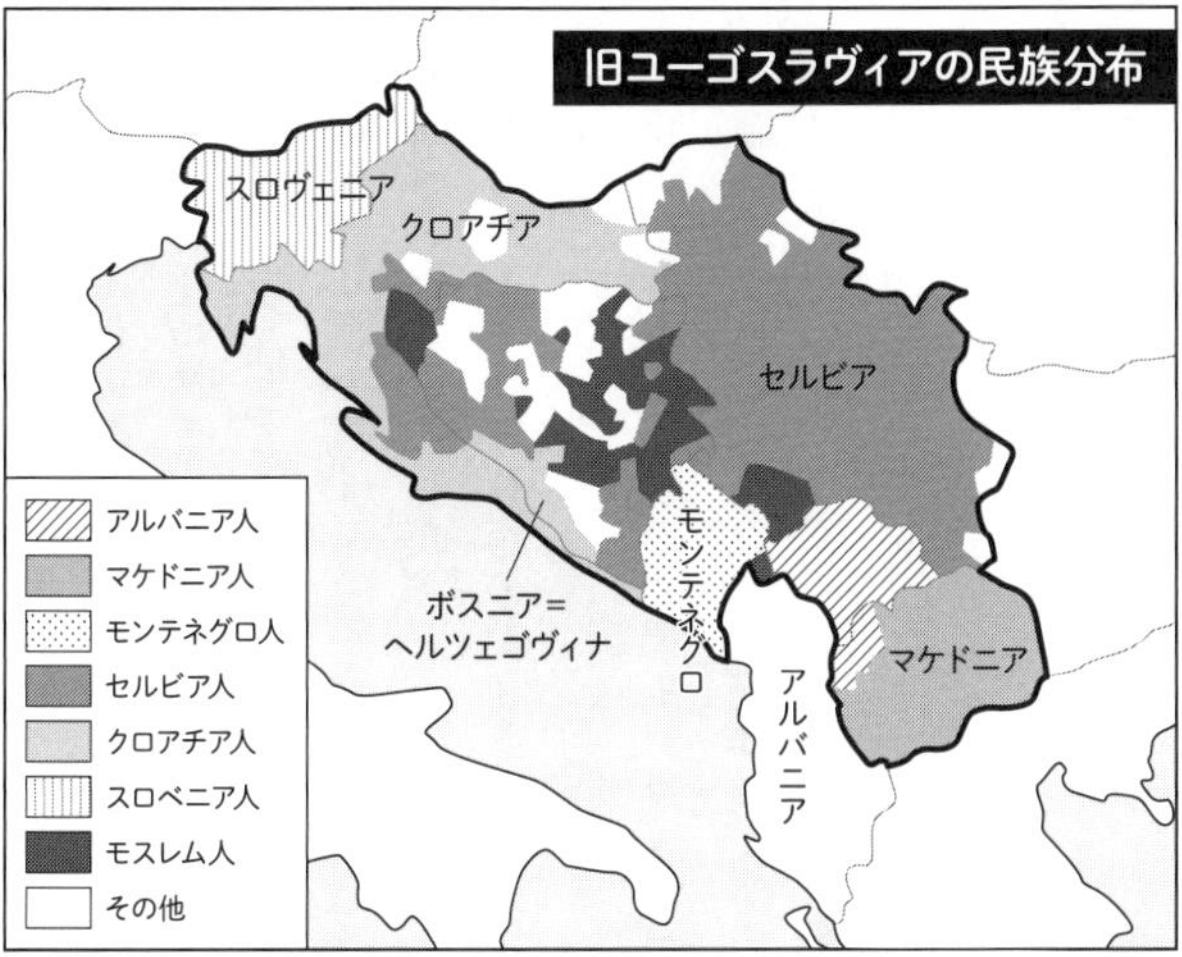

さらにセルビア共和国内には、マジャール人が多いヴォイヴォディナと、アルバニア人が多いコソヴォという自治州があります。このモザイクのような国家が第二次世界大戦後、社会主義を掲げユーゴスラヴィア社会主義連邦共和国となります。

多民族国家をそれなりにまとめあげていたのがティトーのカリスマ性でした。ティトーは第二次世界大戦のときにナチスに支配されたユーゴスラヴィアを解放したリーダーです。

ティトーはユーゴスラヴィアの多民族性をよくわかっていて、ユーゴスラヴィアの中で中心的な役割を担っていたセルビア（ユーゴスラヴィアの首都もセルビアにあるベオグラード）の民族主義運動が高まって他の共和国を圧迫しないように常に監視していた人物でした。

当然、ユーゴスラヴィアから分離しようとする動きもティトーは認めず、秘密警察（UDBA）を使ってこの多民族国家を一つにまとめあげていたのです。さらに、諸民族の不平不満が高まらないように財政が大幅な赤字になっても国民の生活水準を維持しようとしていました。

だからこそ1980年のティトーの死は、この帝国が一気に瓦解する狼煙《のろし》があがるきっかけとなります。

1970年代に2度のオイルショックがあったこともあってユーゴスラヴィアの財政は破綻し、国民の生活水準を維持できなくなったこともこの国の解体の動きに拍車をかけます。そして冷戦が終わり社会主義が国家統合のイデオロギーにならなくなり、一気に解体が進むのです。

✹ ユーゴスラヴィアの解体

では、ユーゴスラヴィア解体の過程を素描してみましょう。

よく**「ユーゴの解体はコソヴォに始まりコソヴォに終わる」**といわれます。ティトーが死んだ翌年の1981年です。コソヴォでアルバニア人の暴動が起こります。コソヴォはセルビア内の自治州でした。隣国のアルバニア同様、住民の大部分をアルバニア人が占めています。ところがこのコソヴォにも2割近いセルビア人が住んでおり、コソヴォが独立するとコソヴォ内のセルビア人は少数派になって、アルバニア人とセルビア人の対立が徐々に深まっていくのです。こうした中でセルビアに登場するのがミロシェビッチです。

ミロシェビッチはセルビア民族主義を掲げて扇動し、民衆もミロシェビッチをセルビア民族の英雄として祭りあげる。これに危機感を覚えたスロヴェニアは1991年6月にユーゴスラヴィアから独立を宣言します。

スロヴェニアはユーゴスラヴィアの中でも経済的に発展していて、スロヴェニアが稼いだお金が貧しい他の地域に渡ることへの不満が爆発したという背景もあります。

スロヴェニアの独立を認めないユーゴスラヴィア（事実上のセルビア）との戦争が始まりますが、これは10日間で終了し、スロヴェニアのユーゴスラヴィアからの独立が認められます。

スロヴェニアと同じ日に独立を宣言したのがクロアチアです。ところがクロアチアの独立はかなり揉めました。スロヴェニアと同じくユーゴスラヴィア（事実上のセルビア）と戦争になるのですが、それは1995年まで続きました。独立を目指すクロアチアの領土内に多くのセルビア人が住んでいたからです。

しかもはっきりと区分できずクロアチア人とセルビア人が混住しているのですから、両者を居住区で線引きすることは不可能です。クロアチア人とセルビア人といっても東京人と大阪人くらいの違いしかなく、一緒に生活しているからです。

セルビア人が多い地域はクロアチアに組み込まれるのを嫌がり、「クライナ＝セルビア共和国」という名前で独立を目指しますが、最終的にクライナ＝セルビア共和国は存続することができずクロアチア領となります。

この間、内戦で多くのセルビア人がこの地を離れざるを得なかったばかりか、クロアチアによって多くの住民が虐殺されています。のちに説明するボスニア紛争はそのあまりの凄惨さゆえ、多くの映画作品が生まれています。クロアチアとユーゴスラヴィアの戦争については『**ブコバルに手紙は届かない**』という作品くらいしかぼくは知りませんが、それまで普通に暮らし恋人同士だったクロアチア人とセルビア人が戦争に巻き込まれていく姿を描いたものとして評価が高い映画になっています。

1991年の9月にマケドニアもユーゴスラヴィアからの独立を果たしました。その際、ユーゴスラヴィア軍の武器はすべてユーゴスラヴィアに返還するという約束で戦争を回避し平穏に独立することができました。

ところが「マケドニア」という国の名前にギリシアがクレームをつけます。ギリシアの中にマケドニア地方という名称があるからです。長い間ギリシアと交渉を行なった結果、2019年にマケドニア共和国から北マケドニア共和国と改称しギリシアと和解しています。

✹ボスニア内戦

ユーゴスラヴィアが解体する過程で凄惨な殺戮《さつりく》が繰り広げられたのがボスニア＝ヘルツェゴヴィナでした。

ここはモスレム人（＝ボシュニャク人）が約4割、セルビア人が約3割、クロアチア人が約2割住んでいるところです。しかも住み分けができないくらいに入り交じって生活しています。

モスレム人は名前からわかるようにムスリム（イスラーム）ですが、言語はセルビア語を話しています。セルビア語とクロアチア語もほとんど違いはないため、この三者の争いは「兄弟殺し」と呼ばれました。

1992年の3月にモスレム人とクロアチア人はボスニア＝ヘルツェゴヴィナ共和国としてユーゴスラヴィアから独立することの是非を問う住民投票を行ないます。これに対し、セルビア人はユーゴスラヴィアに残留しようとしたため内戦が始まります。

この内戦を通じて広く知れわたったのが、**「民族浄化（エスニック・クレンジング）」**という気味が悪い言葉でした。混住している民族集団を暴力的に整理していく。その過程でどれだけの残虐な出来事が起きたかを想像するのはたやすいことです。

このボスニア内戦は、隣国のクロアチアとユーゴスラヴィア（事実上セルビア）の介入を受けることで長期化しました。この中でクロアチアの宣伝戦が功を奏し、セルビアのミロシェビッチの「悪者」イメージが国際的に定着していきます。

最終的に国際連合の承認を受けた北大西洋条約機構（ＮＡＴＯ）がセルビア人勢力への攻撃を行ないますが、1995年に和平協定が結ばれ終了します。結局、ボスニア＝ヘルツェゴヴィナ共和国は内部にモスレム人とクロアチア人のボスニア＝ヘルツ

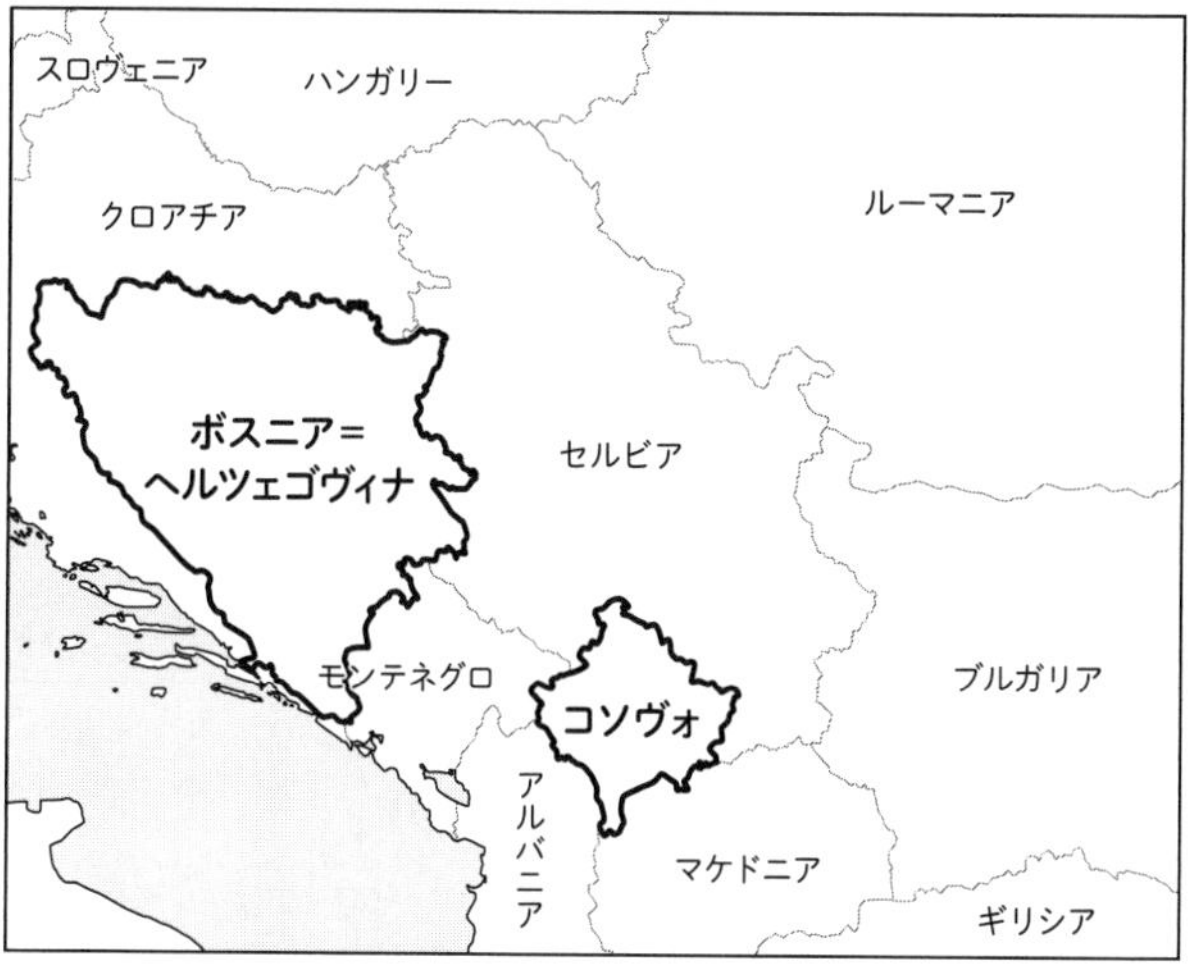

ェゴヴィナ連邦とセルビア人のスルプスカ共和国による連合国家というかたちで危うい均衡を保ちながらも欧州連合（EU）やNATOへの加盟を模索しています。

こうしてユーゴスラヴィアの6つの共和国のうち4つが離れる中で、残ったセルビアとモンテネグロだけで国名が1992年にセルビア・モンテネグロ共和国＝ユーゴスラヴィア連邦共和国に変わります。

一般にはこれを新ユーゴスラヴィアと呼んでいましたが、このセルビアとモンテネグロも別の国として分離することが2006年に決まり、ユーゴスラヴィアという名前の国家は地上から消えました。

✸ コソヴォ紛争

ユーゴスラヴィアが解体する過程で起こった紛争として最後に触れるのがコソヴォ問題です。ユーゴ解体の狼煙をあげたコソヴォでボスニア紛争以上の凄惨な争いが繰り広げられます。

コソヴォ地方にはアルバニア人が住んでいます。隣国のアルバニア人と同じくイスラームが大半を占め、セルビア共和国内で自治州の扱いを受けていました。

ユーゴスラヴィアが建国された第一次世界大戦後からすでにコソヴォのアルバニア人とセルビア人は関係が悪く、ティトーが死んだ後、「ユーゴスラヴィアに7番目の共和国を」と主張して反乱を起こしています。コソヴォのアルバニア人によるセルビア人への暴行が続く中、コソヴォを去るセルビア人も増えていきます。

1990年、ユーゴスラヴィアを構成し、かつコソヴォ自治州を擁するセルビアでミロシェビッチが力を持ち、ユーゴスラヴィアの大統領の地位を狙います。ミロシェビッチはセルビア民族主義の思想を掲げたことで、スロヴェニアやクロアチアがユーゴスラヴィアから離れていったことは先ほど話しました。そしてコソヴォでも独立の動きが高まっていきます。

強調しておきたいのはこれが**イスラームとキリスト教の、つまり宗教の対立と単純化して捉えないでほしい**ということです。アルバニア人は確かにほとんどがイスラームなのですが、イスラームだというアイデンティティに乏しく、日本人がイメージするアラブ中東世界のイスラームのイメージとは程遠いものがあります。インドとパキスタンの対立（第2章）でも話したように、解像度を上げて見ていく必要があることは何度強調してもしすぎることはありません。

1998年にいよいよ独立を目指すコソヴォとこれを抑え込みたいセルビアの間で戦闘が始まります。セルビア人がアルバニア人を集団虐殺（ジェノサイド）しているという情報もあり（アルバニア人もセルビア人を虐殺しているのに）、この紛争解決のために、NATOが介入し1999年に終了します。

アルバニア人に対するジェノサイドの首謀者としてセルビア（新ユーゴスラヴィア）大統領のミロシェビッチは逮捕され、人道に対する罪により国際刑事裁判所に身柄が移送されます。最終的には判決が出る前、収監中に病死しています。

戦禍により混乱したコソヴォですが2008年に独立を宣言します。日本を含め多くの国々から国家承認を経ていますが、ロシアと中国は認めず、国際連合にはいまだ加盟できていません。

このコソヴォ紛争において、国際連合の承認を受けないままNATOが介入したことは、武力を伴う人道的介入の是非、中国とロシアを無視するかたちで介入したことによって現在に至るアメリカと中露の対立といった国際政治の転換点になったことなど、隠れた重要なポイントが多くあります。

余談ですが、コソヴォ紛争においてセルビアとそれを支援したロシアが合作でつくった**『バルカン・クライシス』**というアクション映画があります。ロシア映画なので当然ですが、セルビア人よりもコソヴォのアルバニア人のほうが敵役になっています。復讐が連鎖するとどっちが悪い奴らなのかわからなくなってしまうのが戦争だということでしょう。

さて、コソヴォ紛争のとばっちりを受けたのが(北)マケドニア共和国でした。1991年9月に独立したマケドニアは国名をめぐってギリシアと揉めていましたが、戦争にまでは至ることなく国内は安定していました。ところがコソヴォ紛争で25万人に及ぶコソヴォ難民（アルバニア人）が流入してきます。

もとからマケドニアの人口約２００万人のうち50万人はアルバニア人だったので、アルバニア人の数がさらに増えることになり、２００１年にマケドニア内のアルバニア人政治団体が武装蜂起を行なうのです（マケドニア紛争）。

コソヴォ紛争と同じくＮＡＴＯが介入することで、以後、（北）マケドニア共和国の治安は回復し、ＥＵには加盟していませんが２０２０年にはＮＡＴＯに加盟しています。


宗教や言語を共にする集団が1ヵ所に固まって居住しているのでありません。いってみれば、揃っていないルービックキューブのような状態が本来は自然なのです。それをすべての面で色を揃える（同質性を強調する国民国家をつくろうとする）ことはとても困難です。普通の人間にルービックキューブを全面揃えることはマニュアルを見ない限り無理なのと同じです。**一民族一国家というものはあくまで理念であって、これを実体化しようとすると多くの紛争が生じる**わけです。

ユーゴスラヴィアの解体から30年以上が経ちます。ボスニア紛争もコソヴォ紛争についても多くの本が出版されていますが、今はほとんど古書店で入手することになるでしょう。

少し古い本ですが70年近く続いたユーゴスラヴィアの歴史を概観するのに優れた本が**『ユーゴスラヴィア現代史』**（柴宜弘／岩波新書）です。**『民族紛争』**（月村太郎／岩波新書）はユーゴ解体にまつわる紛争以外の事例も扱っていて、この本からステップアップする第一歩になるでしょう。

そして、ユーゴスラヴィア解体の真っ最中で出版された**『ユーゴ紛争――多民族・モザイク国家の悲劇』**（千田善／講談社現代新書）は今読んでも当時の臨場感が伝わる良書だと思います。この本のテーマから外れてしまうのですが、コソヴォ紛争でNATOが軍事介入を行なったことの是非を論ずる**『人道的介入――正義の武力行使はあるか』**（最上敏樹／岩波新書）も戦争と平和について考えさせてくれる素晴らしい一冊です。

ユーゴスラヴィアの紛争自体は過去のものになったけれど、むき出しのナショナリズムがどれだけの惨禍を生み出すかという典型例として学ぶ価値のある出来事です。

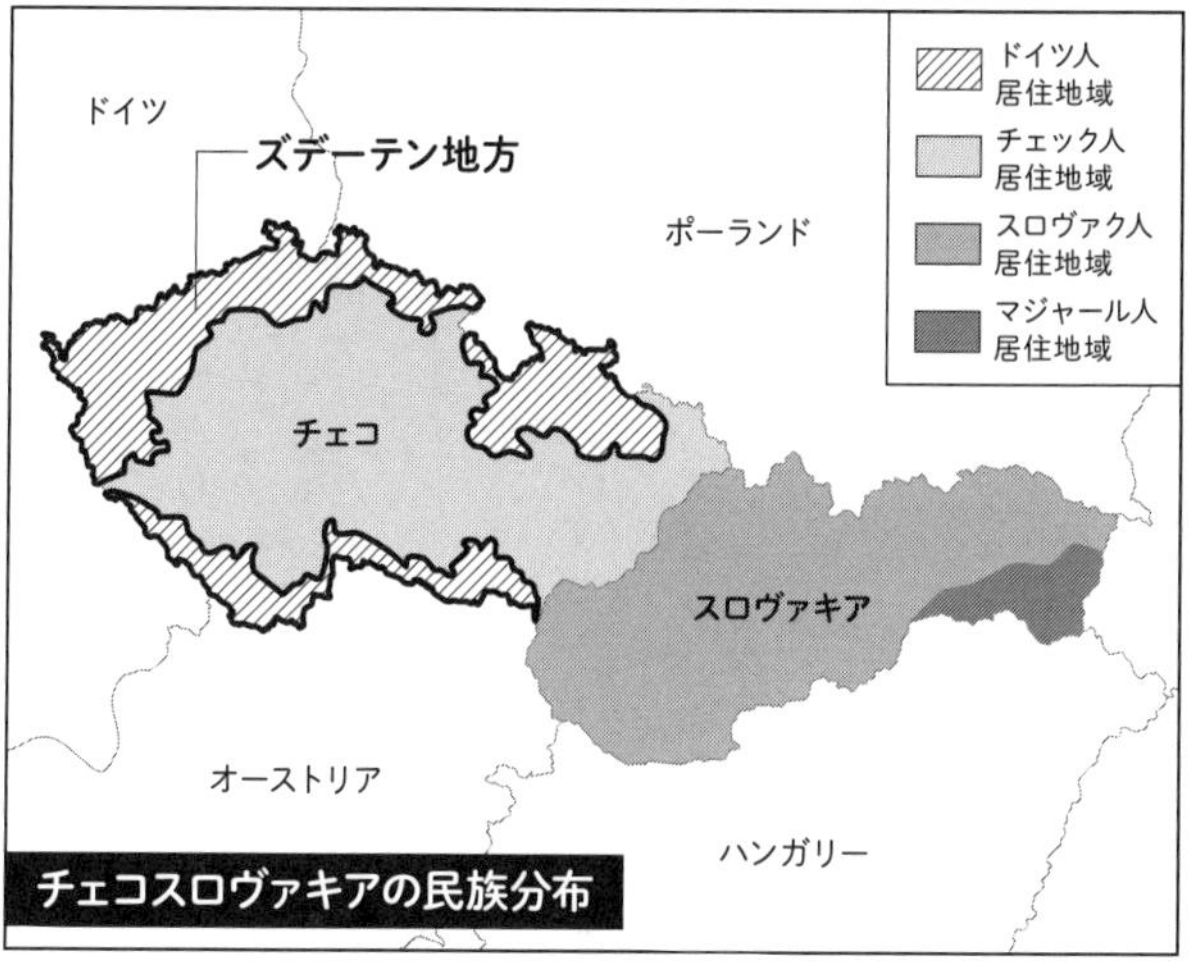

チェコスロヴァキアの民族分布

✹チェコスロヴァキアの連邦解消

オーストリア＝ハンガリー二重帝国が第一次世界大戦で解体したときに成立した国家がチェコスロヴァキア共和国です。

ユーゴスラヴィアほどではないけれども、チェコスロヴァキアも多民族国家になっています。チェック人とスロヴァク人以外にも、先に触れたマジャール人もいれば、ズデーテン地方にはゲルマン人（ドイツ人）が300万人近く住んでいて、当時のチェコスロヴァキアの人口の2割を超えています。

このズデーテン地方にドイツ人が居

住していることが、のちにナチス＝ドイツに言い分を与え、チェコスロヴァキアへの侵略の口実にされます。

第二次世界大戦後は、ズデーテン地方のドイツ人はこの地から追放されます（チェコスロヴァキアは「移送」と呼んでいた）。当然、ズデーテンを追われたドイツ人は土地や財産をも失ったわけで、しばらく問題は残りましたが、1996年になってドイツ＝チェコ和解宣言が出され、とりあえずは解決を見ています。

チェコスロヴァキアは正式国名が1990年にチェコスロヴァキア連邦共和国に変わります。これはスロヴァク人からの「地位を上げてくれ」という要求を呑んだものでした。人口的にも経済的にもチェック人居住地がこの国の中心で（首都のプラハもチェック人地域）、スロヴァキアは不満を持っていたのです。

国の正式名称も「チェコスロヴァキア連邦共和国」なのか「チェコ＝スロヴァキア連邦共和国」なのかという議論が展開されます（ハイフン論争）。結局、1993年に連邦は解消、つまり、チェコとスロヴァキアに分裂することになります。

ただ大規模な流血を伴わなかったことから「ビロード離婚」（ビロードは柔らかい光沢のある織物のこと）とメディアが名付けました。分離後もともにEUに加盟し、文化的な交流も盛んで分離独立に際して大きな紛争がなかった稀有な例といえるでしょう。

ユーゴスラヴィアにしろチェコスロヴァキアにしろ、民族自決に基づいて国境線を引いたのにそれがいい加減になってしまった理由は、大国（イギリスやフランス）の思惑も確かにあります。ですが、やはり、民族分布が複雑だったり、それ以上に**「民族とは何か」ということ自体がよくわからないのに、似ているから一つの国でいいだろうという恣意的なかたちで国境線を引いた甘い見通しが後世に問題を残した見本と**いえるでしょう。

ソヴィエト帝国の崩壊

ソヴィエト社会主義共和国連邦と呼ばれる国家が1991年までありました。まだ生まれてもいなかった読者もいるでしょう。簡単に説明します。

ロシア帝国と呼ばれる、ロマノフ家が皇帝を世襲していた王朝が1917年3月に倒れます。これがロシア革命です。当時、ロシアは第一次世界大戦で敗北を重ね食糧難を背景に革命が起きたのです。

ここから次の政権の座をめぐってロシア内の諸グループがしのぎを削る中で、政権を掌握したのがボリシェヴィキというグループでした。このボリシェヴィキがロシア共産党と改称するのです。

さて、ロシア帝国に話を戻しましょう。ロシア帝国内には言語や宗教、生活習慣が異なる集団が多く住んでいます。つまり多民族国家＝帝国だったのです。この帝国の各地でロシア革命混乱の中、独立の動きを強めていきます。

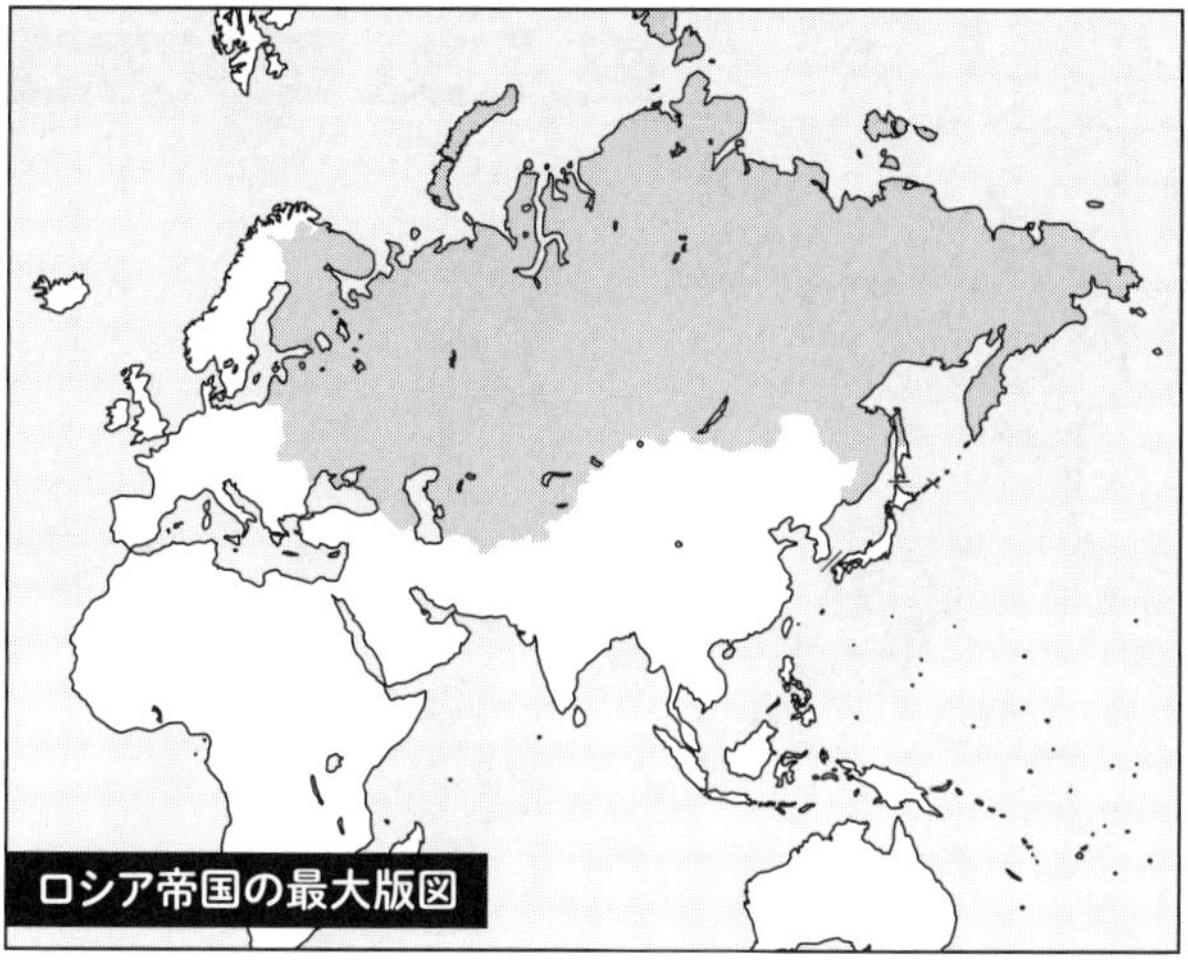

ロシア帝国の最大版図

ところが独立できたところはわずかでした。独立できても第二次世界大戦までにソヴィエト連邦に組み込まれたバルト三国のようなところもあり、結局、ロシア帝国はソヴィエト連邦というかたちで帝国を維持したといっていいでしょう。

ソ連邦の結成

ソヴィエト社会主義共和国連邦というのはとても複雑な構造になっています。

まず、ソヴィエト社会主義共和国連邦という主権国家があります。その中に15の共和国があります。

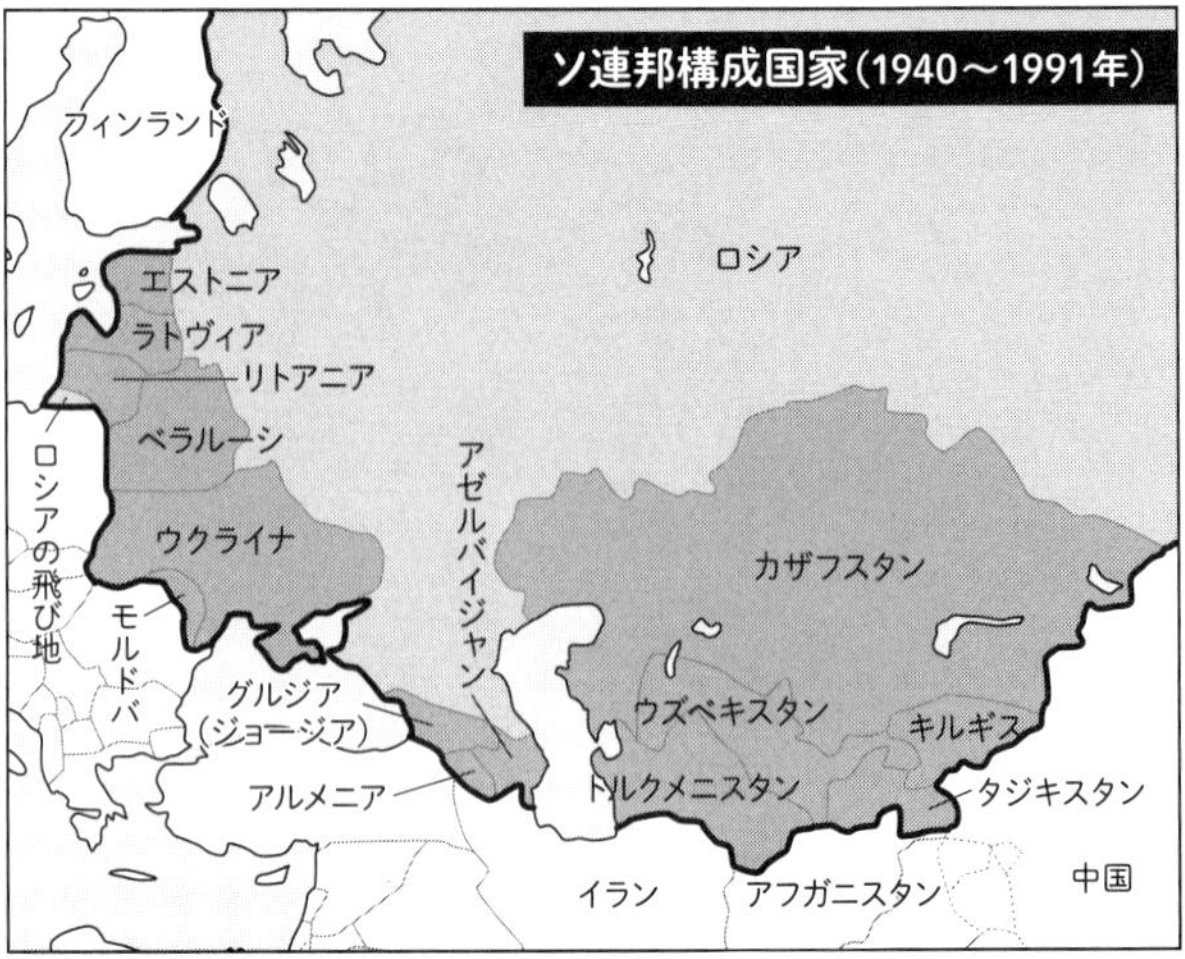

この共和国に主権はありません。だから共和国と名乗っていても日本の都道府県や、アメリカ合衆国の州みたいなものと思ってください。

15の共和国の中で最大の面積を誇り、かつソヴィエト連邦の中心になるのがロシア＝ソヴィエト共和国です。

このロシア＝ソヴィエト共和国がさらに複雑で、内部に自治ソヴィエト社会主義共和国と自治州と自治管区があるのです。

こうした考え方は当時の常識でした。第一次世界大戦後のパリ講和会議で大戦に敗れたドイツの植民地やオスマン帝国の支配領域が戦勝国に分配さ

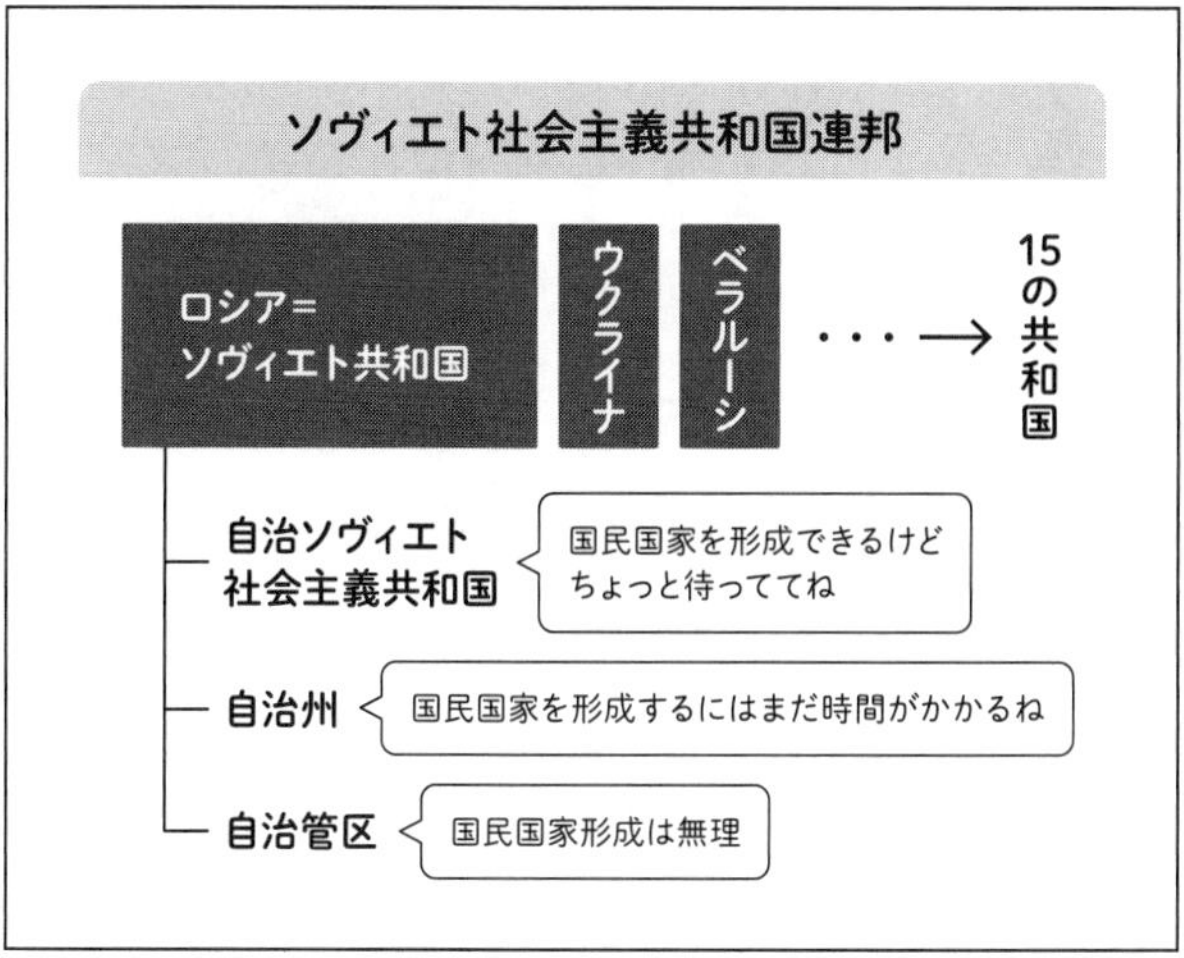

れる際に、ただ植民地の宗主国が代わるのではなく、民族自決を前提に分配したのです。この植民地だったところは独立までとりあえず管理しておくこととし、これを**委任統治領**と呼びました。

この委任統治領はA、B、Cの3ランクに分けられ、Aは国民国家を形成できるけどちょっと待っててね、Bは国民国家を形成するにはまだ時間がかかるね、Cは国民国家形成はまだ無理、というもので、ソ連邦の中の自治ソヴィエト社会主義共和国、自治州、自治管区と見事に対応しています。

こうした捉え方は19世紀を通じてヨーロッパで形づくられてきたもので

す。哲学者ヘーゲルの考え方といってもいいでしょう。どういうことか説明します。

国民国家の基本は、自分たちのことは自分たちで決める（自決＝自治）ことですが、これは案外難しいものです。小学生に「クラスのことをみんなで決めてね」といってもうまくいきませんよね。だからどんな人間集団であっても国民国家をつくることはできないのです。

クラスのことをみんなで話し合うとき、高校生だったらそれなりには決められるかもしれません。このように自治の精神が備わった人間集団が「民族」なのです。民族意識に目覚めていない人間集団には国民国家をつくる能力がないわけですね。

この考え方はヨーロッパを中心とする**人種主義（植民地支配の正当化）**につながります。「国民国家をつくることは幸せなのだ、だから国民国家をつくれるように教育（植民地支配）してあげる」ということです。国民国家をつくるのにふさわしくないなどということを偉そうに決める資格が誰にあるのか、といいたくなります。

✵ソ連邦の解体

ヘーゲルの考え方を受け継ぎながらも、国民国家を建設することで本当に幸せになれるのかという問いを立てたのがマルクスです。

国民国家建設と資本主義は車の両輪です。資本主義が貧富の差をはじめとした社会矛盾を増大させるのならば資本主義を克服しなければなりませんが、それには資本主義を支えている国民国家を何とかしなければならない、という論理です。

そのためには各国民国家がナショナリズムというエゴを超えて連帯しなければならない。これが社会主義という考えです。ただし、国民国家を建設できないところが国民国家を超えたものをつくれるはずはない。つまり、結局は先に話した、人種主義的思考からは抜け出ていないわけです。

この社会主義の理念に沿ってつくられたものがソヴィエト社会主義共和国連邦です。つまり、ソヴィエト連邦は世界中の国民国家と連帯してもっと大きくなることを目指していたのですが、見方を変えれば、これは世界征服を企むロシアの戦略ともいえます。

結局、ソヴィエト連邦に参加する国民国家は増えることなく、他の国から見ればソヴィエト連邦が一つの国民国家という位置付けになったのです。

ソヴィエト連邦の歴史は約70年でした。1991年にソ連邦は解体することが決まります。ソヴィエト連邦を構成する各共和国を束ねるイデオロギーが社会主義です。

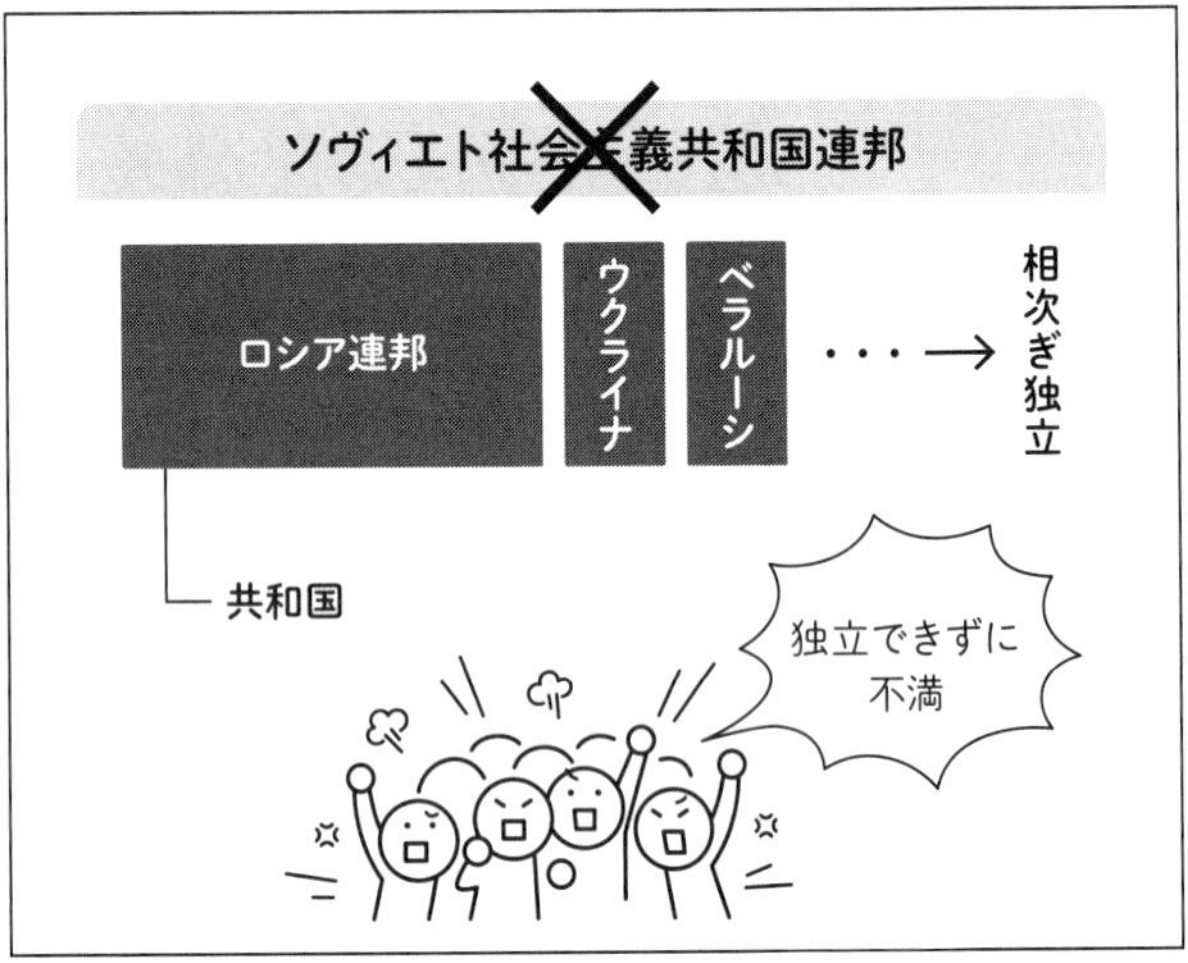

この社会主義のイデオロギーを放棄していく流れが1985年にソヴィエト連邦のリーダーとなったゴルバチョフから始まった以上、ソヴィエト連邦の解体は半ば必然的な出来事といってよいでしょう。

その際、ソ連邦内の15共和国はそれぞれ一つの主権国家として国際連合に加盟することになります。社会主義の理念も国家運営の方針からは排除されたため、国名からも社会主義やソヴィエトの名前がなくなります。ロシア＝ソヴィエト共和国の名前がロシア連邦に変わるように。

このとき、かつてのロシア＝ソヴィ

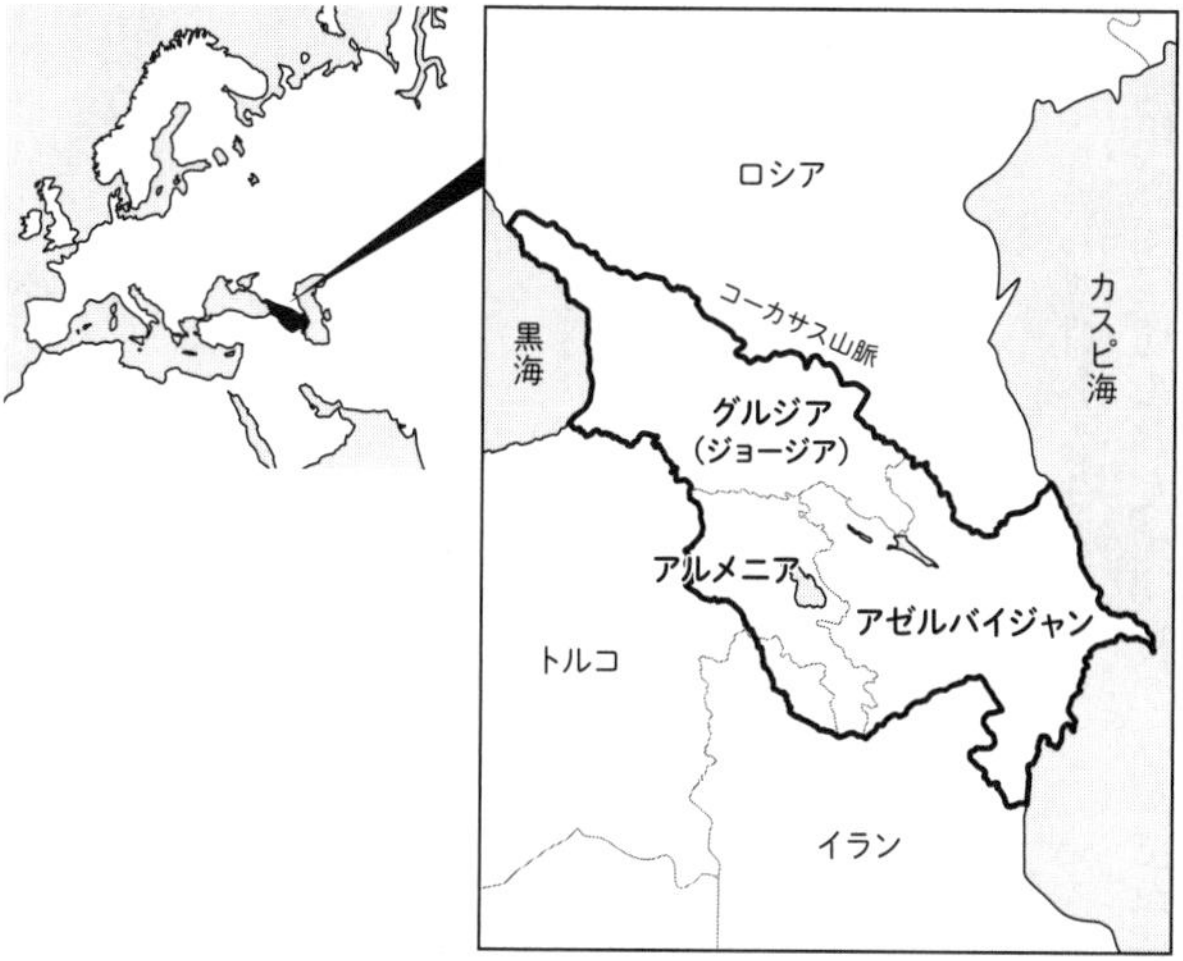

エト共和国内の自治ソヴィエト社会主義共和国はロシア連邦内の共和国に、自治州や自治管区も共和国に格上げされます。もちろん、この共和国は主権を持っていません。このあたりが混乱しますよね。ざっくりいえば、**ソヴィエト連邦は解体したけれど、ロシア連邦は解体していない**わけです。

コーカサスの紛争

ソヴィエト社会主義共和国連邦の解体は旧ソ連邦の各地で紛争を引き起こします。とりわけ紛争が相次いでいるのがコーカサスです。

黒海とカスピ海に挟まれた地域にコ

ーカサス山脈があります。山脈より北を北コーカサス、山脈より南を南コーカサス（ザカフカス）と呼びます。まずは南コーカサスから説明していきましょう。

ザカフカスという呼び名はロシア側の呼び方であって、最近はこの呼び方をせずに南コーカサスと呼ぶことが増えています。南コーカサスには現在、アルメニア、グルジア（ジョージア）、アゼルバイジャンという3つの国があります。これらは先に説明したソヴィエト連邦内の15共和国だったので、ソヴィエト連邦が解体したときに独立国家に格上げされました。

この南北コーカサスをめぐる話はとても複雑です。確かに慣れがない（学校で教わらない、ニュースでもほとんど取りあげられない）ということはあるのでしょうが、宗教分布だけを見てもかなり入り組んでいるのに、これに言語の違いまで含めたら普通の人は地図を見る気にすらならないほどに複雑怪奇ですから、ここでは載せていません。

でもこれが「自然」な姿なのです。このバラバラなルービックキューブの面を揃えようとすると軋轢が生じるということをしつこいまでに強調しておきます。

国境線で区切られた地図ばかりに慣れると、こうした複雑さを無視した世界観にな

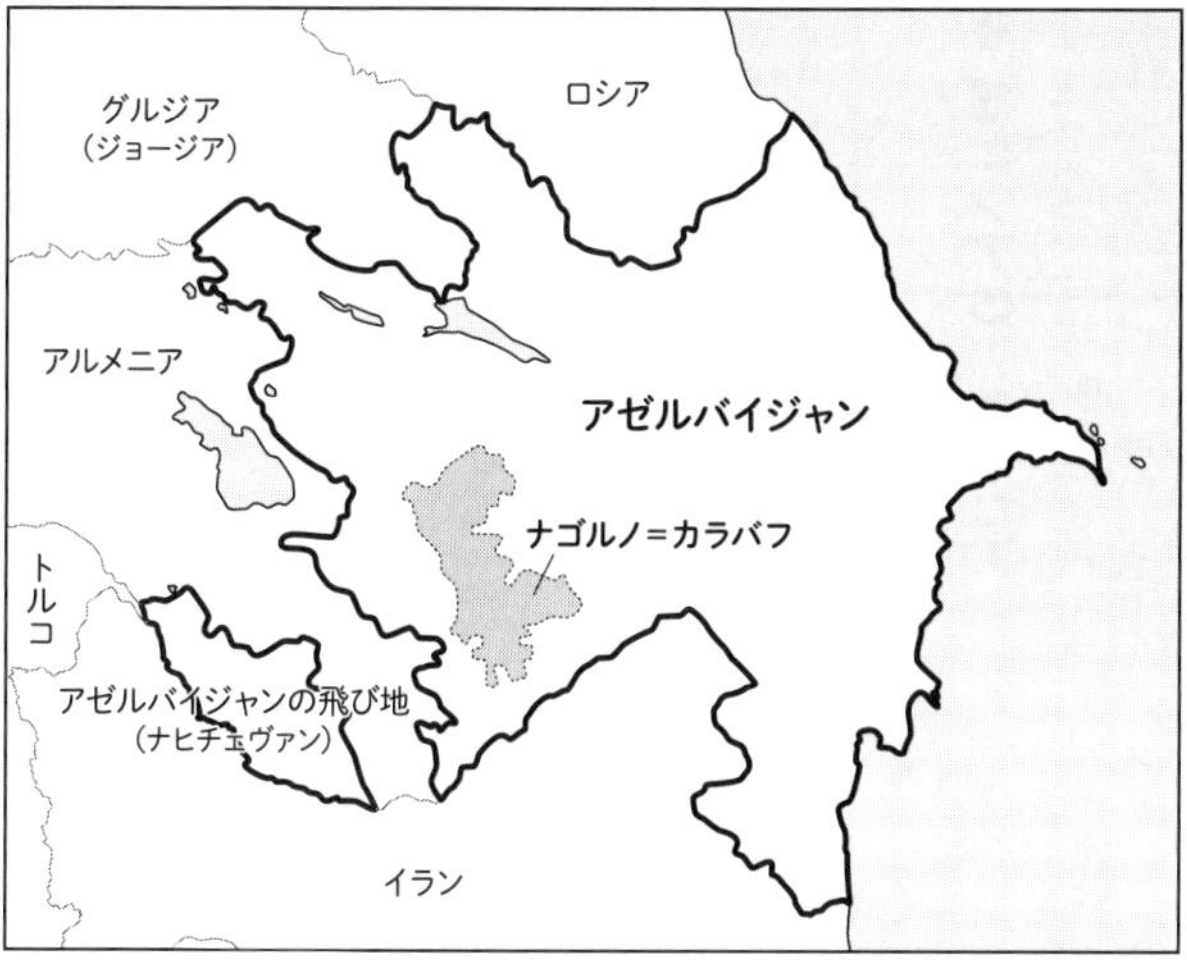

るので様々な地図に慣れておくことが大切です。

ナゴルノ＝カラバフ紛争

アゼルバイジャンは人口の大半がシーア派のムスリムです。スンナ派のムスリムは少数派です。

アゼルバイジャンが抱える紛争として最重要なのがナゴルノ＝カラバフ問題です。ナゴルノ＝カラバフ地方はアルメニア人（キリスト教徒）が多いため、隣国のアルメニアが支援して独立の動きを見せてきました。

アルツァフ共和国と名乗りアゼルバイジャンの支配が届かない状況が何十

年と続きましたが、2023年になってアゼルバイジャンがアルツァフ共和国を軍事的に制圧し、ナゴルノ＝カラバフ問題の解決が宣言されます。

しかし、この地に住むアルメニア人はアゼルバイジャンの支配を嫌がり、この地を離れていくでしょう。彼らを受け入れるのはアルメニアでしょうが、しばらくは難民扱いになると思われます。こうした住民の強制移住を考えたら簡単に問題解決とはいえないはずです。アルメニアとアゼルバイジャンの対立関係も解消されていないわけですから。

アゼルバイジャンは国土が二分されています。アルメニアの領土が割り込んでいるからです。この飛び地がナヒチェヴァン地方です。パキスタン同様、こうした飛び地はやはり分離独立の動きが起きやすいといえます。新たな火種になる可能性が高い地域です。

✹親ロシアのアルメニア

後で説明するグルジア、先ほど説明したアゼルバイジャンと違って、親ロシアというところがアルメニアの特徴でした。その理由は、先に触れたナゴルノ＝カラバフ紛

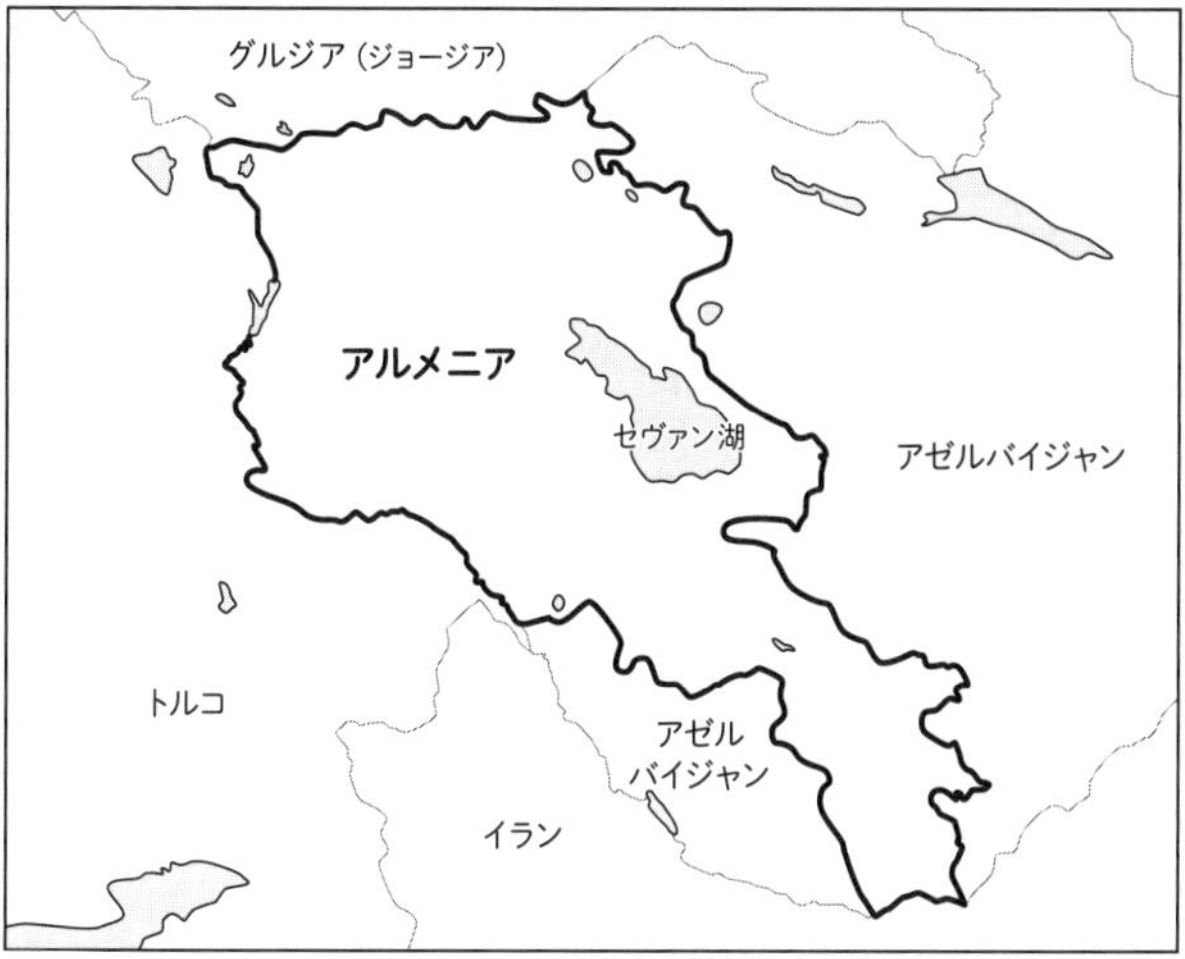

争でロシアから援助を受けていたからです。

ロシアも南コーカサスに影響力を持ちたいので支援しているのですが、アルメニアは資源も乏しいためにロシアから経済援助を受けなければ国家が立ちゆかない事情もあります。さらには隣国トルコとの間で**アルメニア人虐殺問題**（180ページで解説）を抱えていることも、ますますロシアへの依存度が高まる理由になっています。

ところが2018年に成立したパシニャン政権は、親欧米路線に舵を切ってEU加盟やNATO加盟を検討していて、隣国のアゼルバイジャンとの対立も含め目が離せません。コーカサスをめぐる状況は「敵の敵は味方」といった単純な理解では説明できないところが面白く複雑なところです。

アルメニアとトルコの対立は、アルメニアとトルコの国境近くにあるアララト山（旧約聖書にあるノアの方舟が流れ着いた場所）をめぐる関係もあります。アルメニアはアララト山がトルコ領にあることを認めていません。東南アジアの項で話したタイとカンボジアの紛争とよく似ています。

なお、アルメニアの歴史は古く、世界で初めてキリスト教を国の宗教とすることを決めたことで知られています。ローマ帝国がキリスト教を認める以前であって、そのため日本では知られていませんが、欧米ではアルメニアの知名度は非常に高いものがあります。

✹グルジア－ロシア間の軍事衝突

アゼルバイジャン、アルメニアと同じくソ連邦の中で共和国だったグルジアは１９９１年に正式に独立します。

領土は小さいもののかなりの多民族国家です。人口の多くはグルジア正教（キリス

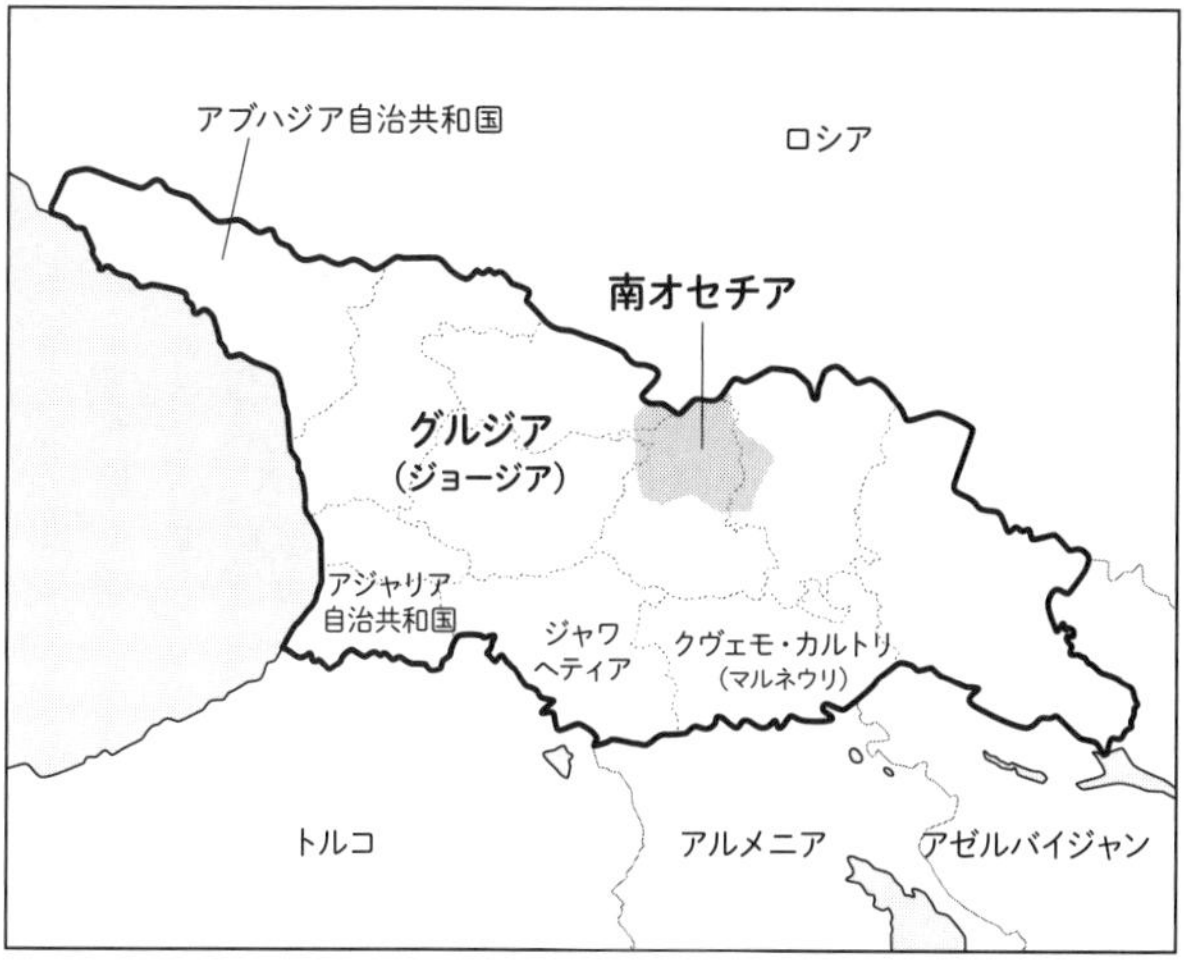

ト教）のグルジア人ですが、マルネウリ地方はイスラームのスンナ派が多くアゼルバイジャンに帰属したいと考える人が多い。単性論のキリスト教徒が多いジャワヘティアにはアルメニアに帰属したいと考える人が多く、それぞれ問題を抱えています。

さらにアジャリア地方はイスラーム、アブハジアはアブハズ人が多く、グルジア人とは言語が違います。アブハジアはグルジアからの独立を目指しアブハジア共和国として独立を宣言していますが、世界でロシアのほか5ヵ国からしか承認されていません。

そして最大の紛争地が**南オセチア地**

方です。ここに住んでいるオセット人は文化的にはロシア人に近いのです。1991年のソヴィエト連邦解体後、南オセチアをグルジアが自国の支配下に置こうとしたとき以来問題が生じています。

グルジアの支配から離れたい南オセチアは大国ロシアの支援を仰ぎ、2008年には大規模な紛争が起きます。ロシアかグルジアか、どちらに帰属するかをめぐって起きたのが**ロシア=グルジア戦争**です。

グルジアはこの紛争で敗北し南オセチアはグルジアの支配から離れることになりますが、南オセチアだけで独立国家をつくるのか、ロシアと合併（編入）するかをめぐって南オセチア内で対立があり、まだ正式な決着を見ていません。

グルジアは南オセチア問題に介入してきたロシアに対していい感情を持つわけはなく、反ロシアの姿勢を現在もとり続けています。そのため、国名もロシア語読みのグルジアから英語読みのジョージアへ変更し、2015年以降、日本の外務省もグルジアに替えてジョージアと呼ぶようにしています。

ロシア=グルジア戦争を題材とした映画として『**みかんの丘**』、『**とうもろこしの島**』が戦争の虚しさを描いたものになっています。戦争と報道という観点から描かれた『**5**

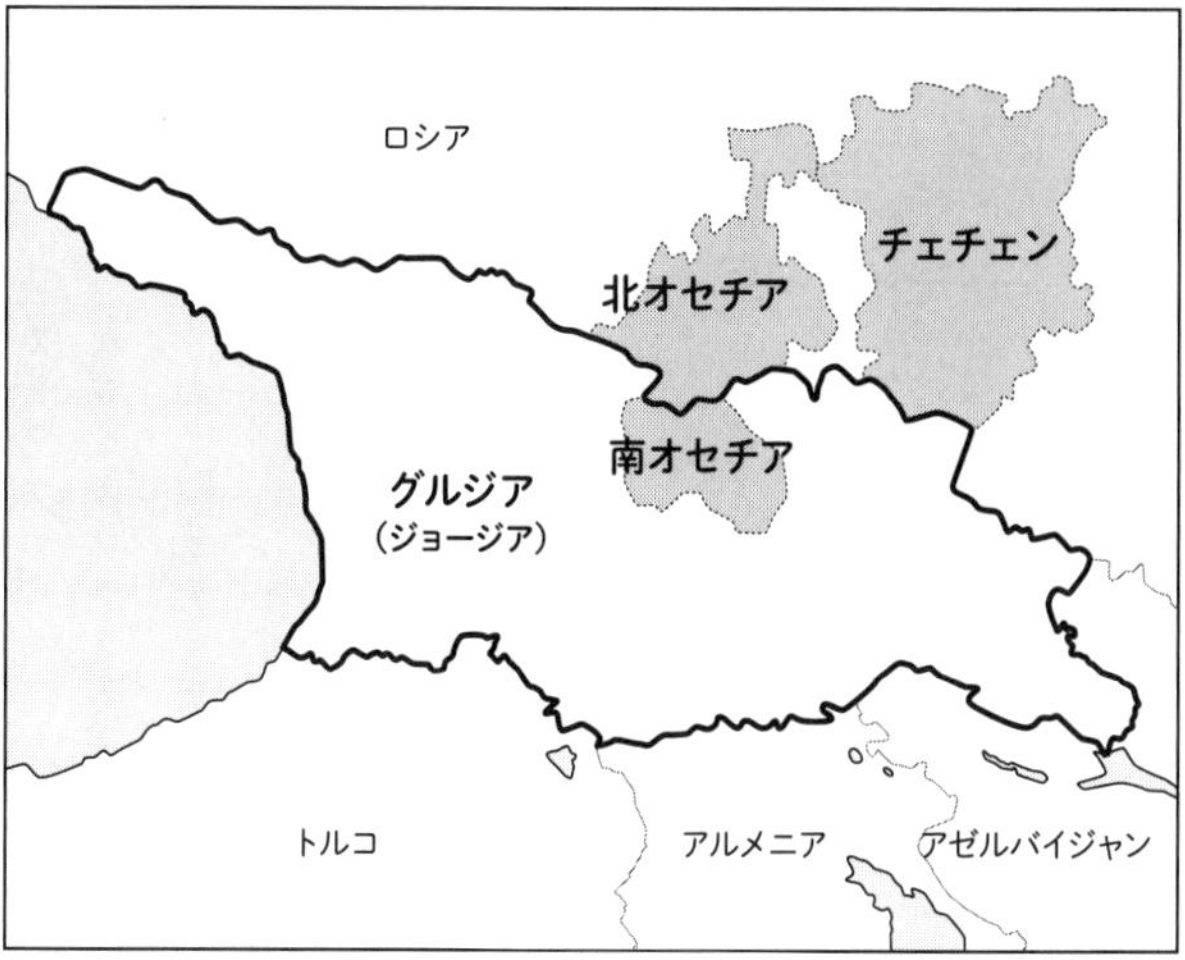

デイズ』もアメリカ映画らしいスケールの大きい作品でした。

✹チェチェン紛争

南コーカサスのグルジア、アゼルバイジャン、アルメニアはソヴィエト連邦の解体に伴って国際社会からも認められる主権国家になったのですが、北コーカサスは自治ソヴィエト共和国だったため、格上げされてもロシア連邦内の共和国止まりでした。

しかし、「二階級昇進で正式な独立国家（＝主権国家）になりたい」ということで紛争になった地域がありますす。それがチェチェンです。名前だけは聞いたことがある人が多いと思います。

チェチェン人はイスラームを信仰している人がほとんどです。19世紀にロシア帝国の支配下に置かれるにあたって非常に激しい抵抗がありました。ソ連邦が解体する頃から独立の動きが高まります。これを封じ込めようとロシアのエリツィン政権は大軍を投入します（第一次チェチェン戦争）。

1994年から96年まで続いたこの戦争で、ロシアはチェチェン人に対して大虐殺を行ないます。プーチン政権の評判が悪すぎるからか、前任者のエリツィンにはさほど非難が浴びせられませんが、チェチェンに対する虐殺はエリツィン政権時代のことです。

1999年、モスクワをはじめとするいくつかの都市のアパートで爆破事件が起こり、300人近くのロシア人が命を失いました。この事件の直前にエリツィン大統領からロシア首相に任命されたのがプーチンでした。プーチンはこの爆破事件をチェチェン人のテロとみなし、チェチェンに侵攻を命じます。これが第二次チェチェン戦争です。

この戦争はロシアの勝利に終わり、チェチェン人の組織的な抵抗はなくなりますが、レジスタンスを恐れるロシアは人権を無視したチェチェン人の支配を現在も続けています。

もっと深く学びたい人には、ロシアとウクライナの戦争が2022年に始まってからメディアに引っ張りだこの廣瀬陽子先生の著作『**コーカサス——国際関係の十字路**』（集英社新書）を紹介しておきます。

✹ ロシアのウクライナ侵攻

ソヴィエト連邦の解体に伴う紛争については2022年から続くロシアとウクライナの戦争についても触れておかなければなりません。

ウクライナ関連の書籍は戦争が始まって以来、多く出版されています。したがって、ここでは最低限知っておかなければならないことを確認するだけにとどめます。

ウクライナはソ連邦を構成する15の共和国の一つでした。1991年にソ連邦が解体すると、当然独立することになり、ソ連邦時代のウクライナ共和国の行政区分がそのまま国境となります（Uti possidetis juris→44ページ参照）。

新興独立国家をつくるというのは簡単なことではありません。トルコとアルメニア、カンボジアとタイの項目で話したように、国のシンボルをめぐる対立、タイとラオスの項目で話したような国語の問題に加え、通貨をどうするのかなどの様々な問題が横たわっています。

ウクライナの都はキエフ（ウクライナ語ではキーウ）ですが、ここはロシア国家の起源ともなっている場所であり、ロシアがウクライナをロシアの一部だと主張するのは、ソ連という主権国家が解体してロシアとウクライナに分かれてしまったからこそ生まれたものだといえます。

ロシア研究者の浜由樹子さんの言葉を借りれば、「静岡県が独立して徳川家康を静岡国のシンボルだと主張したら、日本国が徳川家康は日本の重要人物だ、というかたちで対立が起こる」ということです。

1991年に独立したウクライナの初代大統領がクラフチュク、2代目がクチマ、そして2004年の大統領選挙がかなり揉め事になるのです。

ロシアの支持を受けたヤヌコビッチが勝利したものの、民衆の抗議デモで選挙がやり直され親欧米派のユシチェンコが3代目の大統領になります（オレンジ革命）。ユシチェンコは大統領になる直前に重病になり、これがロシア関係者から毒を盛られた

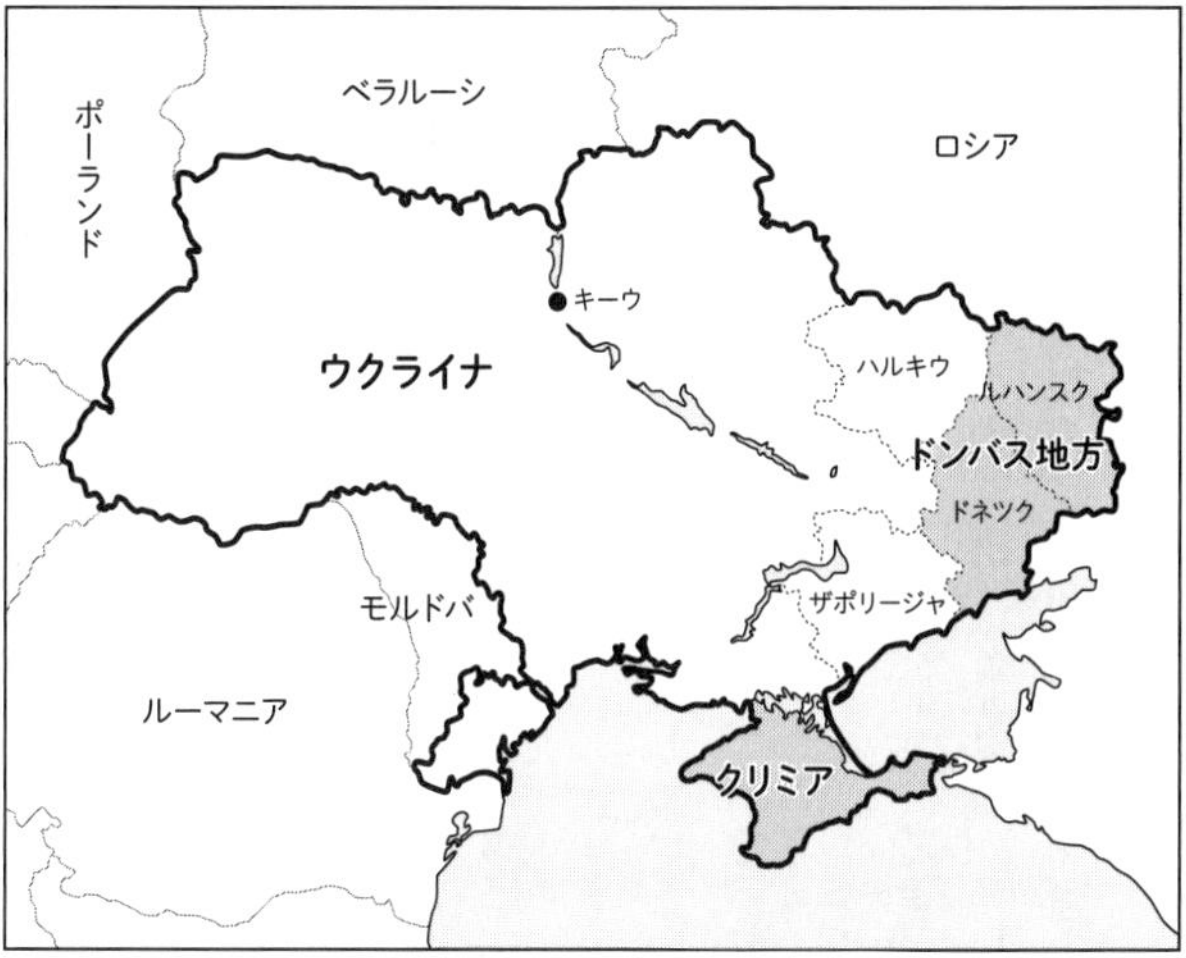

という噂となって広がり、その同情票もあって当選したのです。

ところがユシチェンコ政権は内部対立で民衆の支持を失い、2010年の大統領選挙で敗れます。4代目の大統領になったのはオレンジ革命で大統領になり損ねた親露派のヤヌコビッチです。

ヤヌコビッチは議会が進めようとするEUとの貿易協定の調印を見送り、このことで反ヤヌコビッチの民衆デモが発生します（2014年）。この混乱の中でヤヌコビッチはロシアへ亡命し（**マイダン革命**と呼ぶ）、5代目の大統領にポロシェンコが就任します。

このマイダン革命のさなかにロシアがクリミア半島を併合します。確かにプロセスとしては住民投票が行なわれており、一見民主的に見えますが、軍事的にロシアが侵攻してきたのは間違いない事実です。大規模な流血事件がないから問題はないというのなら、日本がかつて起こした満洲事変も問題はないといわなければなりません。

ロシアがマイダン革命の混乱に乗じてクリミア半島を併合した直後にウクライナ東部のドンバス地方で問題が起きます。この地域はロシア語話者が多く、ウクライナから分離独立を目指すグループが武装蜂起し、ウクライナ政府との間で内戦が始まります。

この分離独立グループを支援しているのはロシアです。ミンスク合意と呼ばれる停戦交渉が2度行なわれましたが、紛争が終わることはなく2022年を迎えることになります。

このクリミア半島やドンバス地方をめぐるロシアの行動は、ナチス＝ドイツがチェコスロヴァキアに対しドイツ語話者が多いズデーテン地方はドイツのものだといったことや、戦前昭和の日本が日本人の保護を口実に中国大陸へ出兵したこととまるで変わりがありません。

国境線はどのように引いても問題が残ります。だから、武力を用いて国境線を変更しようという行為自体が愚かなことです。したがって、ロシア（プーチン）がいかなる理由をつけようとも、それは許されるものではないと考えています。

ウクライナは２０１９年に大統領選挙があって６代目の大統領にゼレンスキーが就任します。ゼレンスキー政権は当初、政府内の汚職やドンバス地方で続く紛争に対処できず支持率は低迷していました。だからなのかはわかりませんが、２０２２年になってプーチンのロシアがウクライナに侵攻してきます。

この戦争は２０２４年６月現在、まだ進行中なのでこれ以上はやめておきます。２年以上続く中でニュースでも取りあげられることが少なくなっていますが、忘れず監視していきましょう。

最後に一言だけいわせてもらいます。ロシアのウクライナ侵攻にあたっての、ロシアのプロパガンダに以下のようなものがあります。

東西ドイツ統一直前の１９９０年２月にアメリカのベーカー国務長官とソ連の大統領ゴルバチョフの会談が行なわれ、その中でアメリカはＮＡＴＯの東方拡大はしないといったのに約束を反故にされた、というものです。

これはあまりにもトンチンカンです。1990年という年にはまだソ連は解体していません。ソ連と東欧諸国からなる軍事同盟のワルシャワ条約機構も存在していました。だから、NATOの東方拡大というのは東ドイツ地域のことしか指していないのは常識です。

東ドイツを越えてNATOが拡大するというのは、ソ連領内にアメリカ軍を置くというのとほぼ同じことですから、そんな話が会談の中で出てくるはずがないのです。当事者のゴルバチョフ自身が回想録『**ミハイル・ゴルバチョフ――変わりゆく世界の中で**』(朝日新聞出版)でも自ら述べています。ちなみに現在に至るまで旧東ドイツ地域にNATO軍は置かれていません。

ウクライナ関連の書籍では、『**講義 ウクライナの歴史**』(黛秋津編/山川出版社)が20世紀を中心に10世紀にまで遡って説明してある良書です。もう一冊、『**ウクライナ戦争と世界のゆくえ**』(池内恵、宇山智彦、小泉悠ほか/東京大学出版会)はウクライナというよりもロシア=ウクライナの「戦争」に焦点を絞っている興味深い本でした。

そしてなんといっても『**ウクライナ戦争と向き合う——プーチンという「悪夢」の実相と教訓**』（井上達夫／信山社）はこの戦争について語るうえでは必読書といえます。インターネットの怪しげなロシアのプロパガンダに乗せられたと思しき主張だけではなく、「ロシアも悪いけど」といったエクスキューズをつけてロシアを擁護しようとする発言も徹底的に批判しています。

オスマン帝国の崩壊

次は中東情勢に深く関係するオスマン帝国の解体の話です。13世紀末、小アジアに建国されたオスマン帝国は16世紀に領土的には最盛期を迎えます。

このオスマン帝国の領土が櫛《くし》の歯が抜けるように縮小していくのが19世紀です。そして第一次世界大戦の敗北で解体が決定的になります。

ここではその過程で現在につながる諸問題を、アルメニア人問題、クルド人問題、アラブ世界の分裂、そして最後にパレスチナ問題の順に話してみたいと思います。

✹ オスマン帝国とアルメニア人

前項のソ連の解体のところで触れたアルメニアの続きだと思ってください。

まずはアルメニア人とは何かについて触れます。日本におけるアルメニアの知名度は低いと思われます。せいぜいソ連が解体して成立したアルメニア共和国があるとい

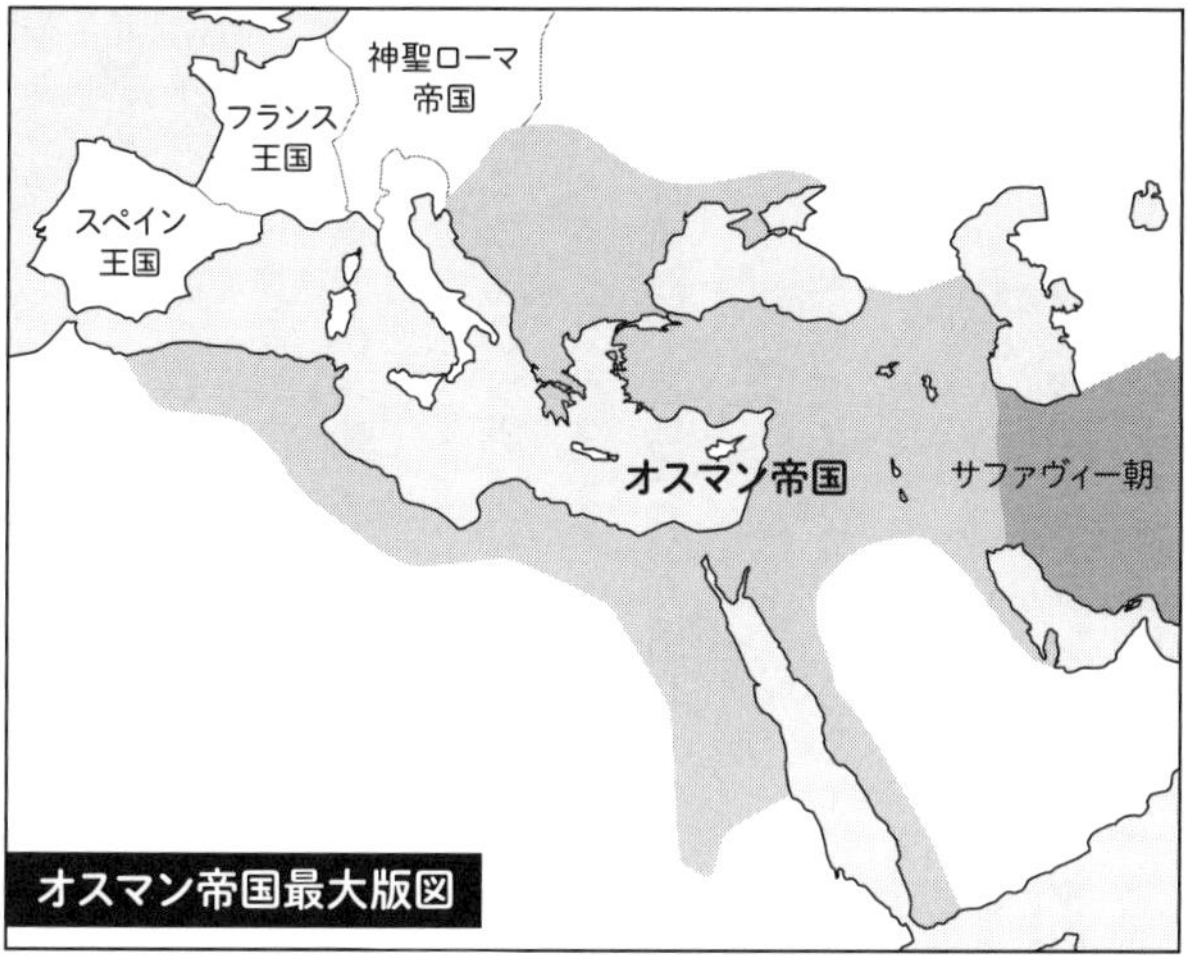

オスマン帝国最大版図

うくらいが関の山でしょうか。現行の高校世界史の教科書でも、ようやくアルメニア人について記載されるようになったくらいですから。そこで、ここではアルメニア人の歴史について確認しておきましょう。

アルメニア人の居住地はカスピ海と黒海に挟まれたコーカサス地方です。古くから王国を築き、**ローマ帝国がキリスト教を認める313年より前の301年にキリスト教を国教とした**ことでキリスト教圏ではよく知られている国です。

11世紀にイスラーム王朝のセルジューク朝に滅ぼされたアルメニア人の王

国ですが、以後、アルメニア人はヨーロッパから東南アジアにかけての広大な地域で商業ネットワークを築きあげます。**商業で活躍する民族ということからユダヤ人と並ぶ存在**となるのです。

アルメニア人の活躍の全盛期は16世紀から18世紀でした。当時ヨーロッパは生糸の大半をイランから輸入し、ヨーロッパは銀を輸出していたのですが、この取引はアルメニア人が支えていました。

インドのムガル帝国も商業活動を活性化させるためにアルメニア人をインドへ招きます。イギリスがインドへ綿織物の購入に赴いたときも、オランダが東南アジアとの香薬（香辛料）貿易に乗り出したときにもアルメニア人が仲介します。チベットにもアルメニア人のコミュニティがあったとの記録が残されていて、相当な広範囲でアルメニア人が活動していたことがわかります。

現在アルメニア共和国の人口は約３００万人ですが、国外に在住しているアルメニア人は６００万人を超えるといわれています。その背景にはこうした歴史があるのです。**アメリカ合衆国やフランス、カナダにはアルメニア人の大きなコミュニティがあり、政治にも影響力を及ぼしています。**

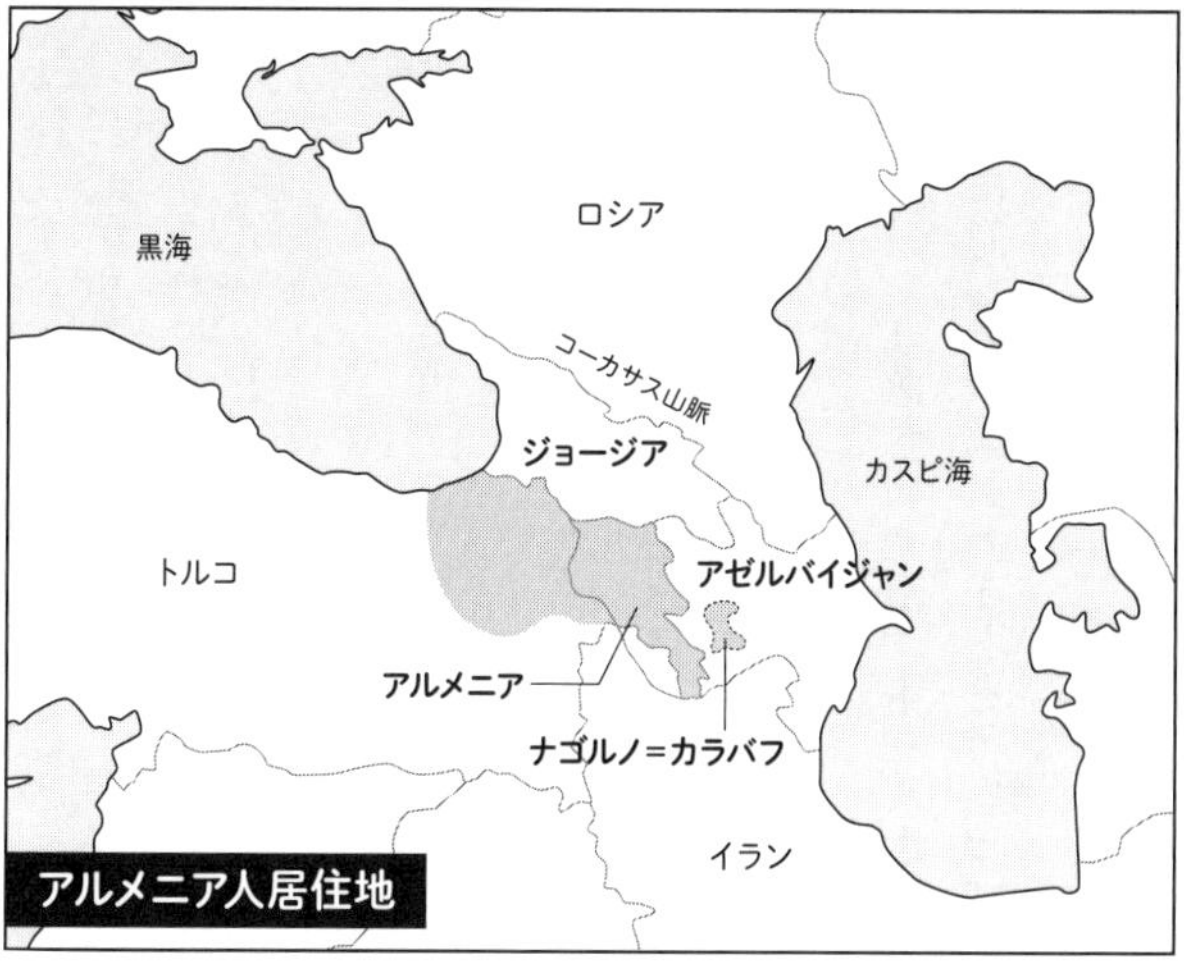

アルメニア人居住地

地図を見てください。アルメニア共和国はアルメニア人が多く住んでいますが、国外にもアルメニア人が居住しているところが2ヵ所あります。一つがソ連の解体のところで触れたナゴルノ=カラバフです。そしてもう一つが、トルコ共和国内のアルメニア人居住区です。

では、オスマン帝国が解体してトルコ共和国が成立する過程をおさえておきましょう。

第一次世界大戦に敗北したオスマン帝国はイギリスやフランスをはじめとする連合国と講和条約を結びます。それがセーヴル条約です。オスマン帝国は見るも無惨に縮小してしまいます。

それればかりでなく国の財政もイギリスやフランスに握られてしまい、国家とはいえないありさまになるのですが、このような屈辱的な条約を結んだオスマン帝国のスルタン（皇帝）に対し、民衆の期待を背負って登場したのがケマル＝アタテュルクです。

ケマルはイスタンブルのスルタン政府に対抗してアンカラに政府を建て、ギリシアと戦い撃退します。これを機にスルタンを追放しトルコ共和国建設を宣言、連合国との間でセーヴル条約に代わってローザンヌ条約を新たに結びます。地図を見ればわかるように、現在のトルコ共和国の領土がここで決定されます。

ではアルメニア人に話を戻します。セーヴル条約ではアルメニア人居住区はオスマン帝国から切り離され独立する予定だったのですが、ローザンヌ条約によってトルコ共和国の領土になってしまいました。

それだけではありません。**第一次世界大戦中の1915年にオスマン帝国がアルメニア人に対してジェノサイドを行なっていた**ことが、アルメニア人とトルコ人の対立を根深いものにしているのです。

このアルメニア人虐殺については現在もなお実態の解明が続いていて、トルコ共和

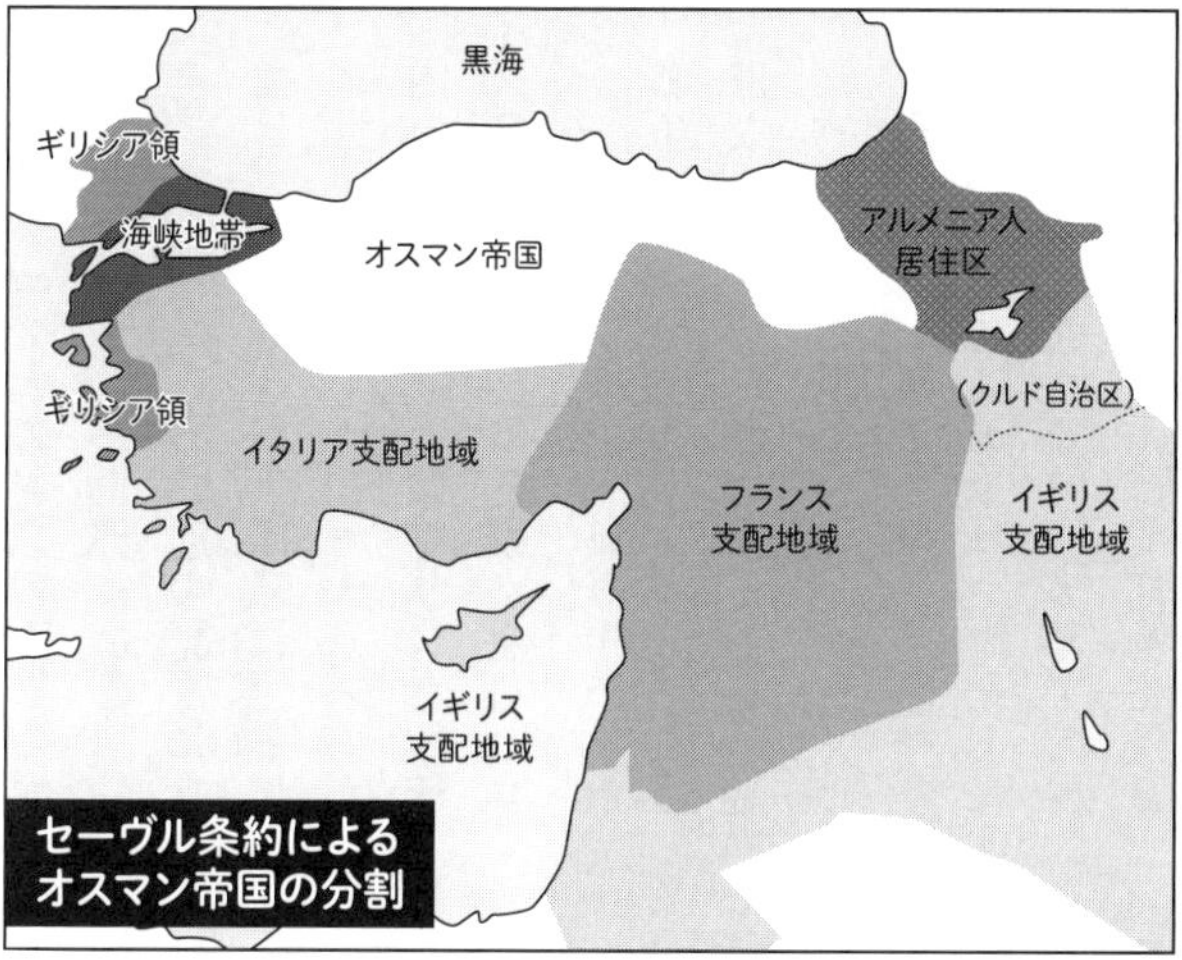
黒海
ギリシア領
海峡地帯
オスマン帝国
アルメニア人
居住区
ギリシア領
(クルド自治区)
イタリア支配地域
フランス
支配地域
イギリス
支配地域
イギリス
支配地域
セーヴル条約による
オスマン帝国の分割

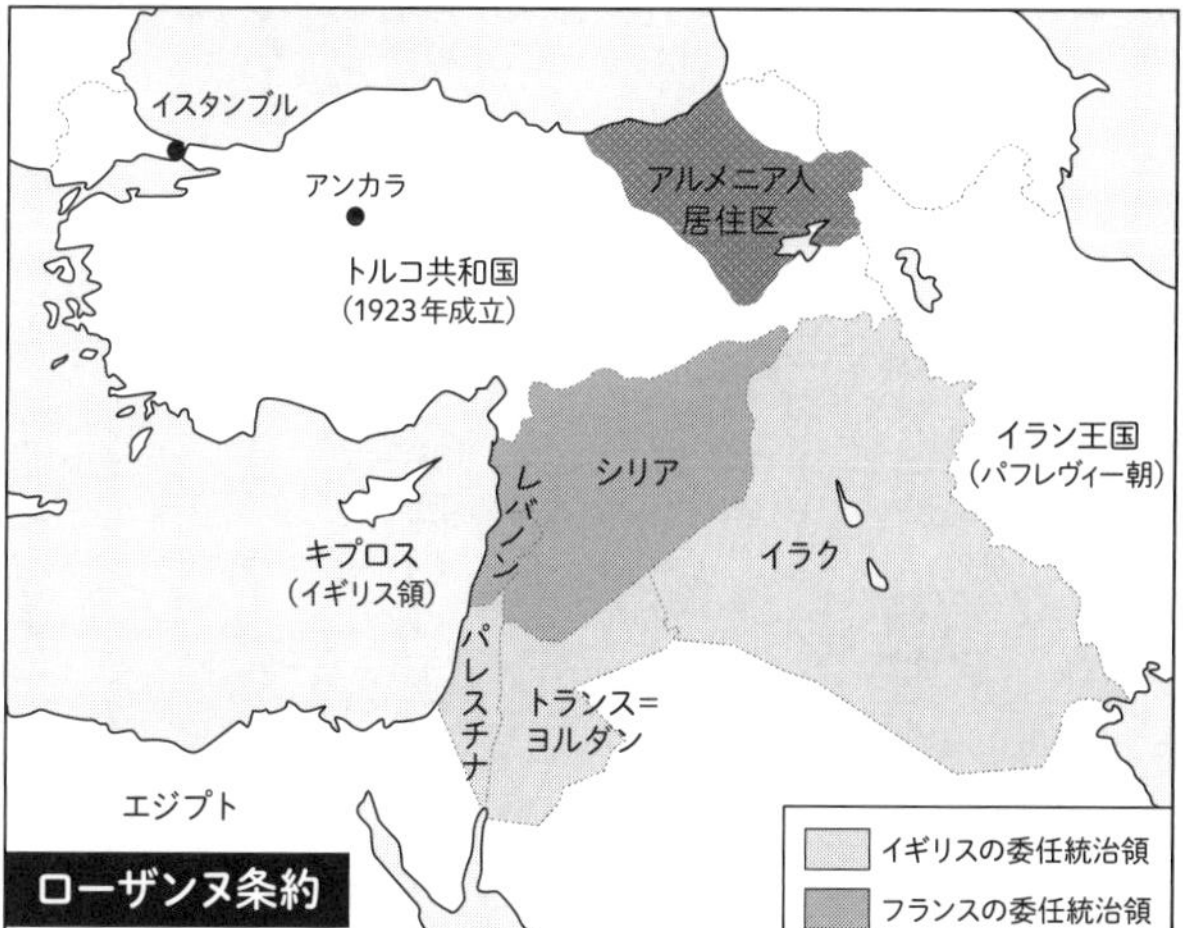
イスタンブル
アンカラ
アルメニア人
居住区
トルコ共和国
(1923年成立)
イラン王国
(パフレヴィー朝)
シリア
レバノン
キプロス
(イギリス領)
イラク
パレスチナ
トランス=
ヨルダン
エジプト
イギリスの委任統治領
フランスの委任統治領
ローザンヌ条約

国とアルメニア人の対立のみならず、トルコ共和国と欧米諸国間の紛争になっています。アルメニア人が世界に広く居住していることは先ほど話しました。この虐殺事件は全アルメニア人の共通の記憶になっているのです。

では、アルメニア人虐殺に至る過程を見てみましょう。

19世紀になってナショナリズムがオスマン帝国内にも広まってくると、オスマン帝国内の**アルメニア人はキリスト教徒であるがゆえに、オスマン帝国内の主流派であるイスラームとの間で軋轢**が生まれます。そして第一次世界大戦中にアルメニア人へのジェノサイドが行なわれたのです。

戦争中なのでアルメニア人のような異分子は敵国の内通者とみなされ、強制移住を余儀なくされただけでなく、その過程で虐殺が行なわれたのです。

現在のトルコ共和国政府は「不幸な出来事ではあったがジェノサイドではなかった」という立場で、死者も30万人ほどと主張していますが、アルメニア人側は死者150万人、かつナチスのホロコーストに先立つジェノサイドであると主張しています。

トルコ共和国ではアルメニア人虐殺について触れた言説に規制をかけています。ノーベル文学賞をトルコで初めて受賞したオルハン・パムクでさえ、このことに触れたため国家侮辱罪に問われたほどです（のち不起訴）。

世界各地のアルメニア人は各国政府に働きかけ、アルメニア人虐殺を公的に認めさせようと努力しています。これに大きな影響を与えたのがアメリカ連邦議会で、アルメニア人虐殺をジェノサイドと認定する決議案が出されたことです（２００７年）。

トルコ共和国はこれを拒否する声明を出し、ＮＡＴＯ内の対立にもつながりました。トルコのＥＵ加盟は長らく暗礁に乗りあげていますが、その理由の一つがこのアルメニア人虐殺問題なのです。

✹クルド人問題

クルド人はよく国家を持たない最大の民族と呼ばれることがあります。クルド人の居住区（クルディスタン）はトルコ、イラン、イラク、シリアにまたがっています。

オスマン帝国が力を持っていたときはクルド人の多くがオスマン帝国の支配下にありました。このオスマン帝国が第一次世界大戦で敗れセーヴル条約が結ばれたとき、一部ですがクルド人は独立を認められました。

ところがローザンヌ条約でこの独立は反故にされます。１８１ページの地図で確認

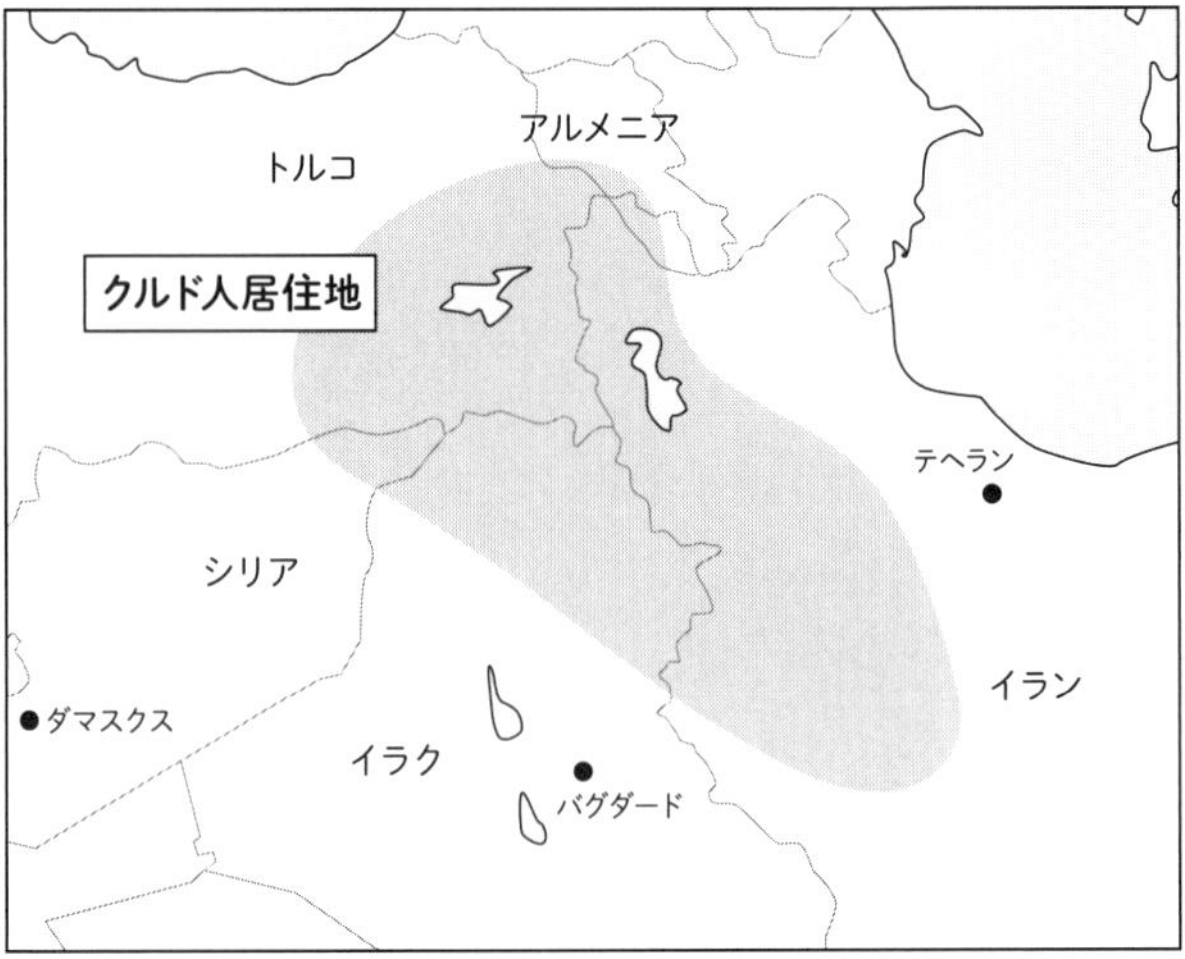

してください。結局、クルド人は４つの国に分断されることになるのです。

それぞれの国で諸外国からの支援を受けてクルド人が独立を目指す運動をしても、それが迫害される理由につながり、亡命者を生み出す構図になっています。日本でも、クルド人の難民申請が認められず仮放免のクルド人が増加し、埼玉県川口市に集住していることが問題視されています。

中でもクルド人への迫害が強いのがトルコです。トルコのＥＵ加盟への障壁となっているのがアルメニア人問題と、このクルド人問題です。

さらに、２０２３年のイスラエルに

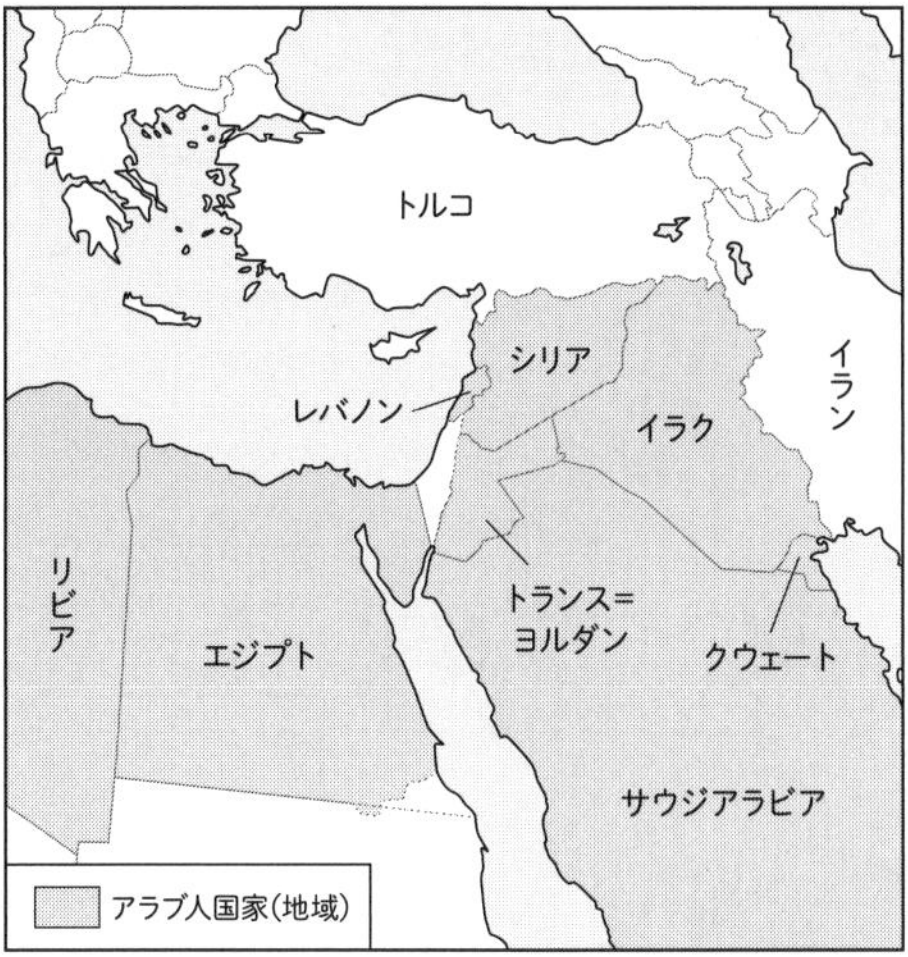

よるパレスチナ人（ガザ）への攻撃にトルコのエルドアン大統領が非難声明を出すと、イスラエルのネタニヤフ首相が「クルド人を虐殺している人が道徳を説けるのか」と反発するなど国際問題になっています。

✹分断されたアラブ世界

中東を大きくアラブ、イラン、トルコに三分する捉え方があります。イラン人が多いところがイラン、トルコ人が多いところがトルコ。ところが、**アラブ人が住んでいるところだけは一つのまとまった国になっていません。**

ここではアラブ世界が複数の国々に

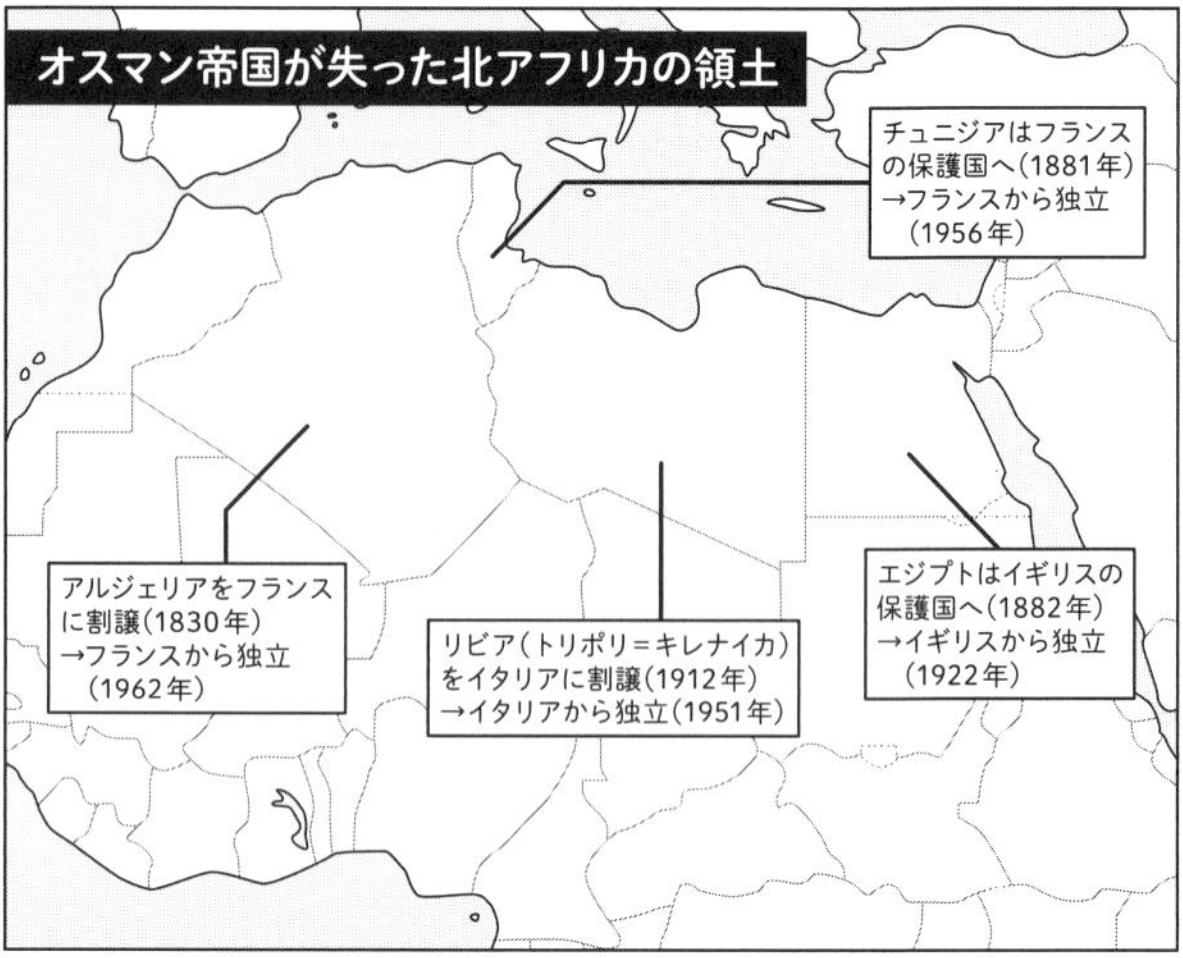

分かれていった経緯を見ていきます。

アラビア半島の大半を除いてアラブ人居住地は16世紀以降、大半がオスマン帝国の支配下に置かれていました。このオスマン帝国が解体していく歴史を確認します。

オスマン帝国が失った北アフリカの領土はそれぞれ独立を果たしていきますがまとまって独立したわけではありません。さらに、残された地域もバラバラに切り刻まれます。

第一次世界大戦中からそのレールが敷かれていました。1916年、イギリスとフランス、ロシアが密約を結びます（サイクス＝ピコ条約）。

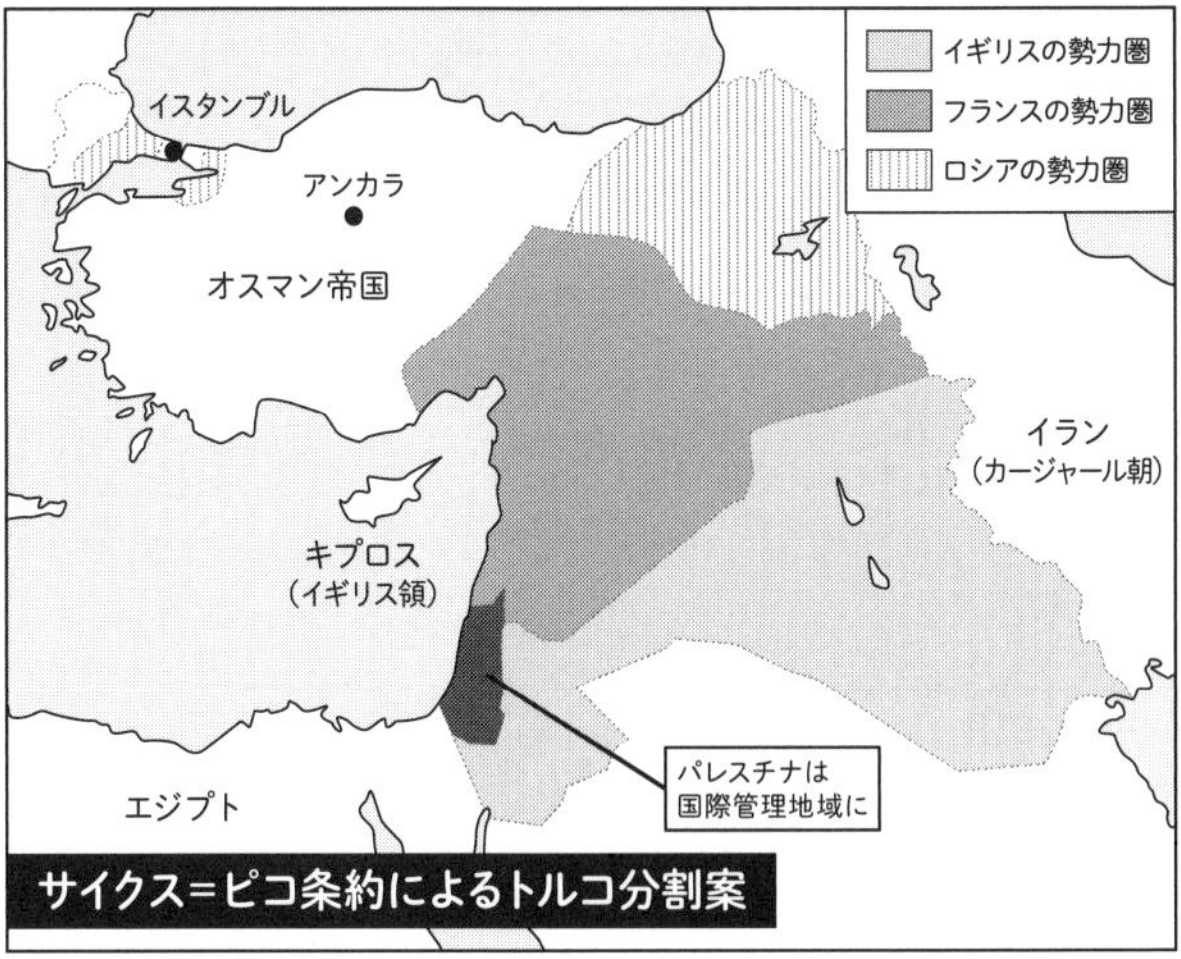

サイクス=ピコ条約によるトルコ分割案

密約の内容は戦後にオスマン帝国を分割するというものでした。1917年にロシア革命が起きて第一次世界大戦から離脱したため、ロシアの取り分は認められませんが、イギリスとフランスの取り分は変わりません。この線で結ばれたのがセーヴル条約です。それを修正したのがローザンヌ条約でした。

イギリスとフランスに分割された地域は委任統治領となっています。委任統治領は独立させることが前提になっていますので（しかもA地域→155ページ参照）、第二次世界大戦終結までに独立することになるのですが、一

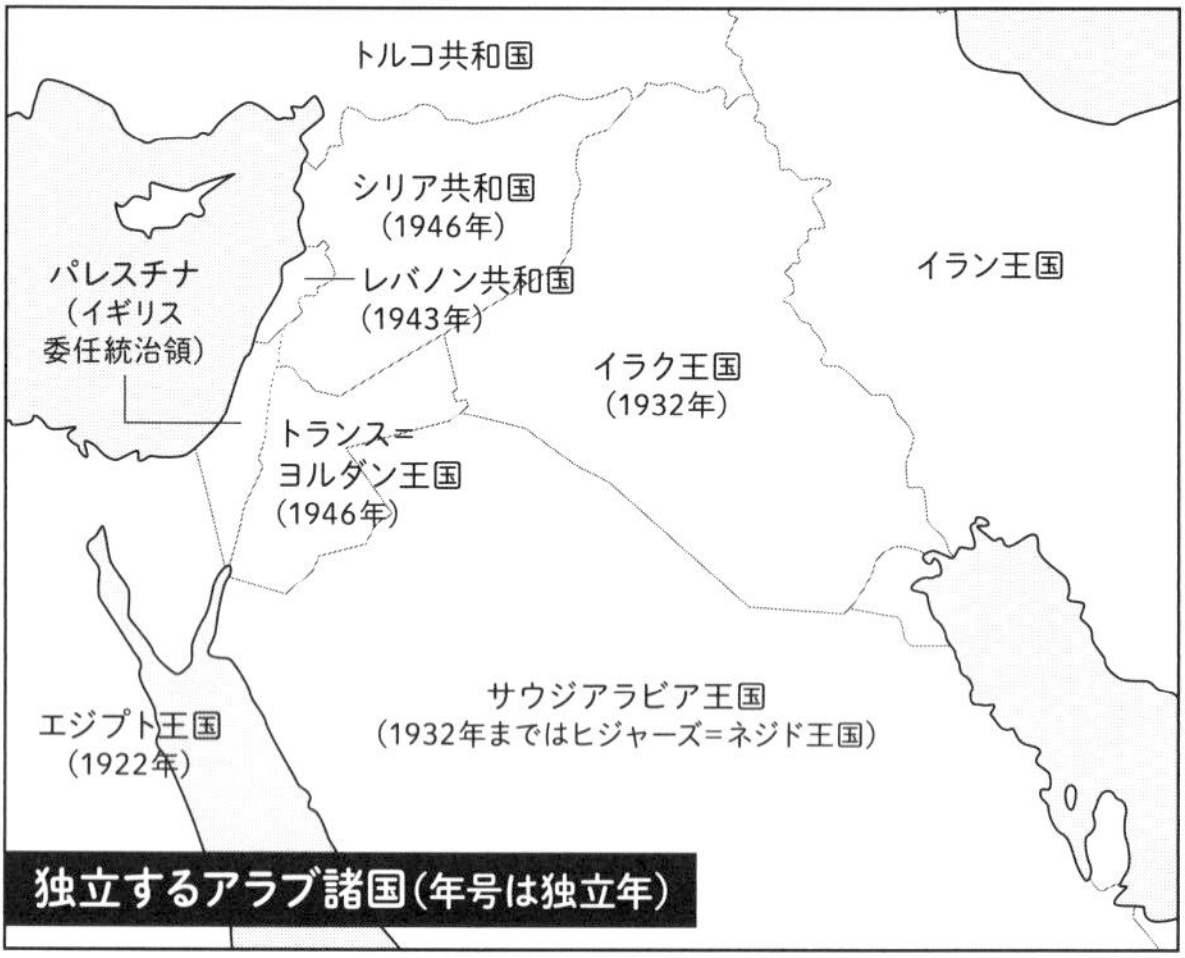

独立するアラブ諸国（年号は独立年）

つのまとまった国としてではなく、行政区分によってバラバラに独立することになってしまいます。

このことがどのような影響を及ぼしたかといえば、「アラブの統一」を掲げる勢力が出てきたことです。確かに、帝国主義勢力（ヨーロッパ勢力）によって切り刻まれたアラブ世界を統一することは帝国主義の爪痕を正そうという行為かもしれませんが、近隣諸国への侵略と捉えることもできます。

民族自決という正義を実現するために侵略という不正義が許されるのか。それが問われているということもできます。１９５０年代から60年代にかけ

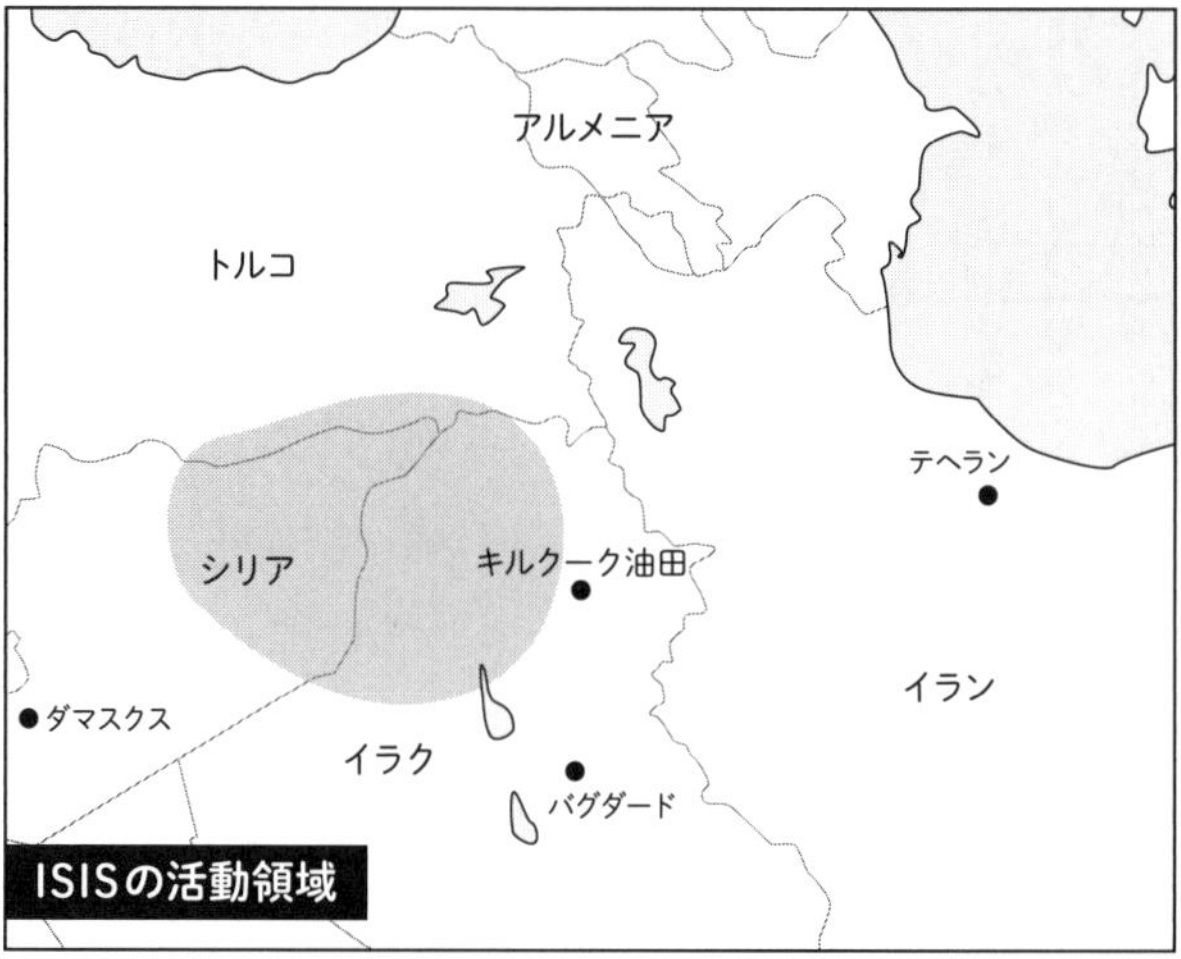

てエジプトの大統領だったナセルが一時的だけどシリアと連合国家をつくったことや、1980年代から90年代にかけてイラクの大統領だったサダム・フセインがクウェート侵攻を行なったことなどは、まさにそのことを示しているといえます。2014年から17年にかけて中東のみならず世界に脅威を与えたISIS（ISILとも）と呼ばれるイスラーム過激派も、こうした主張をしていました。

パレスチナ問題

では、常に中東問題の主役であり続けるパレスチナ問題についておさえていきましょう。**「世界で最も解決が困難な問題（The world's most intractable conflict）」**と呼ばれているくらいですから、背景説明だけで本一冊が書けるほどです。なるべく簡潔に説明をしていきます。

まずパレスチナ地方の場所をおさえてください。ここにはアラビア語を話すイスラームが多く住んでいます。彼らがパレスチナ人です。この地にヨーロッパからユダヤ教徒（ユダヤ人）が入植してくる過程を見ていきます。

19世紀末はヨーロッパの各地で**反ユダヤ主義（アンチ＝セミティズム）**が流行した時代でした。ヨーロッパの各国でナショナリズムが高まりを見せ、国民統合のためにユダヤ人を国内の敵と見る風潮が広がっていたのです。ユダヤ人というだけでスパイ容疑を受け、のちに冤罪《えんざい》とされたドレフュス事件がフランスで起きたのもこの時代です。ユダヤ人はこの迫害から逃れるためにユダヤ人国家の建設を考えます。これがシオニズム運動です。

ユダヤ人国家をどこに建設するかはいろいろ候補地があったのですが、パレスチナにユダヤ人国家を建設すると決めたのが１９０５年のことでした。

このパレスチナにユダヤ人国家を建設するという動きを後押ししたのが、第一次世界大戦中の１９１７年にイギリスが発表したバルフォア宣言です。用意周到に明言を避けてはいますが、ユダヤ人国家建設を支援すると思われても当然な内容の文書です。

　第一次世界大戦が終わると、パレスチナはイギリスの委任統治領となります。１９３０年代になってドイツにナチス政権が成立し、ユダヤ人への迫害が強まると、パレスチナへのユダヤ人の入植が盛んになります。

　パレスチナは委任統治Ａ地域（１５５ページ参照）なので独立が決まったも同然です。ただ、その独立国家が現地に住む多数派のパレスチナ人主導のものになるのか、それとも入植してくるユダヤ人主導によるかはわかりませんでした。

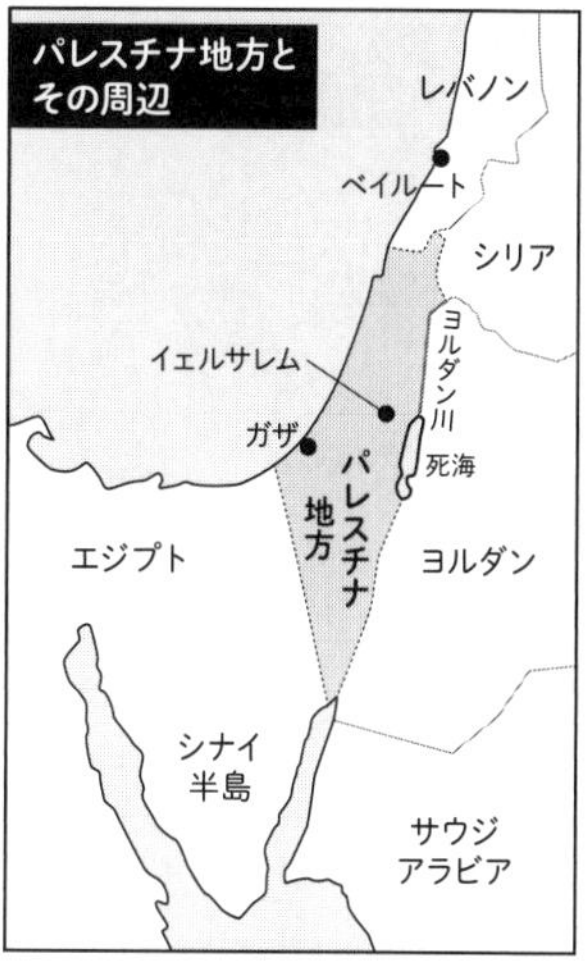

　第二次世界大戦終結直後のパレスチナの人口を見ると、パレスチナ人58%、ユダヤ人33%という割合でした。その間、イギリスはパレスチナにどういうかたちで独立国家をつくるか、ユダヤ人の代表とパレスチナ人の代表に様々

な案を提示しますが、どれも合意に至りません。

　第二次世界大戦が終結した頃から、ユダヤ人の過激派はパレスチナを委任統治しているイギリスへのテロを起こします。第二次世界大戦で疲弊していたイギリスはパレスチナの委任統治を終了し、パレスチナをどうするかは国際連合に委ねられるのです。

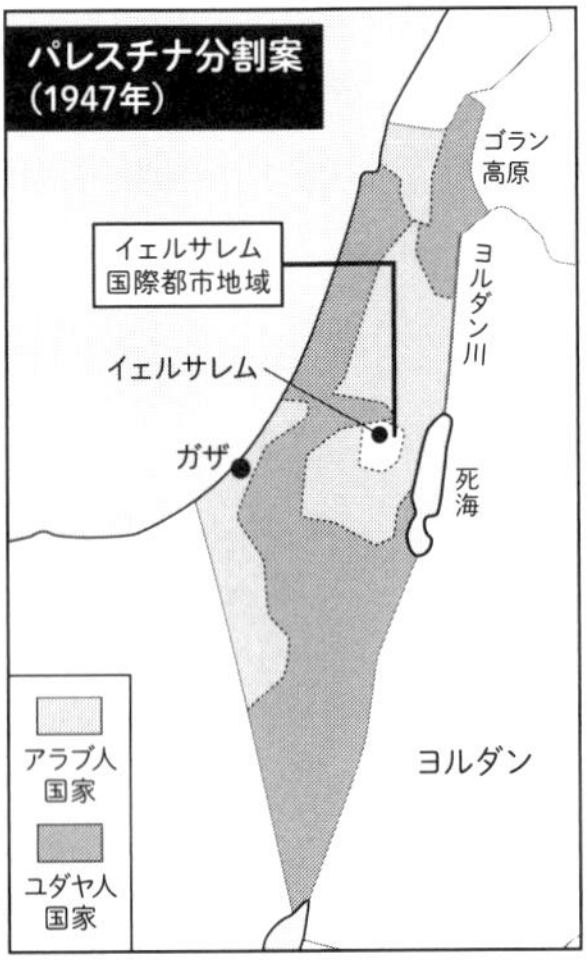

　国際連合で議論された結果、1947年にパレスチナにユダヤ人国家とパレスチナ国家の2つを樹立することが決まりました。いわゆるパレスチナ分割案です。ただ、土地面積でいうとユダヤ人国家に56%、パレスチナ人国家に43%と、人口では少ないユダヤ人のほうに多くの面積が割り当てられるという案でした。そのためパレスチナ人にとっては到底呑めるものではなかったのです。
　パレスチナ分割案を受けてユダヤ人は1948年にイスラエルの建国を宣言します。

するとエジプト、シリア、ヨルダンといった周辺アラブ諸国がイスラエルに宣戦布告する第一次中東戦争が始まります。

この戦争にイスラエルが勝利し、イスラエル国家の存続が決定しただけでなく、どさくさに紛れて領土を拡大させます。パレスチナ人は国際連合のパレスチナ分割案を受け入れず、つまり、パレスチナ人国家は建設せずガザ地区とヨルダン川西岸地区に分かれるかたちで多くの人が難民となります。この悲劇をパレスチナ人は**「ナクバ（大災厄）」**と呼んでいます。

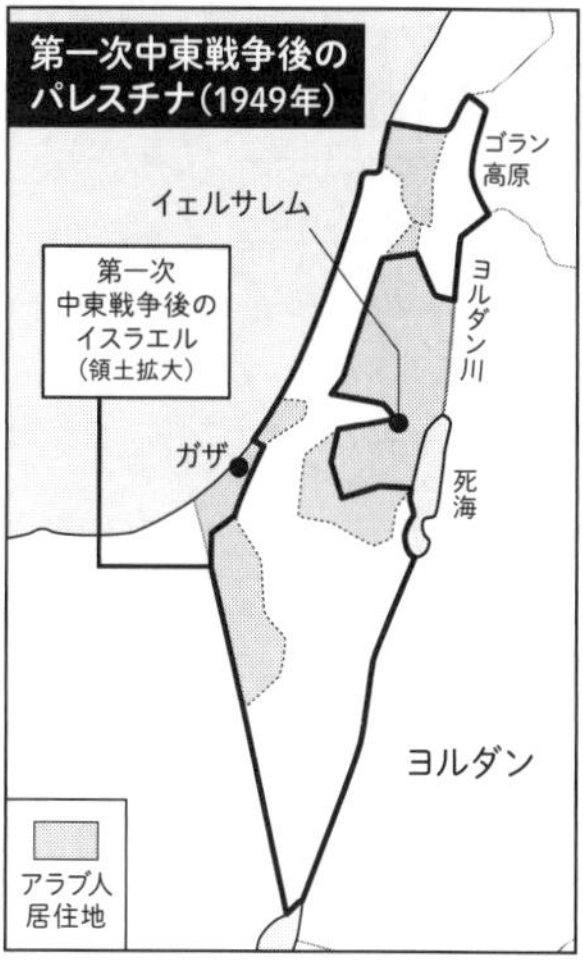

「たられば」になってしまいますが、なぜこのときイスラエルに武力による国境線の変更は認められないと国際社会はいえなかったのか？　イスラエルの領土はあくまで国連分割案の国境線だということになっていれば、その後の歴史は違ったものになっていたと思います。

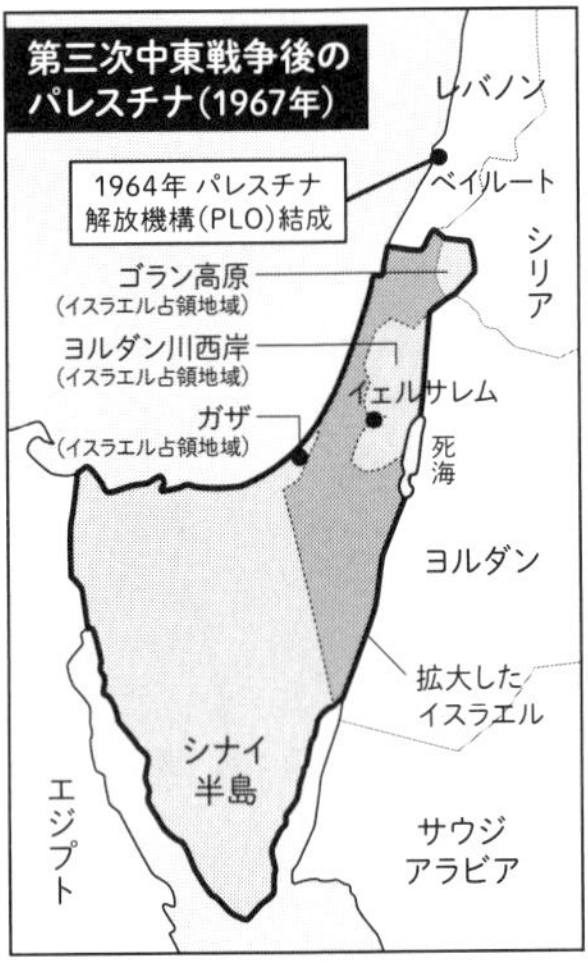

パレスチナをめぐって再び争いが起きるのが１９６７年の第三次中東戦争です。このときはイスラエルがエジプト、シリア、ヨルダンに宣戦布告し圧勝しました。これによってイスラエルの領土は倍増し、パレスチナ人が多く住むガザとヨルダン川西岸地区はイスラエルに組み込まれることになります。これも同じです。武力による国境変更なのだから、イスラエルの領土の拡大は認められないといわなければならないのです。欧米諸国がイスラエルを調子に乗せてしまったといわざるをえません。

第三次中東戦に敗れたエジプトとシリアの逆襲戦が１９７３年の第四次中東戦争です。この戦争もイスラエル優位で終了し、エジプトは長年争いが続いたイスラエルと和解することを決め、１９７９年にエジプト＝イスラエル平和条約を結んで第三次中東戦争で奪われていたシナイ半島を返還してもらいます。

エジプトがイスラエルと和解したことで、パレスチナ人の置かれる状況は苦しくなっていきました。そこで１９８７年にインティファーダと呼ばれる暴動がガザやヨルダン川西岸地区で起きます。そして、大きな時代の変化が起きます。それが冷戦の終結でした。

元来、パレスチナ問題と冷戦＝米ソの対立に関連は強くありませんでした。しかし、解決困難な問題を解決できる可能性がある、という雰囲気をつくったのです。こうして１９９３年にパレスチナ暫定自治協定が結ばれます。パレスチナ人側も、イスラエル国家の存在を認めないという主張が空想であることを認めたわけです。

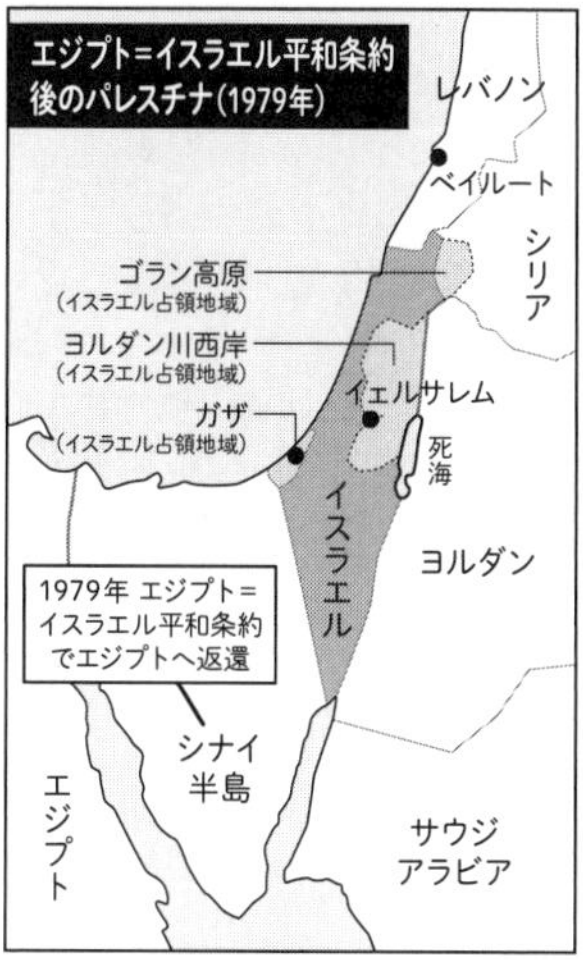

イスラエルはガザとヨルダン川西岸地区から１９９９年までに撤兵し、両地区にパレスチナ国家を樹立するというものです。１９９４年にはパレスチナ自治政府もつくられます。遠回りをしたあげく、１９４７年の国連パレス

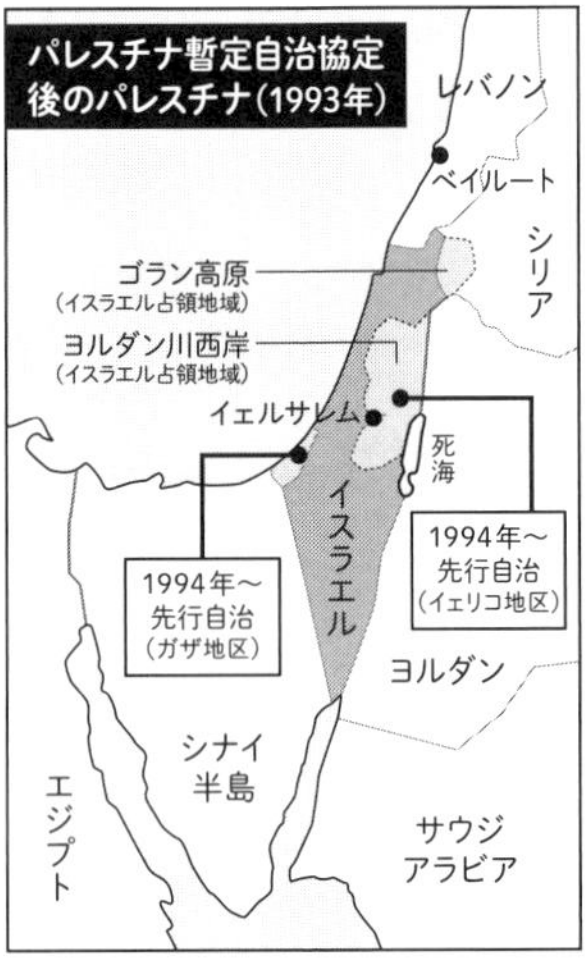

チナ分割案よりも少ない領土ですが、ようやく問題が解決したかに見えました。

　ところが数年のうちに事態が悪化していきます。1995年にパレスチナ暫定協定を結んだイスラエル首相のラビンが暗殺されました。このあたりから、イスラエルは口では二国家共存といいながらパレスチナ人居住区（ヨルダン川西岸地区）へのユダヤ人の入植を進めていきます。一方、パレスチナ人側もイスラエルの存在を認めない急進派のハマスが力を伸ばしてきて、話し合いでの解決が困難になっていくのです。

　2000年になると、イスラエルでのちに首相となるシャロンがエルサレムにあるイスラームの聖地に足を踏み入れたことをきっかけに第二次インティファーダが始まります。パレスチナ自治政府内では穏健派のファタハと急進派のハマスの対立が激しくなり、2007年にはハマスが統治するガザと、ファタハが統治するヨルダン川西岸地区に分裂していきます。

パレスチナ暫定自治協定では1999年までにイスラエル軍はパレスチナ人居住区から撤兵する予定でした。ところが撤兵したのはガザのみでヨルダン川西岸地区では行なわれていません。現在でもヨルダン川西岸地区の6割がイスラエルの支配下に置かれています。

地図を見ればわかるようにヨルダン川西岸地区でパレスチナ人居住区は周りをイスラエルに囲まれ隔離された状態になっています。アパルトヘイトと呼ばれる黒人隔離政策をとっていた南アフリカとまったく同じです。つまり、イスラエルのパレスチナ人へのジェノサイドといっても過言ではないでしょう。

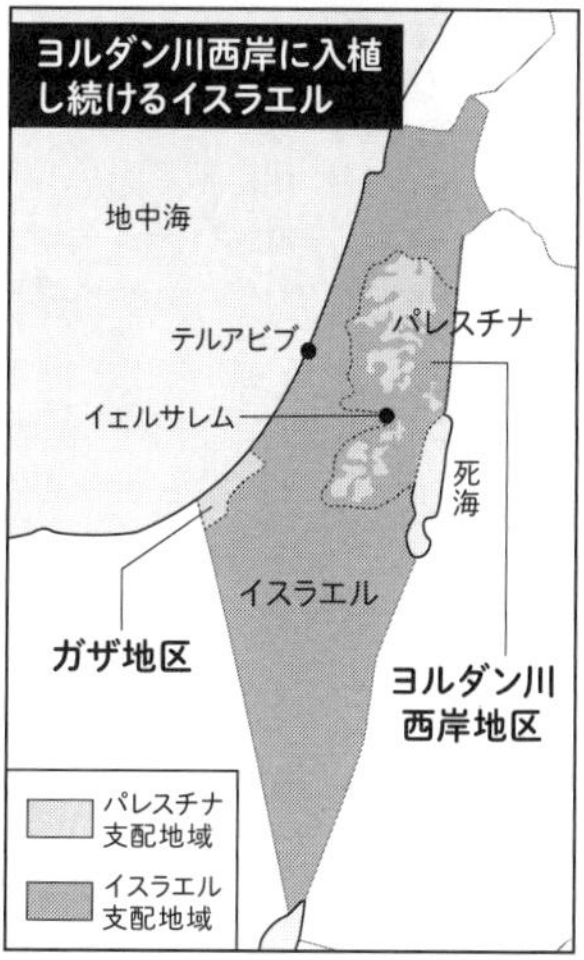

2023年に起こったイスラエルとガザの紛争において、もちろん双方ともに言い分はあるのでしょうが、最低でもパレスチナ暫定自治協定の時点に

戻って考えれば、イスラエルに非があるように思えるのです。皆さんはどうお考えですか。

中東問題については夥《おびただ》しい数の解説書が溢れています。何を読んでも学ぶところが多いのですが、ここでは『**ナショナリズムと相剋のユーラシア――ヨーロッパ帝国主義の負の遺産**』（宮田律／白水社）と、『**オスマン帝国の解体――文化世界と国民国家**』（鈴木董／講談社学術文庫）の2冊を挙げておきたいと思います。ヨーロッパが生み出した原理が普遍的な正義なのかどうかを考えさせる良書だと思っています。2023年に始まったイスラエルのガザへの本格的な侵攻については、『**ガザとは何か――パレスチナを知るための緊急講義**』（岡真理／大和書房）がお薦めです。

解体しない中華帝国

現在の中華人民共和国の領土に類似した支配領域を持つ中国王朝が清です。1616年から1912年まで続いた王朝で、現在の中華人民共和国の前身といっていいでしょう。中華人民共和国の領土のほうが若干小さくなっています。もちろん、主権国家体制が広まっていない時代ですから、国境線や領土という観念はなく、国民国家の理念もない中でオスマン帝国と同じように諸民族が共存していました。

チベット、ウイグル、モンゴルに対して清は直接統治することなく、現地の指導者に支配を任せていました。漢人(中国人)と満洲人勢力を中心とした中華帝国といえるでしょう。ちなみに清以前の中国王朝ではチベット、ウイグル、モンゴルを支配下に置くことは稀でした。だから、日本や韓国がよくいう「固有の領土」という言い方はチベット、ウイグル、モンゴルにはまったく該当しません。

19世紀になって清にもヨーロッパ勢力が及んでくると、帝国の一体性を保つために国民国家の理念を受け入れざるを得なくなる、つまり、多民族の共生が崩れていくことになるのです。

1911年に辛亥革命が起こって清は滅亡し、中華民国が成立します。その際、モンゴルやチベットは独立の動きを見せ、中華民国自体も各地で軍閥が割拠し、国家としての体《てい》をなしていないため中華帝国は解体したわけです。

ところが1920年代から中国再統一の動きが高まります。このことが中国大陸に利権を持つ日本との衝突が不可避となる背景です。

中国内で中国国民党と中国共産党の2つの勢力がともに協力して日本を駆逐するのが第二次世界大戦です。大戦後はこの国民党と共産党が対立し（国共内戦）、最終的に中国共産党が1949年に中華人民共和国を成立させると、かつての清に匹敵する領土の回復に努めるのです。

こうして中華帝国は復活するのですが、清の時代に戻るわけではありません。中華人民共和国も一つの国民国家として領土内の均質性が求められるわけです。そこで多数を占める**漢人（中国人）への同化**が強制され、漢人以外の諸民族が弾圧されるというのが20世紀後半から現在に至るまでの流れです。

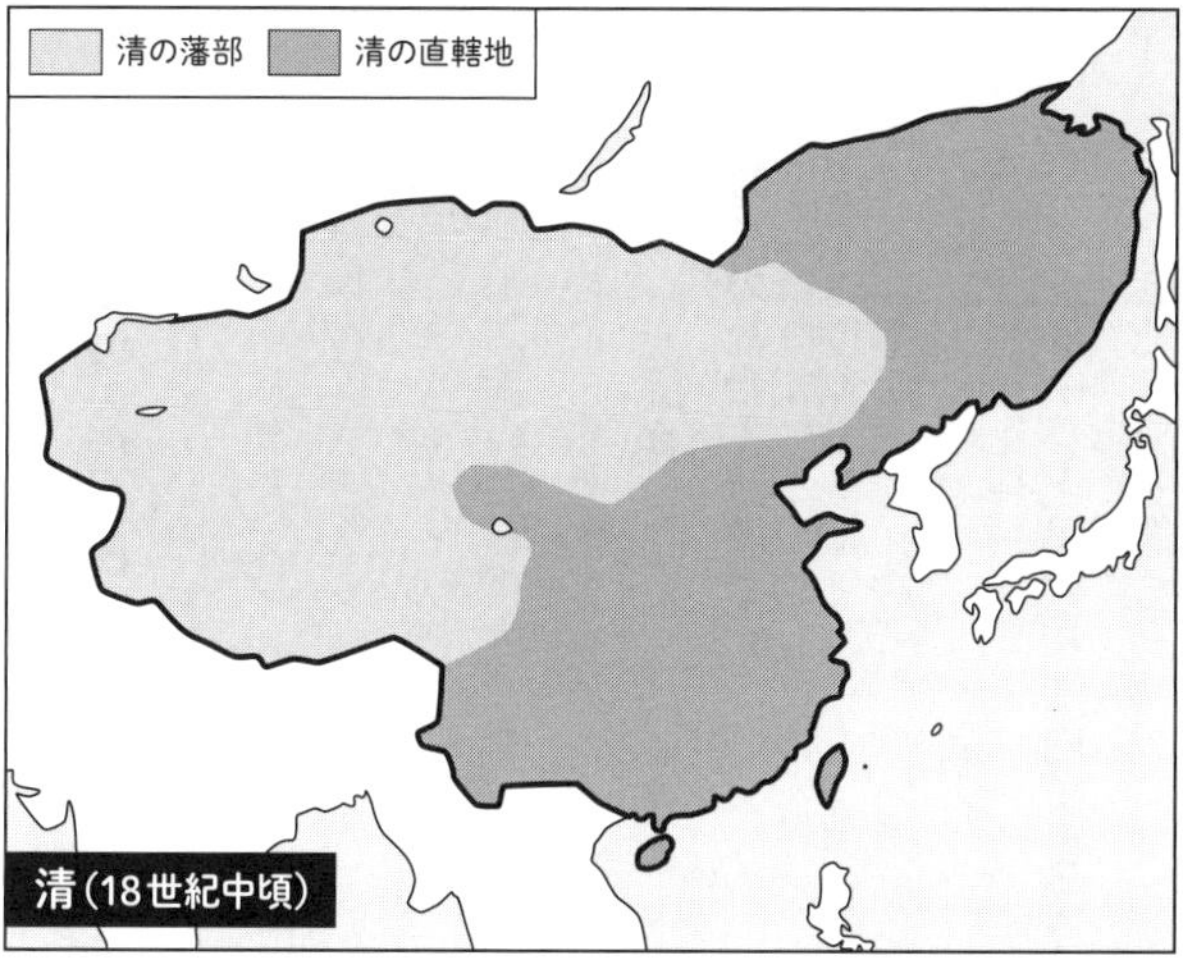
清の藩部
清の直轄地
清（18世紀中頃）

ロシア
カザフスタン
モンゴル
キルギス
朝鮮民主主義人民共和国
大韓民国
中華人民共和国
日本
インド
台湾
（中華民国）
現在の中国

✹内モンゴルの人権弾圧

地図に記した場所が内モンゴルです。南モンゴルと呼ぶ人たちもいます。モンゴル国があるところは外モンゴルと呼ばれます。モンゴル語を話しチベット仏教を信仰する人たちが住んでいます。

清の時代、モンゴルへの漢人（中国人）の移住は禁止されていたのですが、清末期になると国土防衛のために内モンゴルへの漢人の入植が進みます。さらに満洲に隣接しているために日本も内モンゴルを狙っていて、辛亥革命後の混乱期に外モンゴルのみがモンゴル人民共和国として独立します（1924年）。**ソ連の支援を受けたアジアで初めての社会主義国**です。

第二次世界大戦が終結して中国が中華人民共和国として旧清国の領土に近いかたちで再統一を進めていく中で、内モンゴルも中華人民共和国内の主権の及ぶ領土に組み込まれていくのです。

内モンゴルは中華人民共和国内で自治区の扱いになりますが、1950年代から中華人民共和国とソ連の対立（中ソ対立）が生じると、内外モンゴルの統一を口実にソ

連の介入を受けるのではないかという恐れから、内モンゴルに対する中国共産党の徹底的な弾圧が始まります。

1960年代から70年代の文化大革命期に最もひどい虐殺が行なわれ、現在も中国への同化策が進められており、中華人民共和国のジェノサイドの一つと捉えていいと思っています。

✹チベット人への人権侵害

チベットには中国を治める王朝とは異なる独自の政権が何百年にもわたってありました。18世紀に中国を支配する清がチベットを支配下に置きますが、直接支配するわけではなく、半ば独立国のような感じでした。

19世紀になり、アジアが否が応でも主権国家体制に組み込まれていく中で、清も緩やかに統治していた地域を国民国家として統合しなければならなくなります。チベットからすると中国人の完全な支配下に入るのは嫌なので、清が辛亥革命で倒れて中華民国ができる際に独立を宣言します。

中華民国はとても国家とはいえない状態だったので、チベットの独立を認めていないもののチベットを支配する能力はなく、そのため第二次世界大戦後までは独立状態が続いていました。

第二次世界大戦を経てようやく中華人民共和国として中国の統一が達成されると、かつて清がなんとなく治めていた地域にまで支配を強め、チベットは1951年に中華人民共和国の一部に組み込まれました。

チベットではチベット仏教の影響が非常に強く、チベット仏教における指導者が国家の長となる政教一致の仕組みが長らく続いていて、中華人民共和国に組み込まれる以前もダライ・ラマ14世がチベットを統治していたのですが、中華人民共和国の侵攻に伴い、1959年にインドへ亡命します。この年にチベットで大規模な反中国暴動

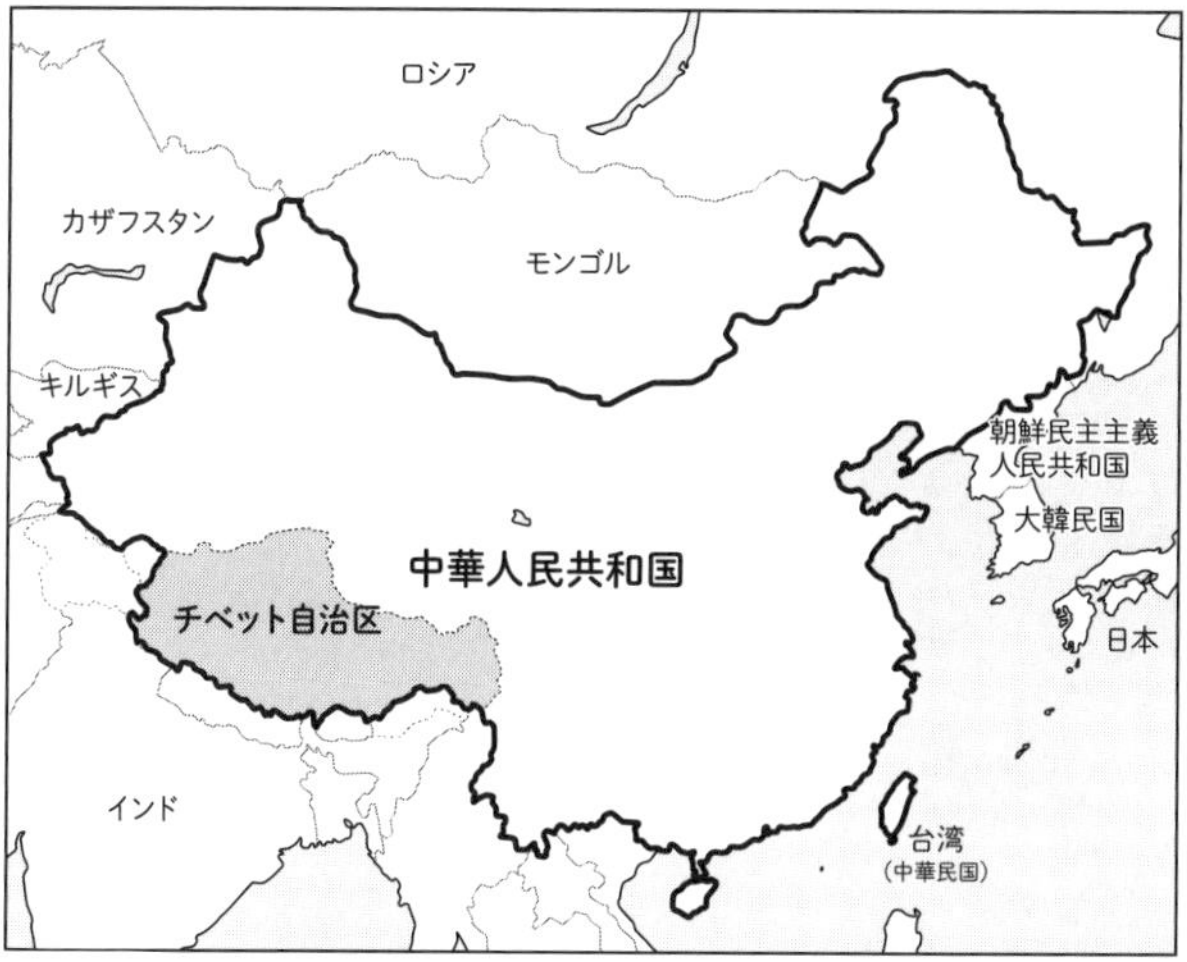

が起こり、ダライ・ラマ14世自身が暴動沈静化のためには自ら亡命するしかないと考えてのことでした。ダライ・ラマ14世自身、現在に至るまでチベットの独立を主張するのではなく**中華人民共和国内での高度な自治を要求しているにすぎません。**

ただ中国共産党はチベットに対して徹底的な弾圧の姿勢を見せています。インドにあるチベット亡命政府は１９５０年から75年までの間に１００万人のチベット人が殺害されたと主張しています。

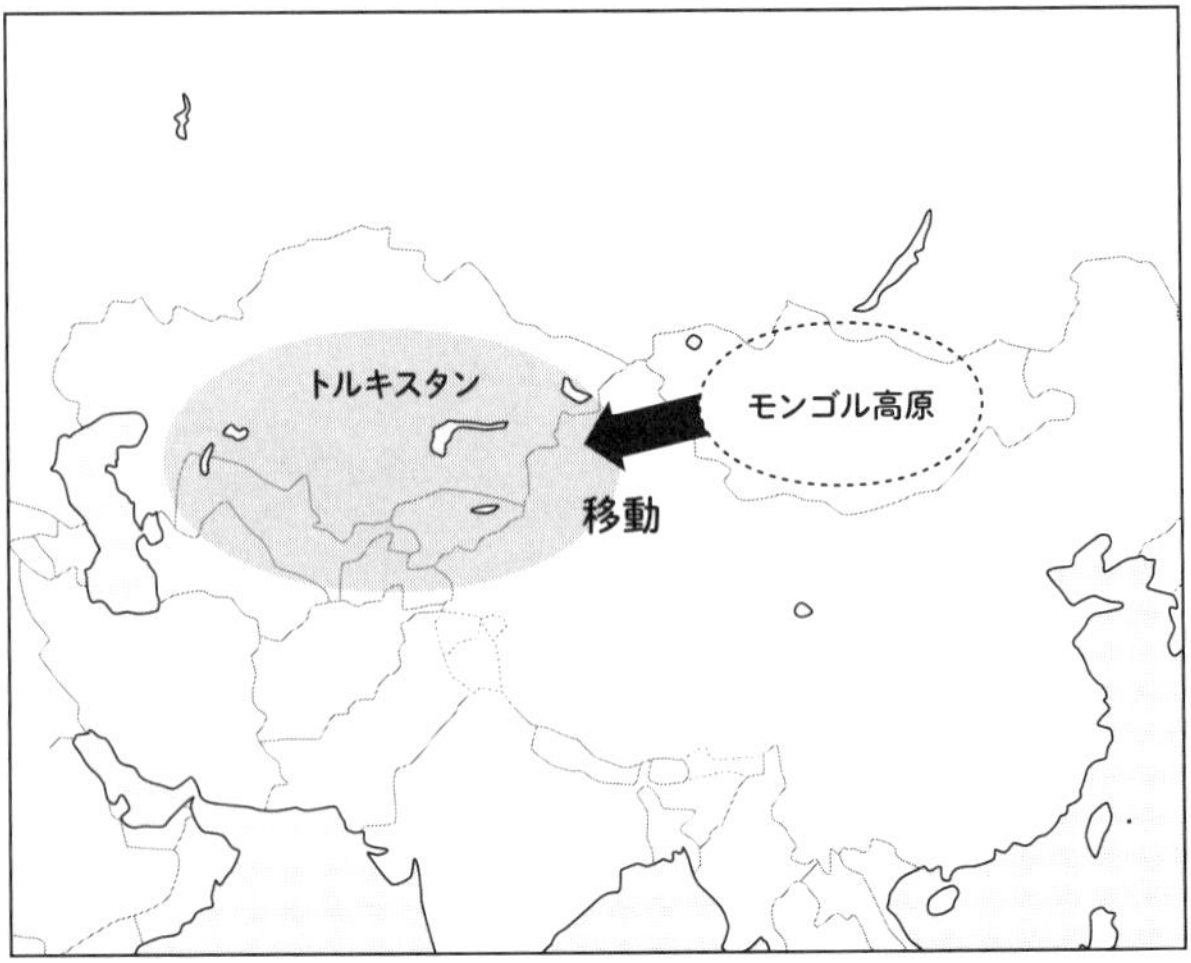

新疆ウイグル自治区の人権問題

この地の歴史を少しひもといてみます。元来モンゴル高原が生活の舞台だったトルコ人が9世紀になってこの地に移住してきます。以後、この場所は**トルキスタン**と呼ばれるようになります。

トルキスタンはバルハシ湖を境に東西トルキスタンに分けられます。現在の新疆ウイグル自治区は東トルキスタンにあたります。ちなみにここからさらに西へ移住するトルコ人も出てきて、現在トルコ系の民族は小アジアからトルキスタンにかけて広く分布して

います。宗教的にはこの地に住んでいるトルコ人はイスラームを受容しトルコ語に似たウイグル語を話しています。

18世紀になって東トルキスタンは清の支配下に置かれ、新疆《しんきょう》（新しい土地の意味）と名付けられます。モンゴルやチベットと同じく清が直接統治を行なわず現地の指導者に支配を委ね、別段問題はありませんでした。

19世紀になって事態が大きく動きます。ロシアの勢力がこの地に及ぶにあたって、清はこの地を直轄地として直接支配するために新疆省を設置します。そのため、辛亥革命に際しモンゴルやチベットが独立を宣言したときに、新疆は中華民国の支配下に置かれることになります。といっても中華民国自体が混乱していたために軍閥政権の下で事実上独立していました。

1930年代と40年代に2度ほど東トルキスタン共和国の名前で現地のトルコ人（ウイグル人）によって建国が宣言されたこともありましたが、短命に終わります。中国内の国民党と共産党との対立に加え、ソ連やモンゴルの介入もあって複雑な動きが見られますが、最終的には1950年に中華人民共和国の支配下に置かれます（新疆ウイグル自治区と名付けられる）。

ここから現在に至るまで、チベットや内モンゴルと同じく中華人民共和国の下で迫害を受けることになるのです。

欧米では中国内の人権問題といえば、内モンゴル、チベット以上にこの新疆ウイグル自治区のことが取り沙汰されます。それはウイグル人は世界の各地にいて欧米諸国の政府へのロビー活動が活発だからです。そのため、ウイグルで生産されたもの（自動車や繊維製品）の輸入を禁止するというかたちで中国への経済制裁が行なわれていますが、日本は中国との貿易関係が非常に緊密なためにこの制裁には加わっていません。

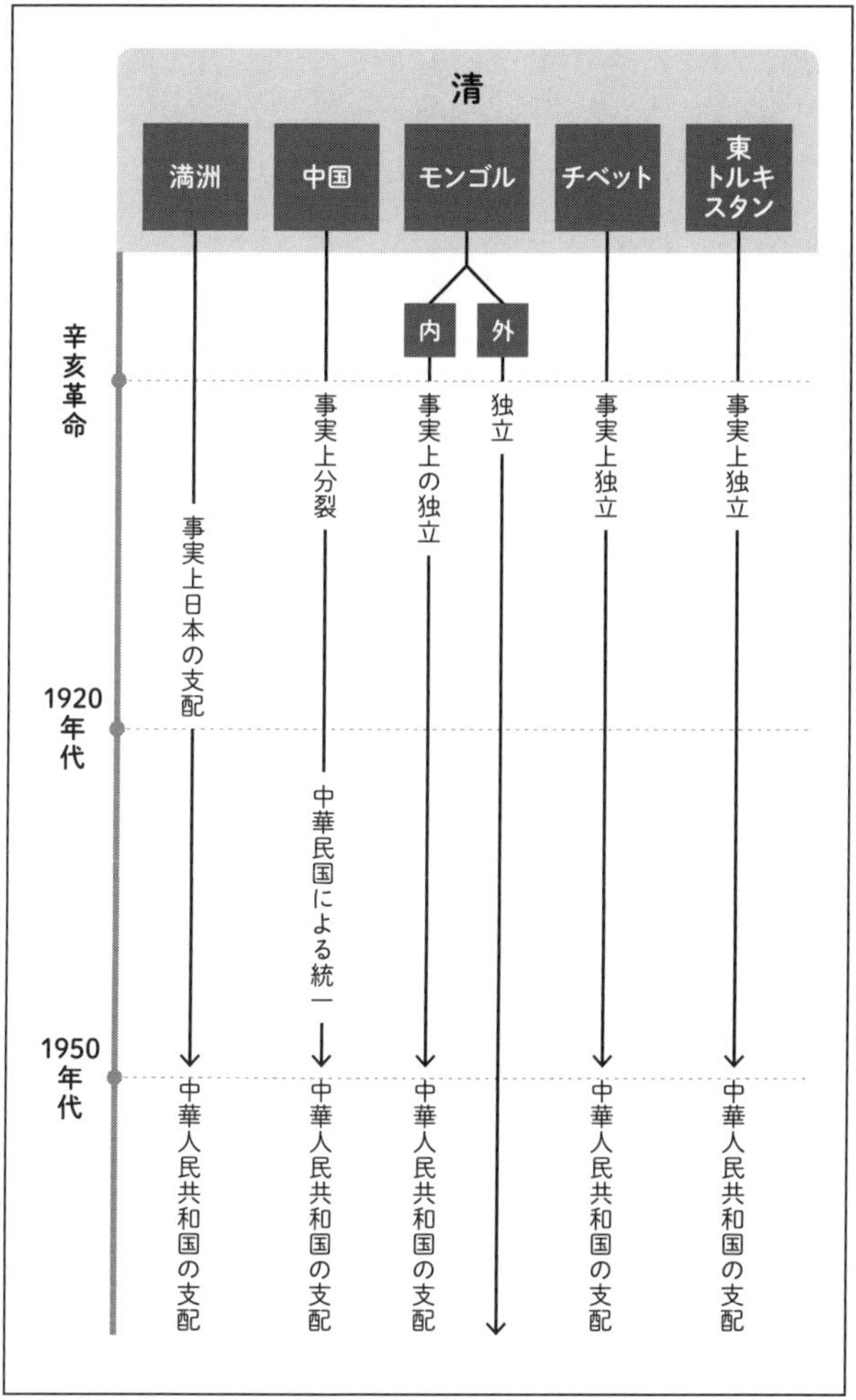
清
満洲
中国
モンゴル
チベット
東トルキスタン
内
外
辛亥革命
1920年代
1950年代
事実上日本の支配
事実上分裂
中華民国による統一
事実上の独立
独立
事実上独立
事実上独立
中華人民共和国の支配
中華人民共和国の支配
中華人民共和国の支配
中華人民共和国の支配
中華人民共和国の支配

こうした殺戮に対して国際社会は何をすればいいのか。あまりにも無力です。**主権国家体制の建前である内政不干渉**を盾に中華人民共和国は聞く耳を持たないように見えます。

中華人民共和国の世界における経済的影響力を考えると経済制裁もなかなか本格的には実施できそうにもないし、日本にとっては厄介な隣人としてこれからも付き合っていかなければならないことがつらいところだと思います。

台湾問題

台湾の歴史を少し振り返っておきます。中国大陸の目と鼻の先にある台湾ですが、歴史的に中国王朝とは無縁の時代が長い、つまり、**中国人がいない世界だった**のです。ということは、台湾に住んでいたのは中国人とは異なる人々です。今ではその人たちは先住民と呼ばれています。

1624年のことでした。オランダが台湾を支配下に置きます。この頃、中国大陸では明王朝を倒した清と明の復活を目指す勢力が争っていて、1661年に明を復活しようとする勢力を率いる鄭成功《ていせいこう》が台湾に逃れてきます。

鄭成功はオランダを駆逐し（1661年）、この頃から台湾に中国大陸の中国人が移住し始めます。1683年に鄭氏は清に降伏し、台湾は清の支配下に置かれました。

1894年に日清戦争が起こり、勝った日本が台湾を統治することになります。台湾統治下では先住民のセデック族（日本では高砂《たかさご》族と呼ばれた）が反乱した霧社事件が起きたり、「日本人」として教育されながら現実の社会では日本人として扱われることがないといった状況から台湾人としてのアイデンティティの模索が始まります。

この台湾が第二次世界大戦を経て日本の支配が終わるまでの動きを見ていきます。

1911年に起こった辛亥革命で倒れた清に代わって成立した中華民国は混乱状態がしばらく続き、政府機能もないに等しい状態でした。そうした中で1919年につくられた中国国民党、1921年につくられた中国共産党、この2つが1924年に合併し（第一次国共合作）、軍閥が割拠する中国の再統一に努めます。

中国国民党の指導者の孫文《そんぶん》は共産党との合作を維持するつもりでしたが、孫文の死後、国民党の指導者となった蔣介石《しょうかいせき》は、1927年に共産党との連携を止めただけでなく、共産党の掃討戦を始めるのです。

ところが日本の中国大陸進出が強まると、一転して蔣介石は再び共産党との連携に踏み切ります（第二次国共合作）。１９３７年から始まる日中戦争は日本にとって国民党と共産党を相手にすることでした。

第二次世界大戦で日本の敗色が濃くなると、国民党と共産党は戦後の主導権をめぐって再び対立します。

１９４６年から本格的な内戦になる中で、共産党は徐々に勢力を広げ、１９４９年には国民党を台湾に追いやりました。こうして中国共産党が大陸本土に中華人民共和国を建国するのです。

ややこしいことに台湾に逃れた国民党は中華民国と名乗り続けるので、表面的には２つの中国（大陸の中華人民共和国と台湾の中華民国）があることになるのですが、国際的にも中国の見解でも「中国は一つである」ことになっています。国際連合に中国は加盟していましたが、ここでいう中国とは国連成立時の１９４５年に中国の正統な政府であった中華民国＝台湾のほうで、広大な中国大陸を支配している中華人民共和国は国際的にはただの反乱分子だったのです。中華民国も台湾から大陸に攻め込んで中国全体を取り戻すと口では主張していました。

といっても、人口も国土も台湾の数十倍以上だし、１９６４年には核保有国となる

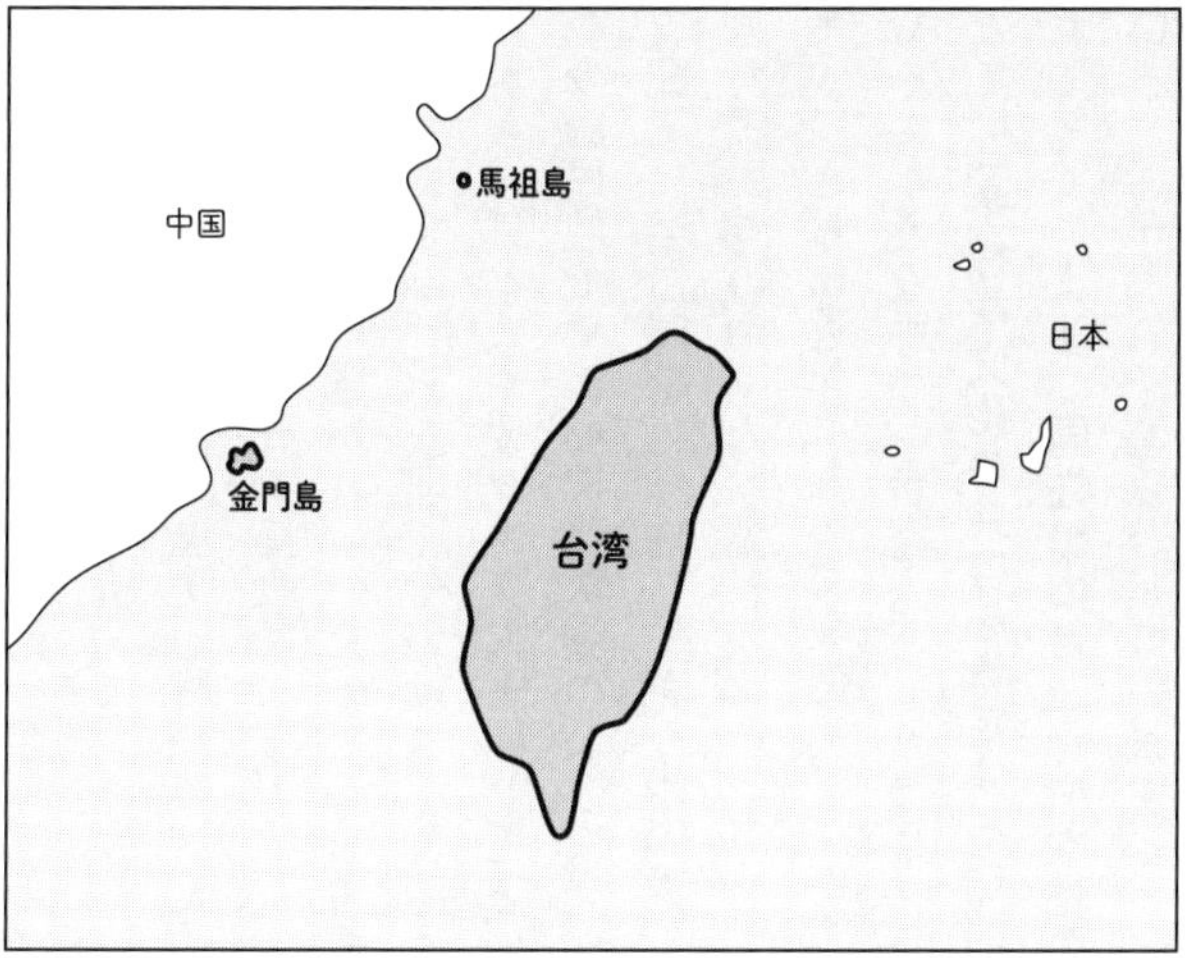

し、次第に中華人民共和国のほうを正統な中国と考える国が増えていきます。そこで1971年に中国国連代表権交代、つまり、中華人民共和国が国連に入り、中華民国は国連から追放となるわけです。

こうして現在は、国際的に見ると、台湾はあくまで中華人民共和国の一部であって、でも中華人民共和国の支配が及んでいない地域といった位置付けなのです。当たり前ですが、台湾から大陸に攻め込んで中国大陸を支配下に置くというようなことは完全な夢物語となっていくわけです。

とはいえ1970年代からアジア

NIESの一員として工業化を進め、1989年からは国民党の一党支配をやめて民主化が進む中で存在感を高めています。

以上、長々と台湾の歴史を眺めてきたのは、台湾人としてのアイデンティティがどういうものかを確かめるためです。

清の支配下に置かれていたのだから台湾は中国の一部だ、という主張は何ら説得力を持ちません。その理屈でいけば、台湾は日本やオランダの支配下に置かれていたのだから、日本人やオランダ人と同じだという言い方も許されるからです。

少数民族ですがセデック族のような先住民、中国人といっても17世紀頃から日本の支配下に至る時期に移住してきた中国人（本省人）と、国共内戦に敗れ台湾に逃れてきた国民党の中国人（外省人）は、話している言葉が同じ中国語でもかなり違っています。さらに近年になって東南アジアから移住してきた外国人労働者も増えています。

そのような中で、台湾人というのは特定のエスニックグループを基礎とするのではなく、**「多様な文化の共存を肯定する空間」＝台湾**というアイデンティティがつくられてきています。**同性婚の合法化や女性の国政への参加率がアジアにおいて先んじているる**ことがそれをあらわしています。

21世紀に入り、中華人民共和国は台湾の経済成長を上回るスピードで経済力をつけ、軍事力を増強しています。そうした中で中華人民共和国が台湾の実効支配を狙って侵攻するのでは、とこの10年くらい常に囁かれています。もし、そうなれば隣国の日本も少なからず影響を受けるでしょう。

日本の世界認識を形づくる歴史教育において、少し歪《いびつ》なところがあると感じるのは、隣国についての認識を深める教育が行なわれていないのでは、という点です。朝鮮半島や台湾の歴史が日本ではあまりにも軽んじられているのではないかと常に感じています。

高校世界史において朝鮮や台湾に関する記述は少しずつ増えてはいるようですが、絶対的に足りないと思っています。両地域ともに日本の支配下に置かれていた時期があるわけで、日本史のほうでしっかりと記述してあればそれでもいいのですが、あれもこれも教えることはできない事情もあり、このあたりは歴史教育についての話になってしまいますので、愚痴をこぼす程度にしておきましょう。

台湾についてはその歴史を含め、**『台湾の歴史』**（若林正丈／講談社学術文庫）と、

『台湾のアイデンティティ――「中国」との相克の戦後史』（家永真幸／文春新書）が読みやすくコンパクトにまとまったものになっています。

第4章 ヨーロッパにおける歴史認識紛争

第二次世界大戦が終わり20世紀後半に向かう時代を冷戦の時代と呼びます。

冷戦が終わる年はほぼ共通見解になっています。1989年です。この約40年に及んだ冷戦とは何かということを説明するのはとても困難です。眺める視座によっていろんな説明ができてしまうからです。ここでは、アメリカとソ連という2つの超大国が国際政治に大きな影響力を持っていた時代ということにしておきます。アメリカとソ連以外の国々の動向を軽視するということではなく、アメリカやソ連が自らの勢力を広げようと他の国に様々なかたちで介入する一方で、他の国々もソ連やアメリカを利用して自らの国益を追求しようとする共依存的な関係が結ばれていました。

もちろん濃淡があるので一概にはいえませんが、アメリカやソ連の押し付けが強く見られた国もあるとはいえ、アメリカやソ連を利用して支配を固めようとする国々も当然あります。どちらにせよ、第二次世界大戦を経たことで各国民国家は、アメリカとソ連という超大国の存在を前提として新たな国民国家の物語をつくりあげる必要があったということです。

その物語は、当然のように冷戦という時代が終わる中で修正を余儀なくされます。

このことが歴史認識紛争と呼ばれる対立を生み、国内にとどまらず外交問題にまで発展していきます。

この新しい国民国家の物語を紡ぐにあたって、基礎となったのがナチス＝ドイツが行なったホロコーストでした。確かに、６００万もの人々が犠牲となったユダヤ人に対するジェノサイドを無視して、第二次世界大戦後の歴史を歩んでいくわけにはいかないでしょう。しかし、第1章で触れたエルネスト・ルナンの言葉を改めて確認しましょう。

「忘却、あるいは歴史的誤謬と言ってもかまいませんが、それこそが国民創造に不可欠な要因なのです。だから、歴史研究の進歩は、しばしば国民の存在を危うくします。」

（『国民とは何か』より）

第二次世界大戦を経て何を忘却して新しい国民国家の物語を紡ぎ、その忘却をめぐってどのような歴史認識の紛争が生まれてくるかを眺めていきましょう。

バルト三国の歴史認識をめぐる問題

歴史認識をめぐる紛争について、まずはバルト三国の事例から話していきましょう。詳しくは「はじめに」でも紹介した『**記憶の政治——ヨーロッパの歴史認識紛争**』(橋本伸也/岩波書店)を読んでみてください。

まずバルト三国について最低限の情報を確認しておきます。三国合わせて日本の東北地方ほどの面積にもかかわらず3つの国に分かれているのは、左上図のような言語と宗教の違いがあるからです。

では、簡単にバルト三国の歴史を振り返ってみましょう。

17世紀にエストニアとラトヴィアのある地域はスウェーデンの支配下に置かれていましたが、18世紀以降はロシアの支配下に置かれます。一方、リトアニアはポーランドとの関係が深く、リトアニア＝ポーランド連合王国と呼ばれる国を形成していましたが、18世紀末にはロシア、オーストリア、プロイセンによって分割滅亡の道を辿り、

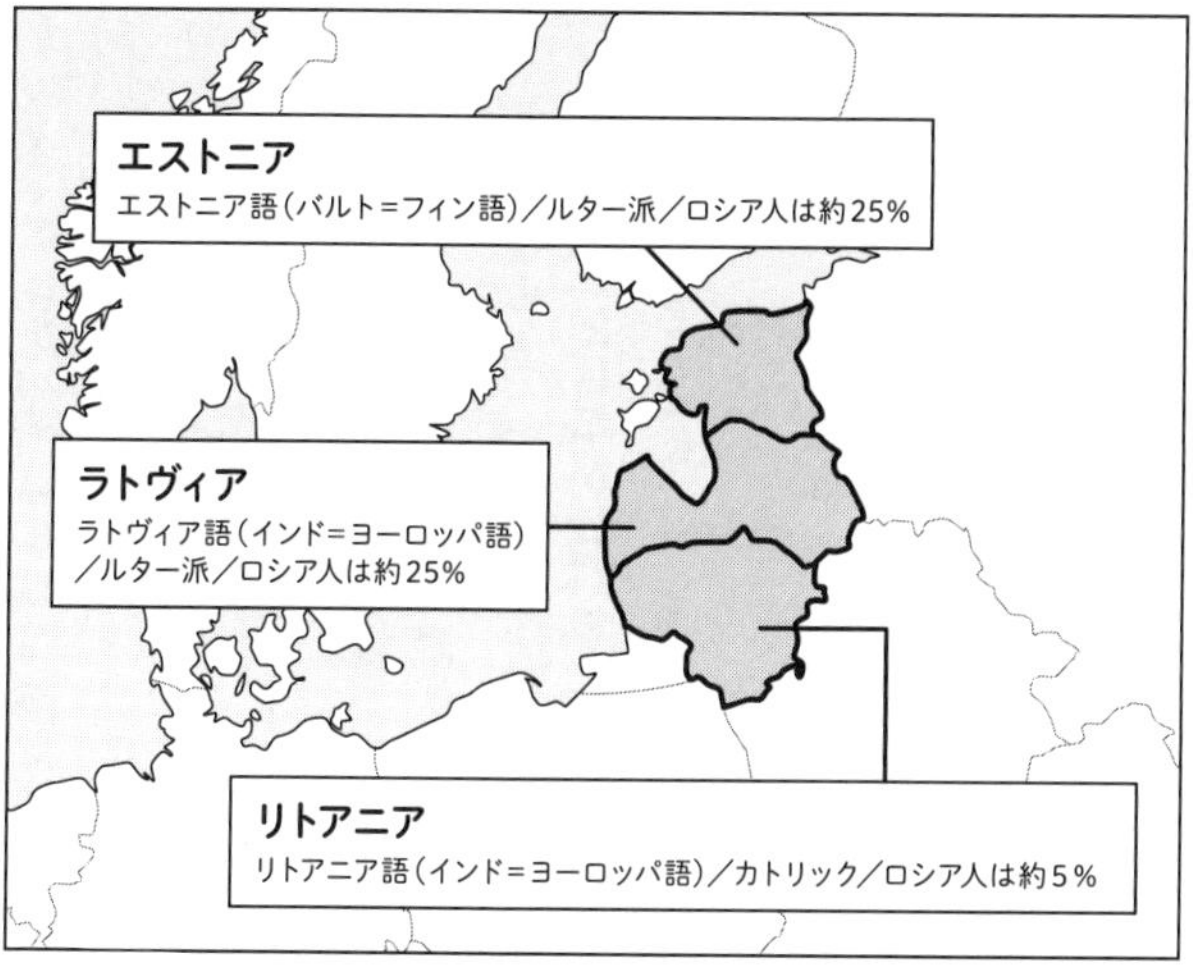
エストニア
エストニア語（バルト＝フィン語）／ルター派／ロシア人は約25％
ラトヴィア
ラトヴィア語（インド＝ヨーロッパ語）
／ルター派／ロシア人は約25％
リトアニア
リトアニア語（インド＝ヨーロッパ語）／カトリック／ロシア人は約5％

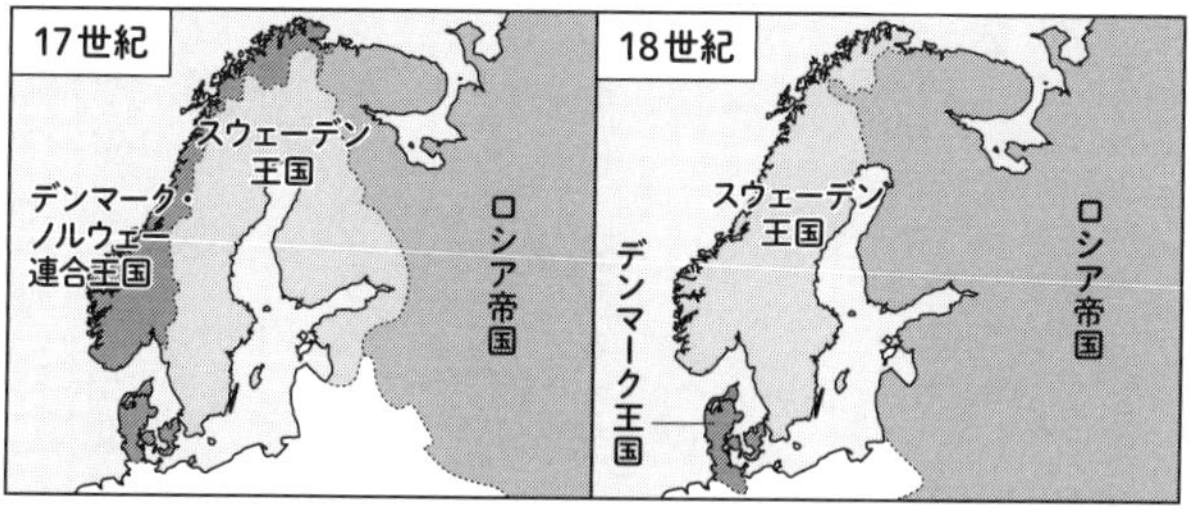
17世紀
スウェーデン王国
デンマーク・ノルウェー連合王国
ロシア帝国
18世紀
スウェーデン王国
デンマーク王国
ロシア帝国

今のリトアニアのある地域はロシアの一部に組み込まれました。
19世紀末になると三地域それぞれで民族意識が高まり、20世紀に入って日露戦争にロシアが敗北すると独立を目指す動きも出てきます。

第一次世界大戦末期の1917年にロシア革命が起こり、1918年3月にはロシアが第一次世界大戦から離脱、その直後から始まるソヴィエト干渉戦争、同年11月にドイツが第一次世界大戦で降伏、といった流れの中でバルト三国を取り巻く状況は二転三転しました。このあたりの話はあまりにも複雑なので割愛します。

結局、**1920年から21年にかけてバルト三国は、独立をソ連のみならず多くの国々に承認される**ことになります。

✹「占領」か「解放」か

独立後のバルト三国は憲法を制定し、議会制民主主義の安定を目指しますが、程なく権威主義体制に移行します。これは1920年代から30年代にかけての多くのヨーロッパ諸国に見られた動きでした。イタリアのムッソリーニ政権やドイツのナチス政権の出現に共通する時代の産物といえるでしょう。

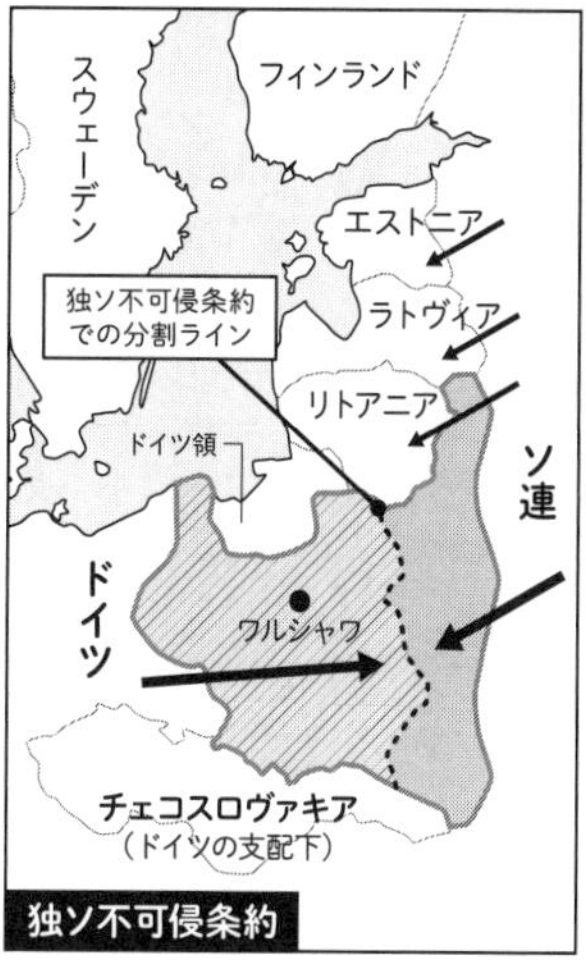

独ソ不可侵条約

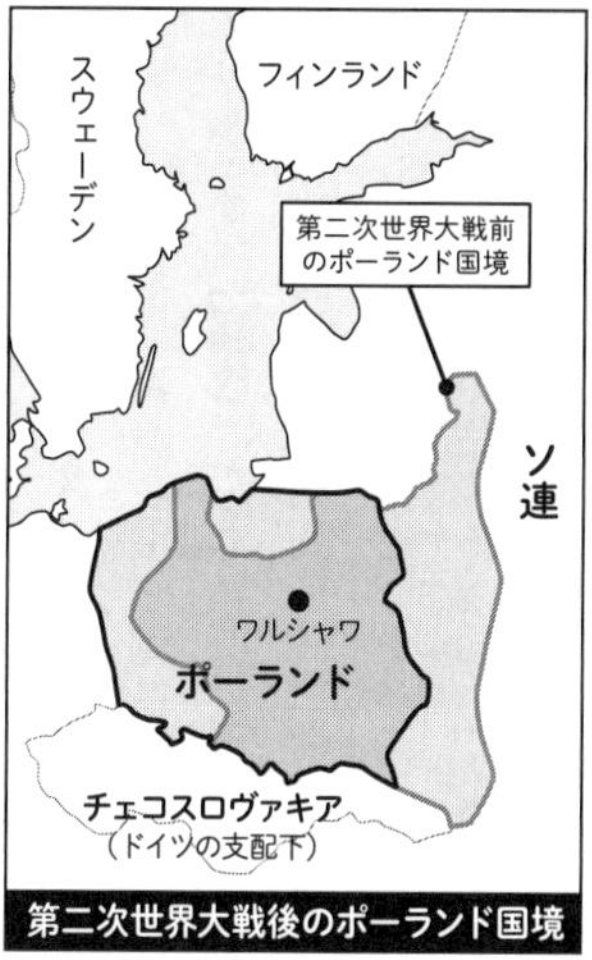

第二次世界大戦後のポーランド国境

ナチス＝ドイツが勢力を拡大する中で、1939年8月に独ソ不可侵条約が結ばれました。この条約には秘密協定があり、ポーランドは独ソで分割、バルト三国はソ連の勢力圏とされたのです。

1939年9月にドイツがポーランドへ侵攻し、ヨーロッパで第二次世界大戦が始まると、ソ連もポーランドに侵攻します。ソ連はバルト三国に対しても圧力をかけ、親ソヴィエト政権がつくられ、その下で1940年にソ連邦編入が決定されるのです。**見かけ上は「自ら進んでソ連邦に入った」ということになるのでしょうが、ソ連に「軍**

事占領された」と捉えることもできます。

1941年6月にドイツがソ連に侵攻（独ソ戦開始）すると、8月までにバルト三国はドイツに「占領」されます。ところがこれはソ連から「解放」されたと見ることもできます。実際、1990年代にバルト三国が共同で歴史教科書をつくったときには「解放」と表現されていたのです。

現実も複雑で、ナチス＝ドイツに対してパルチザン部隊を組織し抵抗していた人たちがいる一方で、ナチスの行なっていたホロコーストに主体的に参加してユダヤ人狩りに加担した人たちもいました。

1944年にナチス＝ドイツの敗色が色濃くなる中で東方からソ連軍が進撃してきます。同年夏にはバルト三国はソ連の支配下に再び置かれました。これは**ナチス＝ドイツからの「解放」だとソ連は主張しますが、ソ連に「再占領」されたともいえます。**実際にソ連に対する武装抵抗活動が1950年代まで続けられているからです。もちろん、ソ連はこの活動をナチスの残党狩りと称して徹底的に潰しています。

目まぐるしく変化する情勢の中で、ときにはソ連側に立ち、ときにはナチス側に立ったバルト三国ですが、1939年の独ソ不可侵条約によってソ連領に編入された歴史を「忘却」することで、ナチス＝ドイツに征服されて苦しんでいたところをソ連が解放してくれたという物語が公式の歴史観になるのです。

✹記念碑をめぐる対立

冷戦の時代にロシアに近いエストニアやラトヴィアには多くのロシア人が流入し、221ページの地図に書いたようにロシア人の比率が高い国になっていきます。

1985年、ソ連の指導者にゴルバチョフが就任し、時代が大きく変化を見せます。1991年にはソ連邦の解体が決定的となり、ソ連邦内の共和国であったバルト三国は正式に主権国家として独立が国際承認されます。

独立したバルト三国の中でエストニアとラトヴィアは似た政策を採ります。国内にいるロシア語話者（ロシア人）には国籍を与えなかったのです（リトアニアは希望するすべての市民に国籍を与えた）。エストニアとラトヴィアは典型的な言語ナショナリズム政策を採ったのです（第2章のラオスの項目を参照）。

エストニアでは、ロシア語話者がほとんどを占める町でもロシア語表記の看板は認められません。役所でもエストニア語以外の言語では応対しないという厳格なものでした。ソ連邦の中では多数派だったロシア人が、ソ連邦解体後は各国で少数派になってしまったわけです。こうしてソ連の「支配」から逃れた国では、ソ連時代と異なる国民の物語が生まれる出発点になります。

２００２年にエストニアでちょっとした事件が起きました。ナチス＝ドイツ側に立ってソ連と戦ったエストニア人兵士の記念碑が建てられたのです。「忘却」されていたはずの、ソ連の支配下に置かれていた記憶を蘇らせる行為です。ところがこれはナチスを称揚するものとして、当時ＥＵへの加盟を目前にしながら西ヨーロッパ的価値観（＝ナチスは絶対悪）に真っ向から対立することになり、数日でエストニア政府はこの記念碑を撤去するのです。２００４年にもナチス風の軍服を着たエストニア兵のレリーフがつくられたのですが、これもすぐに撤去されます。

そして、２００７年に**「ブロンズの夜」**と呼ばれる事件が起きます。

第二次世界大戦時のソ連軍の戦没兵士のブロンズ像が１９４７年以後、首都タリンの中心部に建てられていました。ナチス＝ドイツに対する勝利を高らかに謳うものです。先に話したように、ナチス＝ドイツを倒したソ連によって「解放」されたという見方はあくまでソ連の見方であって、エストニアにしてみればソ連の「支配」下に置かれたわけで、このブロンズ像はソ連の支配を象徴することになり、市内の中心地に建てられたことへの批判の声が高まるのは当然といえるでしょう。

ところがロシア語話者住民や、ソ連軍に参加してナチス＝ドイツと戦ったエストニア人にとっては、このブロンズ像は自らのアイデンティティを支えるものとして重要なモニュメントになるわけです。

そして2007年にこの像を市内中心地から郊外へ移転することが政府により決められたのですが、移転に反対するロシア語話者を中心とした住民と警察の衝突が起こり、死者も出るほどの騒乱状態になるのです。

こうした状況は「モニュメントの戦争」と形容されることになります。こうなると選挙のときもブロンズ像の移転が争点となるわけで、「歴史の政治化」が可視化された状況になります。

ソ連の支配下に置かれたバルト三国を一時的にナチス＝ドイツが解放してくれたのだけど、ナチス＝ドイツが第二次世界大戦に敗れたことで再びソ連に占領されてしまった、というのがなぜダメなのかといえば、**ナチス＝ドイツの悪が相対化されてしまう**からです。むしろ、ナチス＝ドイツを倒す中心的役割を果たしたソ連（ロシア）のほうが、ナチスを絶対悪とするＥＵ共通の価値に近くなるわけです。

バルト三国のＥＵ加盟後、三国は欧州議会において、西欧諸国に対してナチス＝ドイツとソ連の２つに支配された被害を軽視せず歴史を見直してくれという要求をします。その内容は一部は認められますが、これに反発する西欧諸国の議員も当然います。

同じ歴史を歩んでいても、その記憶は人によって、国によって様々です。もし世界中の学校教育の現場において同じカリキュラムで歴史を教えたとしても、記憶の違いによって異なる物語が紡がれることになるでしょう。それがナショナリズムの本質なんだから当然じゃないの、といわれたら身も蓋もありませんが。


この原稿を書いているときに、ロシアとバルト三国に関するニュースが飛び込んできました。ロシアがウクライナ侵攻を始めた２０２２年以降にバルト三国では旧ソ連時代のモニュメントが次々と撤去されました。

これに対してロシア（プーチン）が、「歴史的記憶への冒瀆の罪」として、エストニアのカラス首相をはじめとするバルト三国の政府当局者数十人を指名手配したと発表しました（２０２４年２月）。現実に逮捕の可能性は低いとのことですが、歴史認識紛争が国内の対立のみならず、国家間の紛争につながることが世界中の至るところに転がっていることをあらわした一例でしょう。

ロシアのウクライナ侵攻はウクライナ国内のロシア語話者を保護するためだというのはプーチンの口実です。バルト三国も少なからずロシア語話者を国内に抱えているため、ロシアの侵略の口実に使われる可能性は高いと思われます。もちろん、バルト三国はNATOに加盟しているがゆえに、おいそれとはロシアも手が出せないでしょうが、国際政治は一寸先は闇なので、どうなるかは神のみぞ知るといったところでしょう。

オーストリアの歴史認識をめぐる問題

次に、オーストリアにおける歴史認識紛争を見ていきましょう。バルト三国やフランスと異なり、高校世界史においてオーストリアの記述は多くありませんから、少し細かいストーリーになります。

オーストリア＝ハンガリー二重帝国（第3章参照）は第一次世界大戦でドイツ側に立って参戦します。大戦中から食糧難が発生し、戦局も芳しくない中でスペイン風邪の流行もあって1918年には戦争継続が困難になります。

さらに帝国内の諸民族が独立の動きを強める中で、オーストリアの議会は「ドイツ系オーストリア国」を宣言し、ハプスブルク家の皇帝も退位を宣言してオーストリア共和国（第一共和政）が始まります。

オーストリア＝ハンガリー二重帝国は、第一次世界大戦後のパリ講和会議で解体が決定します。そこで生まれた新興国家とその後については第3章で話しました。

帝国内の諸民族がオーストリアから離れることによって、オーストリアはほぼドイツ語話者で構成されることになり民族問題は解消されます。ただ、ドイツ語話者が多いことから、隣国のドイツと一つの国家としてまとまればいいのではという発想を自然に持つ人々が多く、オーストリアの地方自治体では独自にドイツとの合邦のための住民投票が行なわれることもありました。ところがパリ講和会議では、ドイツとオーストリアの合邦は今後80年間禁止となるのです。

✹ 徹底しない非ナチ化

第一共和政下のオーストリアは、民族の対立が解消された代わりに階級間の対立が激しくなります。労働者の支持を得る左翼の社会民主党と保守のキリスト教社会党が選挙のたびに競い合い、互いに武装自警団を抱えてデモで死者を出すほどまでに混乱します。

1932年に首相となったキリスト教社会党のドルフースは自警団の「護国団」を事実上の国軍の地位にまで昇格させ、議会も閉鎖してイタリアのムッソリーニに倣った国づくりを目指します。これをオーストロファシズムと呼びます。

1932年という年は隣国ドイツでナチスが大幅に議席を伸ばした年で、翌年の1月にヒトラーが首相になります。これに影響を受けてオーストリアでもナチスが力を伸ばします（オーストリア＝ナチ党）。

ややこしいのですが、オーストロファシズムの指導者のドルフースはオーストリア＝ナチ党の存在を疎ましく思い弾圧しました。「ファシズムを目指しているならナチスと手を組むはずだ」とか、「ファシズム国家同士だから連携するはずだ」といった、将棋でいえば一手詰めしかできないレベルで国際政治を把握できる場面はそんなに多くないのです。

その後のオーストリアは、オーストリア＝ナチにドルフースが暗殺され、後を継いだ独裁者シュシュニクはオーストリアの独立を維持しようと試みますが、ナチス＝ドイツによって1938年にドイツに吸収合併されます。こうして第一共和政は終わりを告げるのです。再び独立して第二共和政が成立するのは1945年の第二次世界大戦終結まで待たねばなりません。

第二次世界大戦後、オーストリアはドイツと同じく米英仏ソによる四国分割占領となります。この占領下においてオーストリア政府は非ナチ化の方針を固めます。

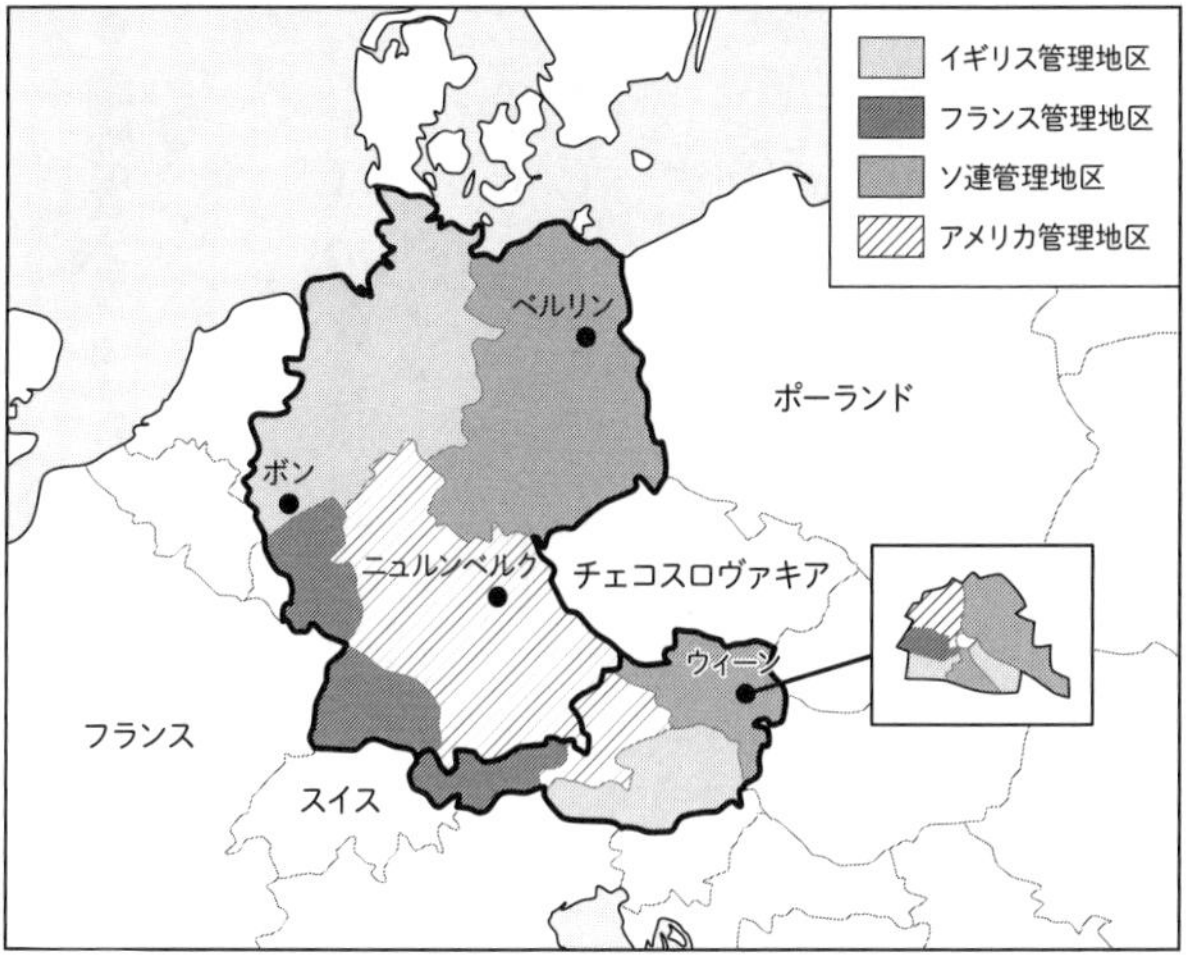

ところが国民の1割がナチ党員であり、その家族まで含めると国民の4分の1が公職につけなくなるわけで、これでは国家運営が厳しくなります。学校の教員や下級官吏の担い手がいなくなるため、**非ナチ化は徹底されません**でした。

1955年に永世中立国としてオーストリアは正式に独立することになります。同じく四国分割占領されたドイツが西と東に分かれる分断国家になったのに比べると、オーストリアは幸せだったといえるでしょう。

✹ 犠牲者ナショナリズム

さて、こうした歴史を踏まえてオーストリアがどのような物語をつくりあげたか、を見ていきます。

まずは**「犠牲者神話」**と呼ぶものです。1938年にナチス＝ドイツによって無理やりドイツに併合され、そこからナチス＝ドイツに対する抵抗が繰り広げられる。第二次世界大戦後もなぜ四国分割占領を10年も続けなければならなかったのか。こうした犠牲を乗り越えてオーストリアは復活したのだ。こうした物語です。

ここではいくつもの事実が忘却されています。ナチス＝ドイツが1938年に侵攻してきたとき、多くのオーストリア国民が歓迎の姿勢を見せているのです。

しかも第二次世界大戦中はナチス＝ドイツに倣って国内でユダヤ人狩りが横行していました。つまり、ナチス＝ドイツの支配下に置かれていた時代を「忘却」しているわけです。だからこそ非ナチ化も徹底されなかったのです。

さらにいえば、ナチス＝ドイツに併合される以前のドルフース政権はオーストロファシズムと呼ばれるファシスト政権だったことも「忘却」されています。

昔、劇団四季のミュージカル、『サウンド・オブ・ミュージック』を観に行ったことがあるのですが、これはナチス＝ドイツに併合される頃の時代が舞台です。もともとアメリカでつくられた映画ですが、典型的な「犠牲者神話」視点のストーリーです。

しかし、すでに話したようにオーストロファシズムという政治体制のことを「忘却」していたオーストリアの人々にとっては、この抑圧された政治体制以上のナチス＝ドイツを自ら受け入れてしまった「忘れたい」出来事を思い出させることになるわけです。『サウンド・オブ・ミュージック』は今に至るまでウィーンでは上演されていないとのことです。

1986年にオーストリアの大統領選挙が行なわれました。このとき立候補したのが国連事務総長を経験したヴァルトハイムです。しかし、ヴァルトハイムの大変なスキャンダルが暴露されるのです。第二次世界大戦中にナチスの突撃隊であったことや、ユーゴスラヴィア戦線で虐殺を指揮していたというもので、証拠の写真まで公表されました。

国際世論は反ヴァルトハイムの声をあげますが、皮肉なことに内政干渉を跳ね返せといわんばかりにヴァルトハイムは選挙で圧勝します。ある意味で非ナチ化が徹底できなかったことをあらわしているといえるでしょう。

ところがヴァルトハイムが大統領になっても諸外国からは祝電もなく、むしろ、1988年のナチス＝ドイツに併合されてから50周年の記念日に「ナチズムのもとでオーストリア人が犯した罪について、お詫びをしたいと思います」という発言をせねばならなくなるのです。

こうして1990年代には、オーストリアもユダヤ人迫害を行なっていたことが学校教育でも強調されるようになります。このことは「犠牲者神話」に基づく国民の物語に加えて、加害者としての反省という2つの物語を共存させることになりました。これはオーストリアの歴史教育における**「2つの真実」**と呼ばれるようです。

✸「極右」政党の台頭

オーストリアについてもう少し話しましょう。オーストリアの議会政治を概観してみます。

第二次世界大戦前に力を持っていたキリスト教社会党は国民党と名称を変更します。社会民主党は第二次世界大戦以前から戦後にかけて力を持っていた政党です。この2つが連立内閣を続けていたのがオーストリアの議会政治でした。

このような連立内閣を大連立といいます。2つの政党で議席の9割近くを持っているので、事実上野党が存在しないわけです。

しかし、20世紀末になると、旧来の政党よりも新興政党がどこの国でも力を持つようになってきます。政治学ではこの現象を「解凍」と呼びます。その背景には、グローバリゼーションの進展で移民の問題が各国で出てくることや、産業構造の変動で組織化されない無党派層が増えてきたことがあります。そうした中で、**排外主義的な政策をストレートに主張する政党が力を持ってくる**のです。

オーストリアでも自由党が徐々に議席を増やしていくのですが、党首のハイダーはナチス=ドイツの占領時代を肯定的に語り、国内外から「極右」とか「ネオナチ」と呼ばれます。このハイダー率いる自由党が1999年に大きく議席を伸ばし、国民党と連立を組んで政権を握りました。

これに対してEU各国は露骨に嫌悪感をあらわし、外交官を引きあげたりEUサミットで集合写真に入れないといった嫌がらせもします。結局、連立内閣は短期間で崩れるのですが、第二次世界大戦期における加害を直視しない歴史認識を持つことが外交でも大きなハンデになることを、オーストリアは身をもって体験することになったわけです。

オーストリアの歴史認識紛争についてとても勉強になったのが、『**自国史の行方——オーストリアの歴史政策**』（近藤孝弘／名古屋大学出版会）でした。オーストリアの20世紀を概観するならば、『**オーストリア現代史——1918-2018**』（アンドレーアス・ピットラー／成文社）が良いでしょう。

「犠牲者意識」が国民統合になるのは、第二次世界大戦後の日本をはじめ多くの国々でつくられる「神話」です。このことを考えさせてくれるのが『**犠牲者意識ナショナリズム——国境を超える「記憶」の戦争**』（林志弦／東洋経済新報社）です。歴史を学ぶことが紛争につながるくらいなら歴史なんか勉強しないほうがマシだと考えるのではなく、和解につながるような歴史の学び方はどうあるべきかということを考えるいいきっかけになると思います。

イタリアの歴史認識をめぐる問題

中学生のときの歴史の授業で、「なぜ、第二次世界大戦で負けた日本は東京裁判で、同じく負けたドイツはニュルンベルク裁判で戦争犯罪を裁かれたのに、イタリアは裁かれなかったのだろう」という疑問を持ちました。イタリアは1943年という割と早い時期に降伏した情けない奴らだから裁くに値しなかったのだろう、という根拠のない答えで自分を納得させていたことを覚えています。

では、イタリアの歴史を振り返ってみましょう。第一次世界大戦において戦勝国となったイタリアですが、獲得した領土は少ないうえに、戦後の経済混乱から政情が不安定になります。この中で台頭してきたのがムッソリーニ率いるファシスタ党です。1922年に政権を握り、24年には独裁を始めます。

1933年にナチス＝ドイツが一党独裁を始めた頃、ムッソリーニとヒトラーの関係はそれほど良くありませんでした。しかし、徐々に2人は接近し、ヒトラーの戦争

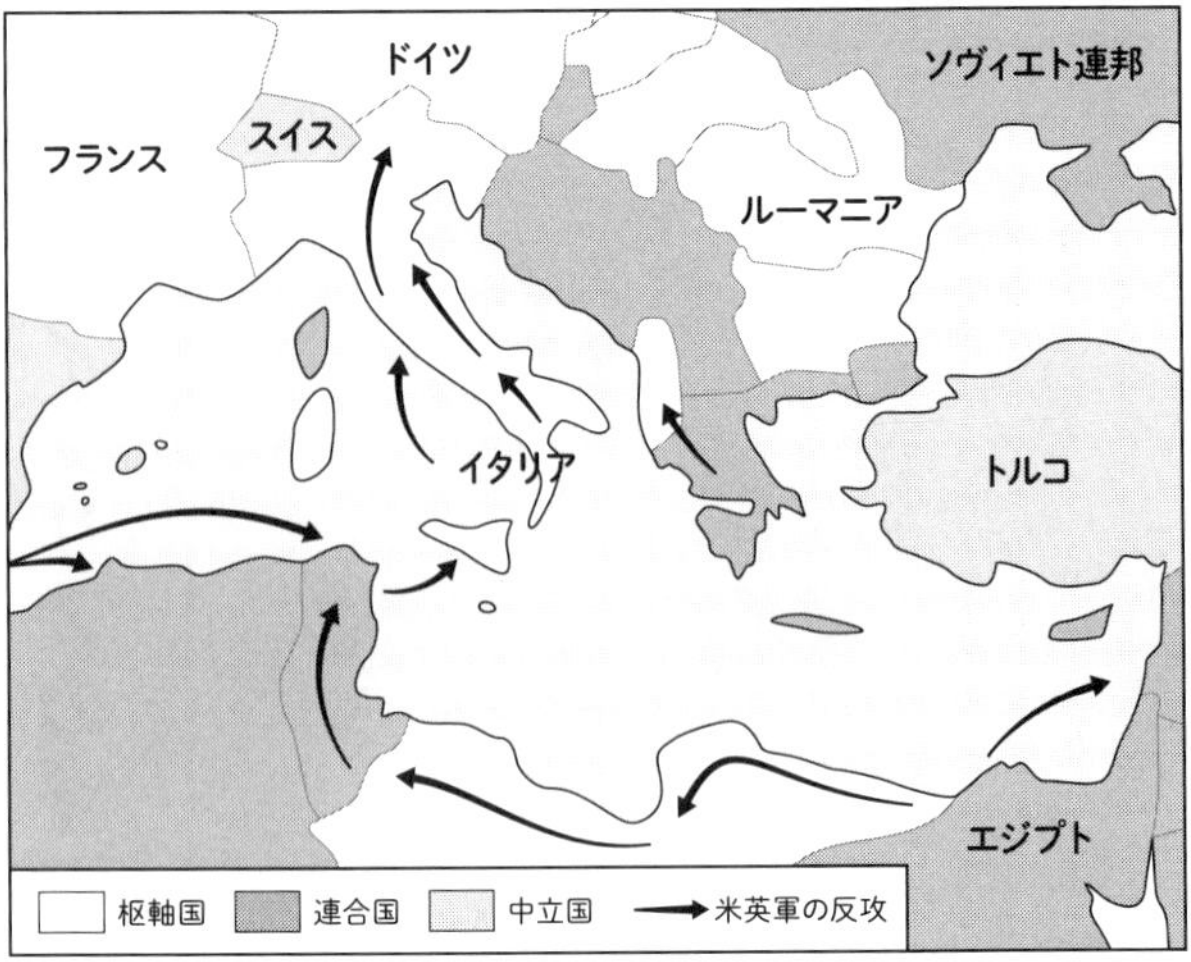

に加わって第二次世界大戦にイタリアは突入します。

当初からイタリア軍は大して活躍することもなく1943年を迎えます。米英の連合軍がイタリア南部から反撃を企てます。ところが連合軍はフランス上陸作戦に向けて準備を固めていて、イタリア上陸作戦に主力は向けていないのです。

その程度の連合軍がイタリア本土に攻め込む中で、ムッソリーニは時のイタリア国王ヴィットーリオ・エマヌエーレ3世から統領職の解任をいいわたされるのです。

ここでムッソリーニに代わって成立

したバドリオ政権は連合軍側に立ってドイツとの戦争を始めました。要は**イタリアは第二次世界大戦の敗戦国ではなく、途中で裏切って戦勝国になったと解釈できる**わけです。

逃亡していたムッソリーニはといえば、ヒトラーに救出され、北イタリア共和国（サロ共和国）を建ててなお、ヒトラーとの同盟関係を続けますが、1945年4月28日にパルチザン（レジスタンス）に捕えられ処刑されます。ヒトラーが自殺するのはその2日後の4月30日でした。

✹ 歴史の「逸脱」

戦後のイタリアは、ムッソリーニにすべてを委ねていたイタリア国王について1946年に国民投票で退位を決定し、共和政となり現在に至っています。退位賛成が54％ですからかなりの僅差でした。**イタリア人自らムッソリーニを処罰し、国王も退位させる。**しかしこれが、第二次世界大戦期のことを「忘却」させることにつながります。

辻田真佐憲さんという近現代歴史研究家がいます。彼はイタリアに旅行したときのことをYouTubeで解説していて、その中でムッソリーニの屋敷が観光スポットになっていることを話す中で、「ドイツでヒトラー博物館とかつくることは絶対に許されないだろう」といってました。

イタリアにしても第二次世界大戦では軍民合わせて35万人以上の死者を出しているわけです。いかに第二次世界大戦の記憶が「忘却」化されているかがわかります。

「すべての歴史は現代史である」という有名な言葉を残したベネデット・クローチェは、第二次世界大戦を生き抜いたイタリアの哲学者です。クローチェはムッソリーニが政権を握っていた約20年間を**「カッコで括られる時期」**と表現しています。

クローチェは一貫してムッソリーニを批判していましたが、この「カッコで括られる時期」という言葉は、ムッソリーニの時代を例外の時期として「忘却」しようとする戦後イタリアの国民の物語となっていくわけです。

とはいえ、第二次世界大戦直前にイタリアがエチオピアへ出兵したときに国際法で使用が禁じられている毒ガスが使用されたことが明るみに出る一方で、第二次世界大戦を知る人が少なくなっていく中、ムッソリーニ政権を評価したり、ドイツ軍に対して地下に潜伏して抵抗していたパルチザンの活動を矮小《わいしょう》化する歴史修正主義が、1990年代以降イタリアでも広まっています。

フランスの歴史認識をめぐる問題

まず、フランスにおける第二次世界大戦を眺めてみましょう

1939年9月1日にドイツがポーランドへ進攻し、ポーランドを防衛するためイギリスとフランスがドイツと交戦状態になったことをもってヨーロッパでは第二次世界大戦が始まったといわれています。

ポーランドをあっという間に征服したドイツは1940年の春までどこにも侵攻せず、戦闘が行なわれなかったため、当時はドロール＝ド＝ゲール（奇妙な戦争）と呼ばれていました。

1940年4月になってドイツはデンマーク、ノルウェーといった北欧諸国へ進撃し、5月にはフランスへも総攻撃を始めます。第一次世界大戦ではドイツの侵攻を食い止めたフランスでしたが、飛行機を活用したドイツ軍にたちまち防衛線が突破され、6月にパリが陥落します。

フランス政府はドイツに休戦を申し入れますが、当時、陸軍次官だったシャルル・ド・ゴールはロンドンに逃れ、亡命政府として「自由フランス」を組織し、ラジオ放送を通じて国民に戦争継続をアピールします。これはフランス人ならば誰もが日付を知っている、1940年6月18日のことです。

一方でドイツと休戦したフランス政府は都をヴィシーに移し、ドイツと講和します。その条件はフランスの北半分をドイツの占領下とし、ヴィシーを首都としたフランス政府（ヴィシー政府と呼ぶ）がフランスの南半分を統治するというものです。これによりフランスの歴史において第三共和政が崩壊したとされています*。ヴィシー政府の首班は第一次世界大戦の英雄、ペタン元帥でした。

フランス各地ではドイツへの抵抗（レジスタンス）が始まります。戦況が徐々にドイツに不利になる中、ヴィシー政府はドイツとともに枢軸国として参戦はしなかったものの、労働力の供出を行なないドイツに戦争協力します。このヴィシー政府のドイツへの協力はコラボシオン（コラボ）と呼ばれ、協力を意味する一般名詞であると同時に、ヴィシー政府を指す固有名詞としても使われます。

なお、1942年11月、ナチス＝ドイツはフランスの南半分に対して軍を送り込み

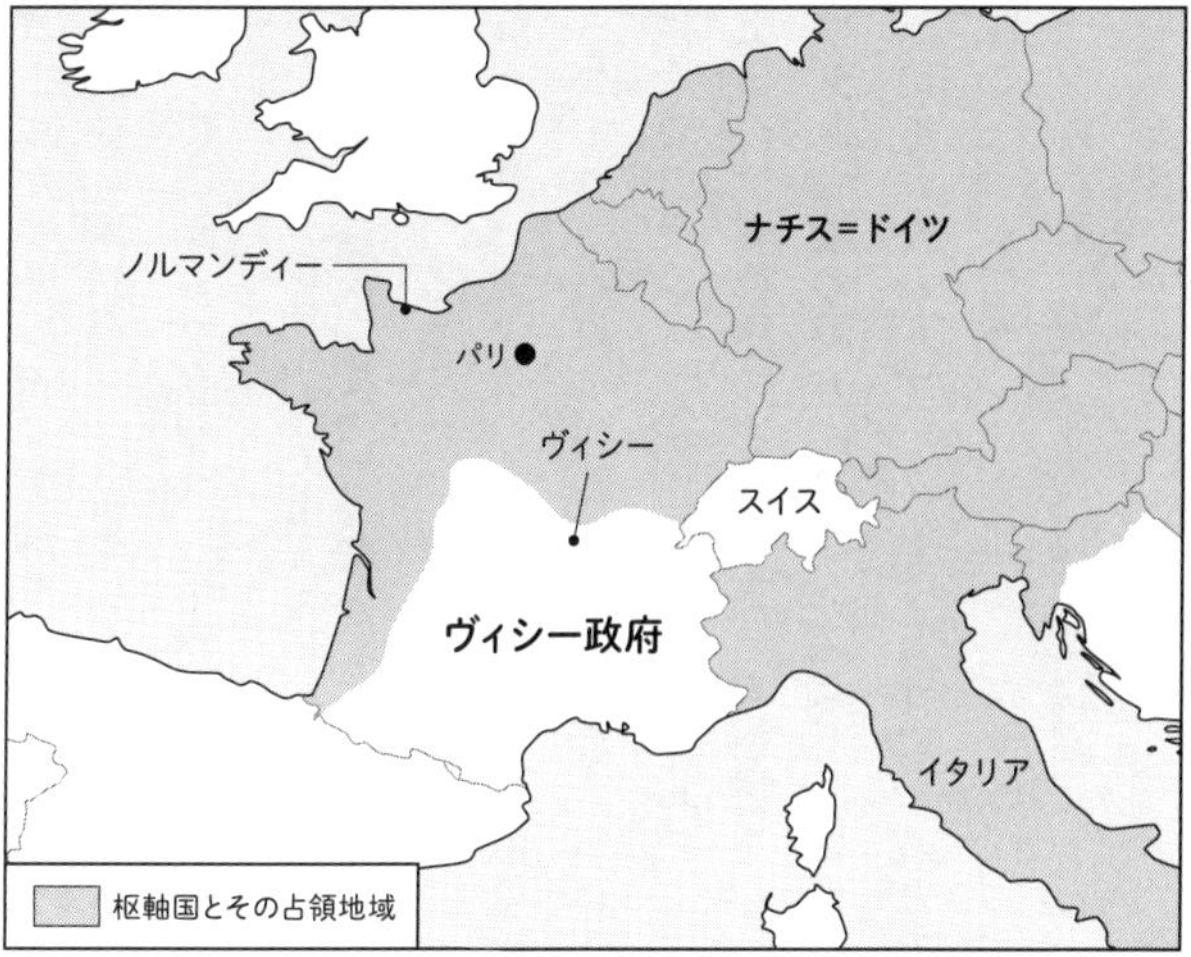

全フランスを占領下に置きます。このときヴィシー政府は、ドイツにフランス艦隊を利用させないためフランス艦隊を自ら沈めるというかたちで大戦に中立の姿勢をとり続けます。
1944年6月、アメリカ軍のノルマンディー上陸作戦を経てフランスを占領していたドイツ軍は駆逐されていきます。同年8月、パリ解放後にド・

＊フランスでは、フランス革命期の1792年からナポレオンが皇帝になる1804年までを第一共和政、1848年から ナポレオン3世が皇帝になる1852年までを第二共和政、ナポレオン3世が失脚する1870年から1940年までを第三共和政と呼ぶ。

ゴールがシャンゼリゼ通りでパレードを行ない民衆から歓呼の声を浴びました。そのままド・ゴールを首班として、ヴィシー政府に代わりフランス共和国臨時政府が成立し、ここからフランスの第四共和政が始まります。

なぜ戦勝国側にいるのか

まず、ここまででフランスは戦勝国なのか敗戦国なのかがはっきりしないことがわかると思います。これはイタリアと似ています。

ヨーロッパにおける第二次世界大戦は1945年5月に終結するので、ド・ゴールによるフランス共和国臨時政府が成立してから8ヵ月も先になりますが、その間、大戦後の世界秩序の形成に大きな影響を与えた**1945年2月のヤルタ会談と7月のポツダム会談の両方にフランス（ド・ゴール）は呼ばれていません。**

にもかかわらず、1945年に成立した国際連合において、拒否権を持つ常任理事国の一つにフランスは加わっています。このとき常任理事国の一員になったことがフランスが第二次世界大戦で戦勝国だったと錯覚してしまう理由ですが、そのために何を「忘却」することで神話がつくられたのかということです。

まず、ヴィシー政府の存在を徹底的に軽んじることです。ヴィシー政府はナチスの傀儡《かいらい》政権であるとし、フランスの正統な政府と認めない、つまり、フランスの正統な政府はロンドンにド・ゴールが設立した自由フランスだとすることです。

次にレジスタンスの役割を強調することです。ドイツを倒したのはレジスタンスなのだ、と。さらにこのレジスタンスはド・ゴールが指揮していたとするわけです。レジスタンスを強調することで、実際にフランスを解放したのはアメリカ率いる連合軍であったことを矮小化することにつながります。

そして、フランスにとって非常に運がよかったのがイギリスの首相チャーチルの存在でした。チャーチルは戦後にアメリカとソ連の力が伸びることを見越したうえで、米ソに国際政治の主導権を握らせまいとフランスを戦後秩序形成の一員に組み込むべく、アメリカ大統領トルーマンとソ連共産党指導者のスターリンを必死に説得したのです。

こうしてフランスは、第二次世界大戦の「勝者」としての地位を得たわけです。

✵ レジスタンス神話とヴィシー政府の正統性

レジスタンスは戦後フランス国民の物語の中核になっています。ナチス＝ドイツとその傀儡政権であるヴィシー政府に対してド・ゴールの指揮の下、全国民が一丸となって抵抗したという物語です。

ところがこれは実態と異なったところが多いのです。まず、レジスタンスはいくつかのグループに分かれており、ド・ゴールもその一つの指導者ではあるけれど、フランス共産党が指導していたレジスタンスも大きなグループでした。フランス共産党は「モスクワの長女」と呼ばれるくらい西ヨーロッパ各国の共産党の中では力を持っています。フランス共産党こそがナチス＝ドイツを追い払ったのだということを宣伝材料に使っていました。

ド・ゴール率いるレジスタンスとフランス共産党率いるレジスタンス、どちらが頑強にレジスタンスを行なったのかということ以上に重要な点があります。それは、全国民がレジスタンスをしていたのかということです。

実際には、レジスタンスを行なっていたのは少数派で、多くの国民が参加していたわけではないことがわかっています。ドイツの敗北が見えた途端コラボから寝返り、おっとり刀でレジスタンスに参加した者もいました。

さて、ヴィシー政府が倒れてからの話です。ペタンをはじめヴィシー政府の指導者には裁判にかけられ死刑に処された者もいました。ドイツの軍人と寝たフランス人女性は、ハーケンクロイツの鉤《かぎ》十字に刈った髪だけを残して丸刈りにされ晒《さら》し者にされます。ところが、ヴィシー政府の公務員百数十万のうち処分を受けたのは1万人超にすぎませんでした。

ここはオーストリアと同じで、行政の継続性を図るためには仕方なかったといえます。さらに第四共和政政府が1947年に正式に発足すると恩赦が行なわれ、対ドイツ協力者のほとんどが釈放されるのです。

このことはヴィシー政府の存在を許す＝「忘却」することになります。こうしてヴィシー政府をカッコに括ることでフランス史における一つのエピソードとして片づけることになったのです。

ところが1972年になって、アメリカの歴史学者ロバート・パクストンが『**ヴィシー時代のフランス――対独協力と国民革命1940−1944**』（柏書房）という著作を発表します。これは世界に大きな衝撃を与えました。

ヴィシー政府が一部の対ドイツ協力者を利用してドイツがつくったただの傀儡政権なんかではなく、フランスの正統な政府であると主張するのです。実際に当時の民衆の多くが支持し、議会でも圧倒的多数でペタンに全権を委ねる決議を行なっているのです。それだけではなく、**ユダヤ人に対するホロコーストをドイツから強制されることなく自発的に行なっていた**ことが明らかにされたのです。

フランス内の7万人以上のユダヤ人がアウシュヴィッツ収容所に送られ、その生存率は5%でした。このユダヤ人虐殺に加担していたことについて、フランス政府はシラク政権とオランド政権が公式にフランスの責任を認める発言をしています。

ある意味でヴィシー政府の存在をカッコに括って忘却したいのは、それだけヴィシー政府の存在がトラウマになっているからだということを強調したのが、アンリ・ルソーが名付けた**「ヴィシー症候群」**という言葉です。

フランスについては紹介したい本がたくさんありますが、戦後フランスの精神史を語るうえで外せない本は、**『フランス・イデオロギー』**（ベルナール＝アンリ・レヴィ

／国文社）です。ヴィシー政権がフランス革命以来の「自由・平等・博愛」に代えて、「労働・家族・祖国」を掲げる「国民革命」を進めようとしたことをフランス史の例外にするのではなく、フランスの歴史に落とし込んでヴィシー政府を正統なフランスと位置付けようとしています。自由と人権の祖国であるフランスがファシズムの祖国でもある、という考察は慧眼《けいがん》としかいえません。

もう一冊挙げておきましょう。**『フランス現代史 隠された記憶――戦争のタブーを追跡する』**（宮川裕章／ちくま新書）が読みやすくお薦めです。

ドイツの歴史認識をめぐる問題

1933年から45年までわずか12年ほどドイツを統治したアドルフ・ヒトラーと、彼が率いたナチスの名は、おそらく人類史が続く限り消えることはないでしょう。第二次世界大戦後のドイツは当然、ナチスとの向き合い方が国内外から問われることになります。いかにして「過去を克服」するのかということです。

ドイツの政治教育（ドイツでは民主的市民性教育と呼ぶ）は極めて評価が高いです。1976年に**ボイテルスバッハ＝コンセンサス**という基本原則が定められます。（1）圧倒の禁止、（2）論争のあるものは論争のあるものとして扱う、（3）個々の生徒の利害関心の重視という三原則で、教師が教壇においてどのように生徒に接するのかを定めたものです。日本でも主権者教育の一環としてこの語が少しずつ広がっています。

政治的無関心と無知がナチズムを広げてしまったことへの反省から、**教育は国家が国家のための動員として教化するものではなく、生徒一人ひとりの批判的判断能力を**

育てていこうとする姿勢には素晴らしいものがあると思っています。

ドイツは宗教教育も重視しています。それは、ナチスに対して弱いながらも最後まで抵抗を示した唯一の勢力がキリスト教だったと思われたからです。牧師でありながらヒトラー暗殺を企てたディートリッヒ・ボンヘッファーや、「彼らが最初共産主義者を攻撃したとき」の詩で知られるマルティン・ニーメラーのことをドイツで知らない人はいないといっていいでしょう。「良心」を涵養《かんよう》することはナチズムに対する一番の防波堤という認識です。

実はこうした試みは戦後直後から行なわれていたわけではないのです。信じられないでしょうが、ドイツの多くの人がホロコーストのことを知ったのは1978年以降なのです。アメリカのテレビドラマ『ホロコースト　戦争と家族』がドイツで放映されるまでは、ユダヤ人がひどい目に遭っていたということは噂レベルでしか知らなかったのです。ドイツの政治教育の指針となるボイテルスバッハ＝コンセンサスができたのも1976年です。

実際に統計では、「ヒトラーを偉大な指導者と思うか」という質問に対し、1975年までは肯定する人が30％台後半をキープしていました。否定する人も40％台後半で推移しています。２０００年の時点で「はい」が25％を切り、「いいえ」が70％を超えるまでに差が開いています。つまり、長い時間をかけて戦後（西）ドイツの国民の物語がつくられてきたといえるでしょう。

この物語とは、**徹底的にナチスを否定し、ホロコーストのようなことは二度と起こさせない**、というものですが、これは何を「忘却」することでこの物語が成り立つのかを問いかけています。

✺過去を反省したのか

戦後ドイツの物語の１つ目の柱は、徹底的にナチスを批判するということです。ところが、ナチスとは一体誰のことを指すのかがよくわかりません。

戦争敗北後、ドイツのニュルンベルク裁判で有罪になったナチス党員がいました。アドルフ・アイヒマンやオットー・フンシェのように１９６０年代になってもナチスの高官は逮捕され裁判にかけられました。でも、どれだけの元ナチス党員が戦後もそのまま普通に生活していたか。

これはオーストリアやフランスと同様、ナチスの党員だった８００万人の全員を何らかのかたちで処罰したら国が回らなくなってしまうからです。

冷戦が進む中で、アメリカがドイツを再建してソ連に対する最前線の防衛を担ってもらおうとしたこともその背景にありました。この米独合作でつくられた物語によって、一部の人間のみをナチスとして裁き、多くのドイツ人の犯罪は「忘却」されるのです。

こうして徹底的な非ナチ化ができず、ナチスの一部をスケープゴートにして多くのドイツ人は善良であったとする脚本はアメリカが描いたものといっていいでしょう。1950年代のアメリカ映画には**悪としてのナチスと善良なドイツ人**という二項対立で描かれた作品があります。

ちなみにその影響を日本のアニメ『宇宙戦艦ヤマト』も受け継いでいます。ゲールというヒラメキョロメ*でデスラー総統へのゴマスリしか考えてない副官が、武士道に則ってヤマトに対して正々堂々と戦おうとするドメル将軍の足を引っ張る姿は、『宇

（＊宮台真司氏がよく使う用語。上の地位に媚びるヒラメ、横に合わせて同調圧力に屈するのがキョロメ。）

宙戦艦ヤマト』を観た人は記憶にあるでしょう。これが有名な「クリーンなドイツ国防軍」という神話のモチーフです。

実際にはドイツ国防軍も戦争中は残虐な行為を繰り返していたし、何よりドイツ国防軍とナチスをどうやって区別するのかということも定かではありません。だけれども、これを表立って指摘することは戦後のドイツ国民の物語を批判することになるので隠さざるを得ません。

戦後ドイツの物語の2つ目の柱が、ホロコーストを徹底的に反省することです。ナチス＝ドイツが裁かれたニュルンベルク裁判でも、日本の戦争犯罪者が裁かれた東京裁判でも、戦争犯罪についてＡＢＣの区分が設けられました。

ＡＢＣは優劣を分ける基準ではありません。Ａ級戦犯は、侵略戦争を始めたことに対する罪、Ｂ級戦犯は戦場で国際法に反したこと（残虐な行為）への罪、Ｃ級は人道に対する罪（ホロコーストに関する罪）です。日本にはユダヤ人虐殺はなかったのでＣ級戦犯がいないのです。

さて、ドイツが採った戦略はＣ級、つまり、**ホロコーストへの罪を自ら認め反省するということを強調してＡ級、Ｂ級に対する罪を後景化する**ことです。戦争を始めたのも戦場でひどいことをしろと命令したのもヒトラーとその側近だけだよ、としてほとんどのドイツ人を免責したわけです。

ユダヤ人に対するホロコーストへの反省として、第二次世界大戦後に成立したユダヤ人国家イスラエルに対して西ドイツは謝罪をしますが、その裏でイスラエルへの武器輸出によって経済復興に弾みをつけようとしたことも明らかになっています。

ドイツと違って日本は武器輸出について非常に抑制的ですが、ドイツはウクライナ戦争において武器を供与するなど武器輸出について日本のような原則はありません。

このことをわかっていないと、ドイツは第二次世界大戦の責任をとって謝罪や補償をしていると勘違いをすることになります。

人道に対する罪に対し、謝罪をしてユダヤ人には補償はしましたが、ユダヤ人以外にはしていません。冷戦終結後にポーランドやチェコとは和解して基金をつくり、そこから補償することになりましたが、わずかな金額です。第二次世界大戦のときですらこの塩梅なので、かつてのドイツの植民地支配に対する補償についてはいわずもがなです。

ドイツは第一次世界大戦ですべての植民地を失いますが、第1章や第2章で触れたナミビアやルワンダなどがドイツ領でした。ナミビアは長く植民地下でのドイツの虐殺行為（ヘレロ＝ナマの抵抗を鎮圧）に対してドイツ政府へ補償を求めていました。2021年になってドイツ政府が虐殺の事実を認め、約1500億円の復興援助を行なうと決めましたが、あくまで復興援助であって補償ではありません。

タンザニアでも、1905年に起きたマジマジの乱を鎮圧し多くの死者を出したことに対して、2023年に謝罪はしますがやはり賠償には応じていません。

歴史家論争

戦後のドイツではヒトラーをめぐる論争がたびたび起きています。その一つが1960年代のフィッシャー論争です。ハンブルク大学教授であった歴史家フリッツ・フィッシャーが著した『**世界強国への道——ドイツの挑戦**』（岩波書店）をめぐるものでした。テーマは第一次世界大戦の戦争責任とヒトラーが政権を握った背景の2つです。

まず、1つ目の第一次世界大戦の責任について。第一次世界大戦はサライェヴォ事件を機にヨーロッパ各国が巻き込まれることで戦禍が広がっていっただけで、戦争勃発においてどの国に責任があるということは一概にはいえない、という捉え方が当時は一般的でした。

2つ目のヒトラーについて。第一次世界大戦後のヴェルサイユ条約におけるあまりにもドイツに対する厳しい制裁が、ドイツ人の反感を買いナチスが台頭することにつながった、というのが当時は一般的な理解でした。

このような見方について、フィッシャーが異論を投げかけます。第一次世界大戦の勃発については、ドイツに明白な責任があるとして、多くの史料を駆使して政治家や軍人のみならず知識人や大企業、官僚といった社会の枢要な立場にいる人たちも戦争を望んでいたということを明らかにします。

そして、ヒトラー出現の背景については第一次世界大戦前まで遡り、積極的な植民地拡大を目指していたヴィルヘルム2世の治世から説明しようとしました。

簡単にいえば、ドイツは世界制覇を目指して第一次世界大戦を起こし、一度は挫折したもののその夢をヒトラーが受け継ぎ第二次世界大戦を起こした、というのです。

この論争が歴史学の発展に貢献したことについてはさておいて、大きな論争になったのは、ナチスが悪いという歴史の見方を相対化することにありました。

フィッシャーの考えでは、悪いのはドイツであって、ナチスはもちろんだけれどもそれ以前にドイツが悪いことを目論んでいたことになります。**戦後ドイツ国民の物語では、あくまでナチスは比較不能な世界史上最大の悪であり、ドイツ人はナチスに騙されていた**のですから、この論争は単なる学術論争にとどまらなかったのです。

1980年代にも大きな論争がありました。1986年に哲学者エルンスト・ノルテが発表した論説**「過ぎ去ろうとしない過去」**に対して、哲学者ユルゲン・ハーバーマスが批判したことから他の歴史学者も巻き込んで始まった**歴史家論争**です。

論争に加わった人たちの論文だけで100本以上あり、論点も多岐にわたりました。この時期は先にも話したようにドイツ人の間でホロコーストへの認識も深まっていたので、議論は3年近くに及びます。

『過ぎ去ろうとしない過去――ナチズムとドイツ歴史家論争』(ハーバーマス、ノルテほか/人文書院)にこの論争における核心部分の論文が掲載されているので、詳しいことはこの本に譲りますが、大事なポイントはやはり、ホロコーストの相対化です。それ以外のポイントは表にまとめました。

ナチスの罪は唯一無比なものなのか、それともスターリン時代のソ連が行なった大

歴史家論争の論点（『過ぎ去ろうとしない過去』から抜粋）

❶ 歴史は意味を供給したり、アイデンティティの担い手であったりするべきなのだろうか。

❷ 歴史は政治的論争の道具として悪用されているのではないか。

❸ ドイツ連邦共和国はどのような自己理解と歴史のイメージを持つべきなのか。

❹ 我々が得ようと努めるのは憲法愛国主義か、国民愛国主義か。

❺ ナチ時代の罪悪は唯一無比なものなのか、それとも他の虐殺と比較可能なのか。

❻ 歴史学は「歴史化」されるべきなのか「道徳化」されるべきなのか。

❼ ナチの罪悪とスターリニズムの罪悪との間に「因果的関連」が存在するのか。

❽ ドイツは1945年に解放されたのか。

量虐殺やカンボジアのポル・ポトによる大量虐殺と比較可能なものなのか、とノルテは問いかけます。さらにヒトラーのホロコーストはスターリンの「収容所群島」*を真似ただけだと主張します。これに対しハーバーマスは真っ向から非難します。

ハーバーマスはノルテらを歴史修正主義者と呼び、論争自体はハーバーマスが勝利したように見えたのですが、長期的に見れば負けたといっていいの

＊ソ連の強制収容所を世界に知らせたアレクサンドル・ソルジェニーツィンの『収容所群島』（新潮文庫）を読んでいただきたい。

かもしれません。
というのも、その後もナチスの悪を相対化する議論が続出してくるからです。

✹ゴールドハーゲン論争

1990年の東西ドイツ統一後にも論争がありました。それがゴールドハーゲン論争です。1996年にアメリカのホロコースト研究者ダニエル・ゴールドハーゲンが書いた**『普通のドイツ人とホロコースト――ヒトラーの自発的死刑執行人たち』**（ミネルヴァ書房）をめぐる論争でした。

この論文の内容は、**ドイツ人は根っからの反ユダヤ主義だから喜んでユダヤ人を殺した**、というものです。つまり、悪いのはナチスで、多くのドイツ人は善良で騙されていただけだったという物語を真っ向から否定したわけです。東西ドイツ統一を経て「過去を克服し自信に満ちた国民」に冷や水を浴びせる格好になったために大きな論争になります。

面白いのは、ゴールドハーゲンがドイツで講演を行なった際、若い人たちを中心に歓迎を受けるのです。戦争の体験を持たない人たちが社会の多数を占める中で、一見してドイツ人全体を否定するような主張をドイツ人が受け入れたところが興味を惹きます。日本ではさしずめ「自虐史観」と呼ばれるものでしょう。

『ドイツ戦争責任論争――ドイツ「再」統一とナチズムの「過去」』（未来社）を著したヴォルフガング・ヴィッパーマンは、ゴールドハーゲンが被害者をユダヤ人のみと見ていること、つまり、シンティ＝ロマ（ジプシー）をはじめとして障害者や同性愛者といったナチスの被害者の多様性に目が向いていないことを批判します。とはいえ全体的な主張には同意しています。それは歴史家論争の頃から広がりを見せる歴史修正主義的な思考法をゴールドハーゲンが採っていないからです。

ヴィッパーマンが評価する1つ目は、ゴールドハーゲンがナチスを論ずるにあたって他の政治体制と比べていないことです。

歴史家論争のとき、ノルテはナチスの体制をスターリン体制と比較しようとしました。それ以後、東ドイツとナチスを比較するという試みがドイツの歴史家の中に生まれるようになったのです。**比べることで矮小化しようとする政治的意図が歴史修正主義です。**こうした議論と一切関わろうとしないゴールドハーゲンの姿勢をヴィッパーマンは評価しました。

次に「悲劇の中間位置」論にもゴールドハーゲンが触れていないことをヴィッパーマンは評価します。「悲劇の中間位置」論とは、ドイツはヨーロッパの中央に位置して周りをいろいろな国に囲まれている、だから戦争をしないと国家の安全が保たれないという考えで、ドイツが戦争を起こしたのは地理的な問題があるというトンデモ理論です。

このトンデモ理論が**地政学という疑似科学**です。「学」とついてはいるものの、地政学というのは大国中心主義の単なるイデオロギーに過ぎません。ドイツにおいては、ドイツの過去の犯罪を免責するだけでなく、東西統一後のドイツのヨーロッパの将来における影響力増大を正当化するためにまともな学者はイデオロギーを取りあげません。ヴィッパーマンもこうしたトンデモ理論をまったく顧みないゴールドハーゲンの姿勢を評価しています。

3つ目はゴールドハーゲンが「どっちもどっち論＝相殺論」を相手にしていないことです。相殺論というのは、第二次世界大戦の責任はヒトラーだけにあるのではないというものです。

1941年に始まった独ソ戦はドイツがソ連に攻撃を仕掛けたものですが、スターリンが攻撃する準備を固めていたところをドイツが「機先を制した」予防戦争であったのだという、これまたトンデモな議論が出てきます。こうした議論が拡大して、アメリカの大統領フランクリン・ローズヴェルトがヨーロッパ諸国を戦争に追いやったという説も出てきます。こうした主張にゴールドハーゲンは言及する価値なしと一蹴しています。

そして最後が、近代化による相対化する試みについても、ゴールドハーゲンが歯牙にもかけなかったことです。

近代化による相対化の試みとは、**「ナチスも良いことをした論」**というものです。ナチスのおかげで経済が回復した、ナチスは労働者の味方だった、ナチスは環境保護を積極的に進めた、といったことを挙げてナチスの犯罪を相対化しようとします。ゴールドハーゲンはこうしたことにもまったく触れていません。

ヴィッパーマンは戦後ドイツ国民の物語を頑なに守ろうとしているのではなく、この物語をさらに深化させることが「過去の克服」につながると考え、ゴールドハーゲンを支持する選択をしたのです。

以上、長くなりましたが戦後ドイツにおける歴史認識紛争についてまとめてみました。なぜ、長々と話したのかというと、こうした歴史修正主義的主張は様々な国で受容されているからです。上記の4つの論点も知らず知らず日本にも入ってきており、日本流にアレンジされたりしていることに気づいてもらいたかったからです。

アウシュヴィッツと比べれば南京事件は規模が小さい、日本は戦争なんかしたくなかったのにハメられてしまったとか、日本の大陸進出は地政学的に仕方がなかった、というような主張がそれです。

第5章で移民に関する紛争について話しますが、この反移民の主張も世界各地における言説の根幹に同様のものがあります。ぼくはこれをグローバル・ネトウヨ仕草と呼んでいます。

ちなみに、これは話題になった本なので知っている方もおられるでしょうが、2023年に岩波ブックレットから『**検証 ナチスは「良いこと」もしたのか？**』（小野寺拓也、田野大輔）が出版されています。2人の著者はインターネットに広がる歴史修正主義的言説に歴史学者として反論しているのですが、それらの論点はすでに90年代のドイツで出尽くしているのです。

最後に、第二次世界大戦後のドイツは東西ドイツに分断されることになりますが、不思議なことに東ドイツは西ドイツと違って「過去」への取り組みがまったく違っています。

マルクス主義の考えではナチズムは資本主義が生み出した徒花《あだばな》なので、資本主義を克服し社会主義へ向かっている東ドイツではナチズムは生まれないがゆえに無関係である、という姿勢をとったのです。マルクス主義を理解していないとただの謎理論ですね。さらに東ドイツは、ドイツ国家の継承者ではないから戦後の賠償や補償の要求にも応じる必要はないという態度でした。

1990年の東西ドイツ統一の頃からドイツではネオナチとか極右と呼ばれる勢力が台頭しますが、旧東ドイツ地域でその人気が高いことを見ても教育の成果というものはそれなりにあるのだなと感じています。

ナチス時代から現在に至るまでのドイツに関する書物は星の数ほどあるけれど、ここで話したことを踏まえると、**『〈戦争責任〉とは何か――清算されなかったドイツの過去』**（木佐芳男／中公新書）が読みやすく、お薦めです。

第4章をまとめておきましょう。

戦争は単純に勝ち組、負け組と色分けできるものではありません。同じ国民が敵味方に分かれることもあれば、被害者でありかつ加害者でもある、そうした割り切れない状況に置かれる場合もあります。

一人ひとりの人間としても嫌なことをずっと記憶していては前に進めませんから、それらを「忘却」して前へ進んでいきます。同様に国民という共同体も何かを忘却することで集合的記憶が形づくられます。

しかし、世代が代わることや外からの刺激で忘却された過去が掘り起こされると、隣国との歴史認識をめぐる対立が生まれると同時に、第1章で話したように20世紀後半になると政治が価値の分配をめぐるものに変わり、国内でも歴史認識をめぐる対立が生まれてくるわけです。

特にインターネットの発達によって海外の情報が入手しやすくなったことで、ある国の集合的記憶が世界に共有されると、ますます対立が深まります。

一人ひとりの人間は生まれてから育っていく中でいくつもの体験を得てアイデンテ

ィティを形づくっていきます。それは周りからの承認と自己愛から成り立つものです。ところが、いろいろな事情で個人のアイデンティティが形づくられなかった場合、**アイデンティティの供給源を過剰な愛国心に求める**ことがあります。サミュエル・ジョンソンのいう「愛国主義は不埒な奴らの最後の隠れ家」です。

テクノロジーの向上を背景に、ぼくたちは人と人とのつながり（共同性）がなくても市場（お金）と行政（国のお世話）によって生きていけるようになってきました。しかし、そのことが自らのアイデンティティの拠り所を掘り崩し、国民共通の記憶を持つ国民国家にアイデンティティを委ねなければならなくなると、共通の記憶に過剰なまでに「忘却」と「創作」を施す歴史修正主義が広まってくるのです。

歴史をめぐる紛争はどこの国でも、とりわけ第二次世界大戦の影響を深刻に受けた国ほど起こっています。ということは当然、日本もそうです。「忘却」と「神話」をキーワードとして、第二次世界大戦後の日本の歴史が現在に至るまでどのような歩みを見せたのか。これを考えることは戦後日本人の精神史を描くことにつながるでしょう。ぼくも死ぬまでに形にしたいと思っています。ぜひ皆さんも考えてください。

この章の終わりに一冊の本を紹介しておきます。

『忘却する戦後ヨーロッパ――内戦と独裁の過去を前に』（飯田芳弘／東京大学出版会）は、過去を「忘却」しなければ前に進めないのだから、「忘却」も必要であるがゆえに政治における「過去の忘却」について一方的に批判するだけではなく、歴史の多面性に気づかせてくれる良書です。

第5章
「民主主義」対「権威主義」

第1章の最後で「価値の分配」をめぐる政治が国内の分断を生み出すという話をしましたが、それ以上に危機感を覚えることが民主主義のバックスライディング現象です。バックスライディングとは後退するという意味です。

国民国家は民主主義の進展と両輪でつくられてきました。民主主義が衰退する中で国民国家も変質するのか、民主主義が衰退しても国民国家は維持されるのか。ＥＵのように民主主義を維持しながら国民国家を相対化してゆく動きもある中で、主権国家体制と国民国家体制が曲がり角に差しかかっている現在の民主主義にまつわる問題を見てみようと思います。

民主化の3つの波

『文明の衝突』（集英社）で知られるアメリカの政治学者**サミュエル・ハンチントン**に**『第三の波——20世紀後半の民主化』**（白水社）という著作があります。ハンチントンは政治学者として、非民主的な政治制度がどのようにして民主的な政治制度へ移行していくのかということを理論立てるために歴史をひもとき、民主化の大まかな3つの波を見いだしていきます。

まずは**第一の長い波として1828年から1926年**を挙げます。これはアメリカ独立戦争とフランス革命を起源として、ヨーロッパからアメリカ大陸にかけて民主化が進んだことです。

第1章でも触れたように、この時代は確かに民主化が進みました。1848年以降、ヨーロッパはどこの国でも憲法制定と議会開設、さらには男子普通選挙が広がり、第一次世界大戦を経て女性参政権も多くの国で採用されます。

ここから第一の揺り戻しがきます。第二次世界大戦に至るまで、イタリアでファシスタ党が、1933年にはナチスが政権を握り、日本でも議会政治が機能しなくなったことがその例です。

第二に短い波として1943年から1962年までを挙げます。イタリアが第二次世界大戦で真っ先に離脱し、1945年の大戦の終結後からドイツや日本で再び民主化の動きが生まれただけでなく、脱植民地化の流れの中で独立したアジア・アフリカの新興独立国家で民主主義的制度が採用されたことをあらわしています。

ところが1960年頃から第二の波の揺り戻しが起こります。アジアやラテンアメリカでは政治の民主化よりも経済の成長を優先する、「開発独裁」と呼ばれる政治システムが広がりを見せたからです。

そして**1974年から第三の波**が始まります。1974年にカーネーション革命と呼ばれる動きがポルトガルで生じます。ポルトガルは1930年代から独裁が続いていたのですが、これが倒れるのです。

1975年には、これも1930年代から独裁を続けていたスペインのフランコ政権が倒れ、この波がラテンアメリカに飛び火します。アルゼンチン、チリ、ペルーを皮切りに多くの国で軍政から民政への移管が進みます。

さらに波は太平洋をわたり、東アジア、東南アジアに到達します。韓国では1980年代、全斗煥《チョンドゥホアン》大統領を最後に軍事政権が終わり、盧泰愚《ノテウ》政権から民衆による直接選挙で大統領が選ばれるようになります。台湾でも国民党の一党支配が終了し、フィリピンでもマルコス大統領の長期政権が倒れます。

そして1980年代末からは共産党が一党独裁を続けていたソ連、東欧にも民主化の波が押し寄せ、見事に第三の波は世界を一周したわけです。

ハンチントンがこの本を書いたのはまさに第三の波がうねりを見せていた時代なので、その後の動きについては触れていません。第三の波以後の動きを見ていきましょう。

カラー（色）革命

ソ連から独立した新興国が、独立後の混乱から安定へ向かう過程で生じた民衆主導の政権交代を「カラー（色）革命」と呼びます。政権交代を目指す側が運動のシンボルとして花を象徴としていたからです。もちろん、各地の運動すべてが花をシンボルとしていたわけではありません。

第3章で触れたユーゴスラヴィア解体後の紛争で民主化も何もないほど混乱していたセルビア、クロアチアでは、2000年に暴力を伴わないかたちで政権交代が行なわれました。

旧共産圏のグルジア（ジョージア）における2003年のバラ革命、ウクライナの2004年におけるオレンジ革命、キルギスにおける2005年のチューリップ革命が旧共産圏におけるカラー（色）革命です。

このカラー（色）革命は2011年に中東全体に広がります。これを**「アラブの春」**

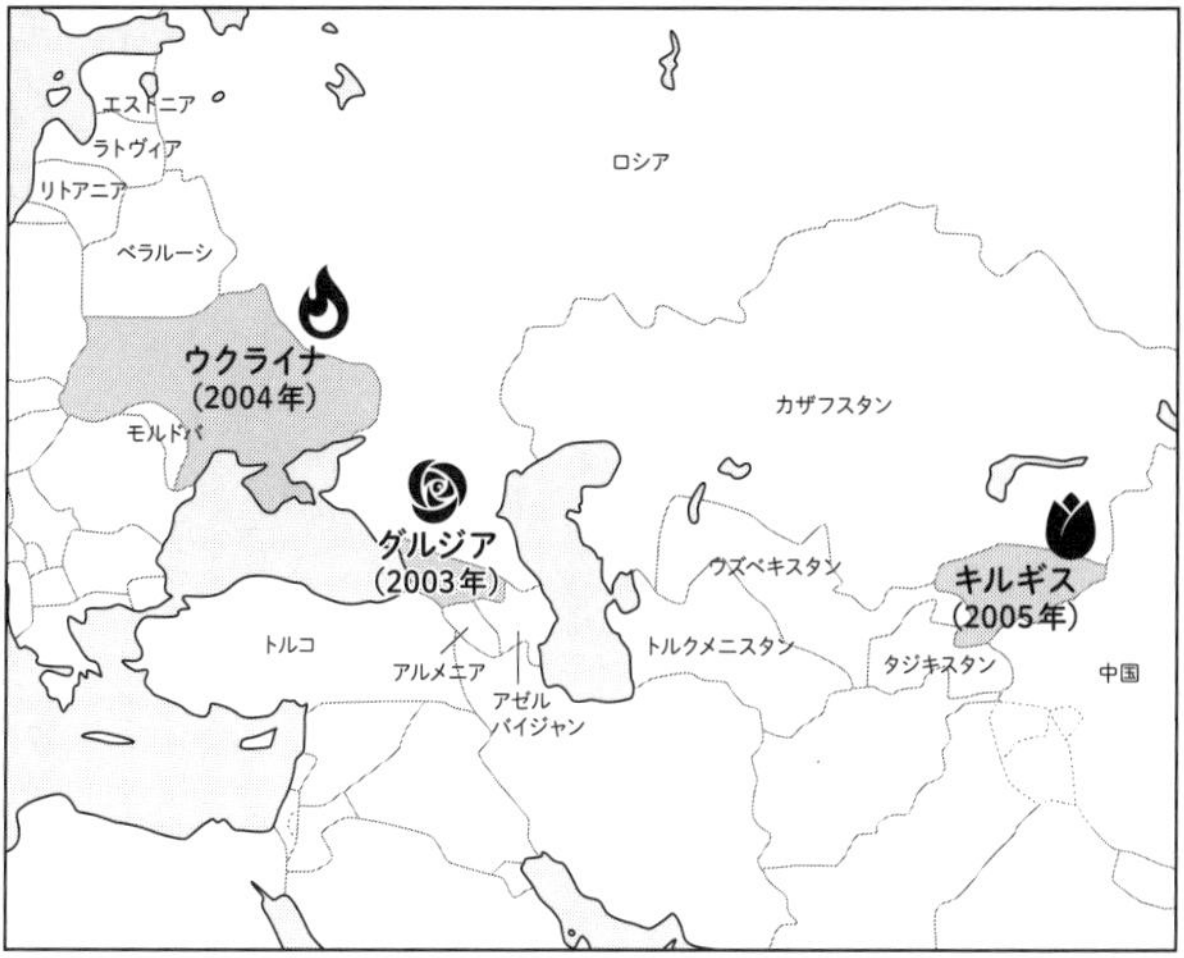

といいます。

運動の広がりにFacebookが使用されたことが重視されますが、元来イスラームでは合同礼拝が信徒に義務付けられていることから、民主化というヨーロッパ的な価値観よりもイスラーム主義としてこの運動が広まったこと、さらに暴力を伴う内戦状態になったことを、旧共産圏のカラー（色）革命とは異なる性格とする見方もあります。とりあえず１９８０年代から続く長期独裁政権が倒れたことは確かです。

「アラブの春」の始まりはチュニジアにおける２０１０年のジャスミン革命でした。高い失業率を背景に起きたデモを弾圧しようとする政府側との衝突で死者を出しながらも長期独裁政権を倒すことに成功しました。

このジャスミン革命の始まりから2012年にかけて、中東各地に政権批判の運動が飛び火します。

ヨルダン、そしてさらにエジプト、リビアへ。エジプトでは30年にわたるムバラク政権が倒れました。激しい内戦に発展しNATOの介入も受けたリビアでは40年以上にわたる長期独裁を続けていたカダフィ政権が崩壊します。

政権交代には至らなかったけれども大規模な反政府運動が起きたところや、政府自らが改革を進め反政府運動が沈静化した国も含めると、中東全体に「アラブの春」は広がりました。

しかし、「アラブの春」は成功したとはいえず、チュニジアを除くほとんどの国で民主化が定着するどころか、**「アラブの冬」**と呼ばれる挫折を経験します。

20世紀末から民主化が進んだ国もあるけれど、民主政治から権威主義体制へ戻っていった国との差し引きでいえば、民主化した国の数が下回れば波は収束したことになります。

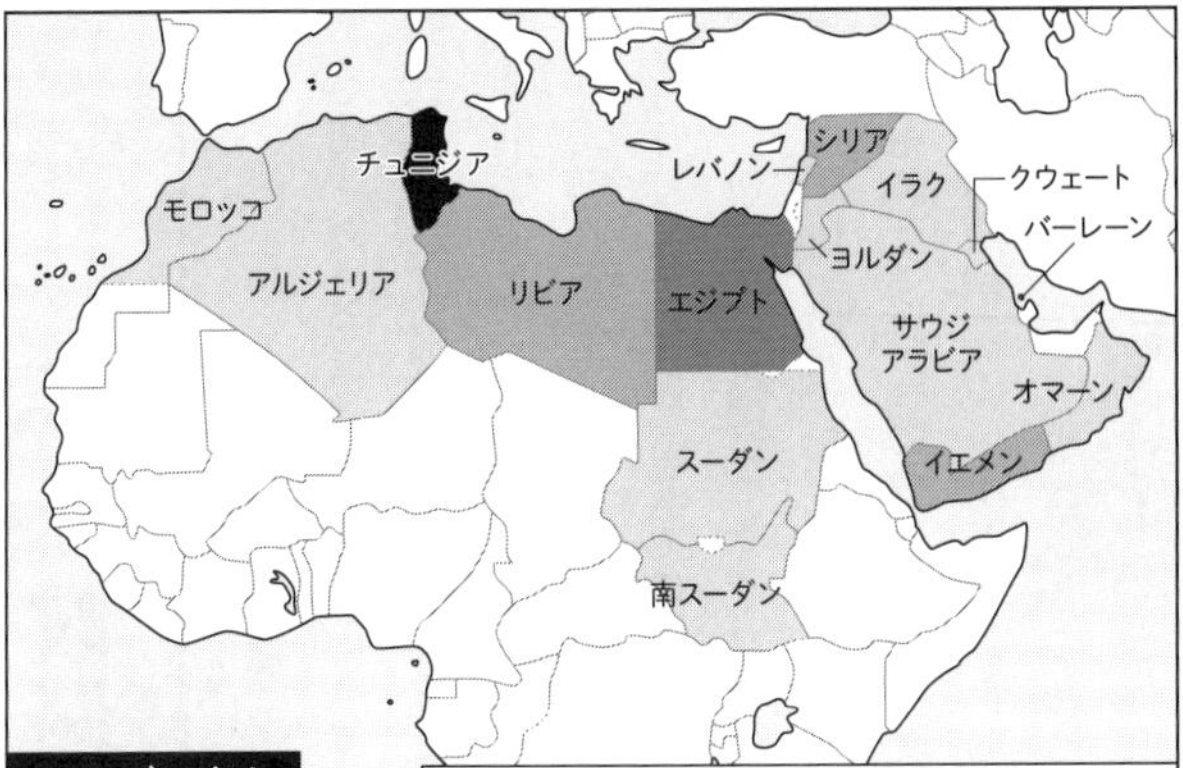

アラブの春とその後

出所：NHK NEWS WEB

結局、**第三の波は1990年代末には収束していた**といえるでしょう。アメリカの政治学者ラリー・ダイアモンドは21世紀に入ってからを「民主主義の不況」と表現しました。「不況」というよりむしろ「第三の波の揺り戻し」と捉えたほうがいいともいっています。

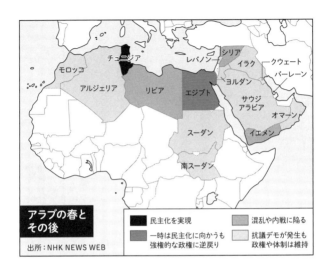

岐路に立つ民主主義

さて、ここまで民主化という言葉をほとんど説明してきませんでした。第一の波の時代は単に議会政治と法の支配（憲法政治）という外形的な制度が採用されていれば民主化されたといってよかったのですが、第二の波のあたりからどこの国も憲法と議会があるのは当たり前なので、その内実が問われることになります。

そこでよく指標として使われるのが、フリーダムハウスというアメリカに本部を置くNGO団体の指標です。フリーダムハウスはナチス＝ドイツに対抗するために設立された団体で、毎年レポートを発表しています。「政治的自由度」を自由で公正な普通選挙や、公職への立候補のアクセスなどといった項目で、また「市民的自由」を表現の自由や結社の自由といった項目で数値化しています。

民主主義とは何かということについては、多くの人が論じてきたし今も論じられています。大体においてこうした主義主張は人によってイメージや定義が大きく異なります。アメリカのウォルター・ガリーという哲学者がいったように、**「本質的に論争的な概念（essentially contested concept）」**だからです。

もちろん権威主義の概念だって「本質的に論争的な概念」です。ファシズム、全体主義、共産党の一党独裁、軍部独裁、こうした概念の違いは、という議論をし始めたらそれはそれで別の話になってしまいます。そこで何らかのかたちで定義づけなければ議論が本題に移りません。

ハンチントンは分析のためにあえて二分法的アプローチをとっています。

「全体主義と権威主義のこの区別は二〇世紀の政治を理解するうえで重要である。しかし、この研究では、「非民主主義」という用語を繰り返し使うことの意味上のぎこちなさを回避するために、すべての非民主的システムを「権威主義」という用語で表現することにする。非民主的、あるいは権威主義的な体制のなかの特定の形態については、一党支配システム、全体主義システム、個人独裁、軍事政権などと呼ぶ。」

（『第三の波』より）

経験的研究（政策科学）としての民主主義と、（規範的）政治理論としての民主主義を分ける考え方です。

そこでまずは民主主義とは何かを決めなければなりませんが、政策科学として民主主義と権威主義という政治体制を分析するために多く使われているのは、ヨーゼフ・シュンペーターとロバート・ダールによる考え方です。

シュンペーターは普通選挙、候補者の自由競争、公平公正で定期的に選挙が行なわれることを民主主義の条件としています。ダールも別の言葉で公的異議申し立て（シュンペーターのいう自由競争）と包括性（公平公正な普通選挙）という要素から成り立つとしています。これらを元に4つの基準に分類したものが『**民主主義を装う権威主義——世界化する選挙独裁とその論理**』（東島雅昌／千倉書房）にあったので掲載しておきます。

（1）執行府の首長が、直接的（大統領制の場合）あるいは間接的（議院内閣制の場合）に選挙によって選出され、有権者に直接（大統領制の場合）あるいは議会に対して（議院内閣制の場合）責任を持つ。

（2）選挙競争に、野党を含む複数の政党が参加している。
（3）選挙競争が、公正なものである。
（4）成年男子の半数以上が参政権を有している。

（『民主主義を装う権威主義』より）

この条件が1つでも欠けていれば権威主義体制とみなす。そしてこの4つの条件のうち4つとも欠けているものが**「選挙なし独裁制」**（中国やサウジアラビア）、（1）は行なわれているものの（2）が欠けている場合が**「閉鎖的独裁制」**（旧ソ連や北朝鮮など社会主義国）、（1）（2）は行なわれているものの（3）（4）が欠けている場合が**「競争寡頭的独裁制」**（制限選挙が行なわれていた時代のヨーロッパ諸国）、そして（3）の条件が欠けている場合が**「選挙独裁制」**（ロシアやマレーシア、シンガポール）と呼ぶものになり、これがとりわけ重要です。

この権威主義体制における4つの分類を経年変化で見ていくと、2000年から2020年にかけて「選挙独裁制」の比率が急上昇して、権威主義体制国家の7割を占めるようになっています。

世界の統治形態

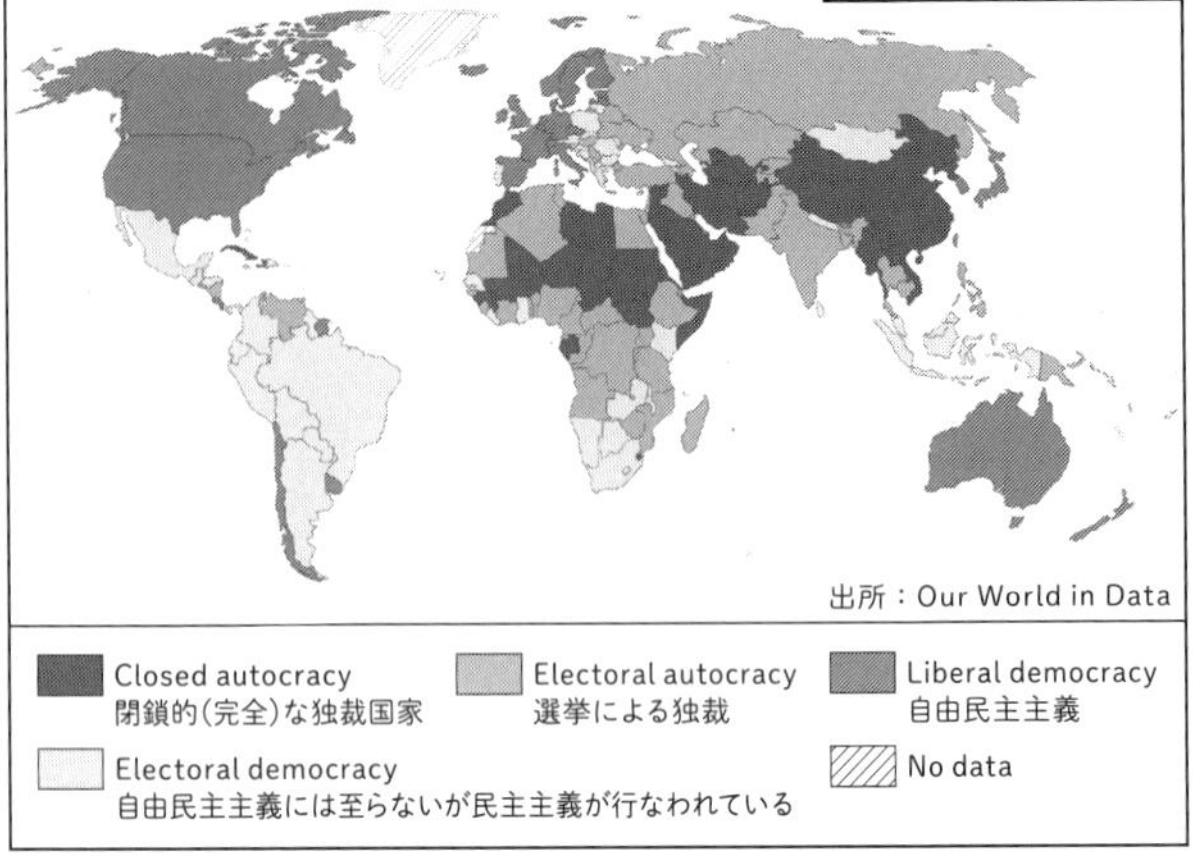

出所：Our World in Data

民主主義の第三の波が終わり、民主主義が後退して権威主義化が進み、権威主義の中でも「選挙独裁」（東島さんの著書名にある「民主主義を装う権威主義」）が増えているのです。

広まる権威主義

なぜ第三の波が終わり、いったん民主主義になったものの再び権威主義体制が広がりを見せているのか。チャーチルの命題、すなわち**「民主主義は最もマシな制度」**にもかかわらず、なぜ権威主義になびいてしまうのか。

漠然とした感覚だけで説明してみます。それは世界におけるアメリカと西ヨーロッパという自由民主主義を掲げていた国の地位の低下があるのではないかということです。モデルにならなくなったといってもいいでしょう。

1930年代のヨーロッパではイタリアやドイツの影響を受けてファシズムが広がりを見せました。1950年代以降はソ連側の社会主義に対抗して、「民主主義のほうが素晴らしいよ」（内実はどうあれ）というメッセージが世界中に広がり、民主主義が拡大していきました。危機の乗り越え方として他国を真似るのは当然のことでしょう。

ところが現在は、アメリカや西ヨーロッパの混乱した情報に接することが当たり前になりました。１９９４年に世界のＧＤＰの67％を占めていた主要７ヵ国（Ｇ７）ですが、２０２３年には45％を切るところまで落ち込んでいます。経済的な地位の低下が政治体制の魅力も衰えさせているのかもしれません。第三の波で民主化されたものの、生活が良くならなかったということもあるでしょう。この50年間で我々の社会は大きく変化しました。その背景には１９９０年代から進んだ第三次産業革命、そして現在進行中の第四次産業革命があります。加えて経済のグローバル化が進展して一国の経済活動が世界の経済状況に連動するようになり、生活が苦しくなったと感じている人たちにしてみれば、民主主義にはさほど意味を感じないかもしれません。こうした変化に対応することと民主主義はあまり関係ないと考えられるからです。

代わって台頭してきているのが、権威主義国家の典型例ともいえる、選挙独裁ですらない中国です。21世紀に入って一番経済成長を遂げたのが中国ですから、その影響は大きいものがあります。人権問題を理由に欧米からの援助が得られない国に中国が手を差しのべれば、自然と中国的な政治手法や政治的価値観が広がりを見せていくでしょう。

もう一つが選挙独裁の典型例であるロシアの存在です。イギリスのブレグジットや、２０１６年のアメリカ大統領選でのトランプ当選をめぐって、ロシアがインターネットを使ってフェイクニュースを流し恐怖を煽り、結果にそれなりの影響を与えたことが問題になりました。まさに政治体制の違いで対立を見せていた冷戦時代に戻っているかのようです。

他にも第1章で話したアイデンティティ政治（価値の分配の政治）によって国内の分断が広がっていることや、グローバル化による移民の急増によって社会が不安定になってきていることも民主主義を危ういものにしているのでしょう。

民主主義は政権交代を通じて諸問題を解決していく仕組みですが、現代社会は環境問題をはじめとして長期的課題を抱えています。こうした問題に対して数年ごとに選挙が行なわれるサイクルでは解決できません。その苛立ちが、極端な思想や政策を主張する勢力が伸びることにつながるのでしょう。

さて、前に挙げた政治体制としての民主主義の4条件が揃っていれば、十分な民主主義なのでしょうか。ラリー・ダイアモンドの**『侵食される民主主義——内部からの崩壊と専制国家の攻撃』**（勁草書房）によれば、

「自由民主主義は、以下のような要素を内包する。報道や結社、集会、信条、宗教な

どの基本的な自由に対する強力な保護。人種的・文化的マイノリティに対する公平な扱い。法のもとで全市民の平等が保たれ、誰も法の上に立つ者がいない強固な法の支配。その原則を守る独立した司法。その原則を追求する、信頼できる法執行機関。政府高官が汚職行為を行う可能性を抑制する、その他の機関。そして独立した団体、社会運動、大学、出版から成り、市民の利益のためにロビー活動や政府権力の抑制を促す、活発な市民社会である。」（『侵食される民主主義』より）

このように冒頭で挙げた4条件だけではなく、社会に網の目のように張り巡らされたセーフティネットが民主主義を支えているのです。

スティーブン・レビツキーとダニエル・ジブラットも『**民主主義の死に方——二極化する政治が招く独裁への道**』（新潮社）の中で「柔らかいガードレール」といって**相互的寛容と組織的自制心**という2つの規範が民主主義を支える根底にあるといっています。この2つの精神がなければ、対立が罵り合いになり、話し合うこと自体が不可能な状況になります。法律に反していないのだから何をやったっていいだろうとか、民主主義は多数決なんだから選挙で勝った者は何をしてもいい、といった単純な原則に有効な反論がなかなか見当たらないところが大問題なのです。

つまり、**民主主義を殺すのはクーデターをはじめとする暴力ではなく民主主義の原則なのかもしれない**ということです。

『侵食される民主主義』も『民主主義の死に方』も、2016年のアメリカ大統領選挙でトランプが当選した衝撃を受けて書かれたものです。それほどまでにトランプなる存在が民主主義を瓦解させる危険性があるというのに、2024年のアメリカ大統領選挙でのトランプの再選をアメリカ本国のみならず日本でも待ち望んでいる人がいることがネット上で散見されます。しかも彼らにとってはトランプが勝利することが民主主義なのです。これが民主主義によって民主主義が殺されるということです。

2020年の大統領選挙でトランプが負けたとき、郵便投票が操作されたと主張する人たちがいました。彼らにしてみれば、先の4条件のうち公正な選挙を行なっていないのはバイデンであって、バイデンこそが選挙独裁なのだという見方なのです。

アメリカだけではなく、ヨーロッパでも日本でも民主主義のバックスライディングを危惧する動きが2000年代に入ってから見られるようになりました。それがポピュリズムの台頭です。

ポピュリスト・モーメント

21世紀になってポピュリズムの語が世界各地で広まっています。代表的なポピュリズムを列記していきます。

アメリカ合衆国で2016年の大統領選挙に立候補したトランプはメキシコからの移民を犯罪者呼ばわりするヘイトスピーチ、女性を蔑視した発言、他にも多くの放言を行ない、これを多くのメディアが報じながらも当選します。

ブラジルは2019年から大統領を務めていたボルソナロがポピュリストとして知られています。LGBTQの人々の権利を認める法律を議会が認めても反対し、先住民や黒人、移民についても差別的発言を連発しています。ラテンアメリカでは他にも、ベネズエラのチャベスと後継者のマドゥロ、ペルーのアルベルト・フジモリ、メキシコのロペス・オブラドールが有名です。ベネズエラは隣国のガイアナの3分の2にあたるエキセボ地方の領有権を突如主張して緊張が高まっています。

ヨーロッパのポピュリストとして筆頭に挙げられるのは、「フィデス」という政党を率いるハンガリーのオルバーンでしょう。少子化に歯止めをかけるために桁外れの予算を投じたことは有名です。

イタリアで初の女性首相となったジョルジャ・メローニは「イタリアの同胞」という極右政党を率いています。また、ドイツでは反移民・難民を訴える「AfD《アーエフデー》(ドイツのための選択肢)」が議会第三党に、スウェーデンでも反移民を掲げる「スウェーデン民主党」が第二党にまで成長しています。

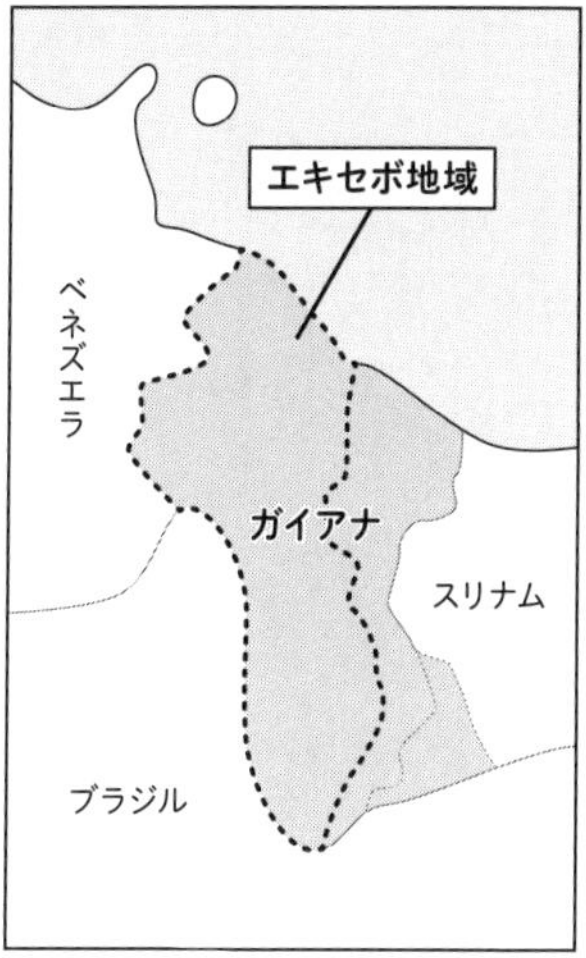

ヨーロッパは挙げるとキリがない(というかすべての国でポピュリズム政党が力を持っている)ほどですから、最後にポーランドについて触れておきましょう。「法と正義」という政党がポピュリズム政党で、国内をまとめあげるためには隣国のドイツやロシアとの対立も辞さず、反移民、反LGBTQ

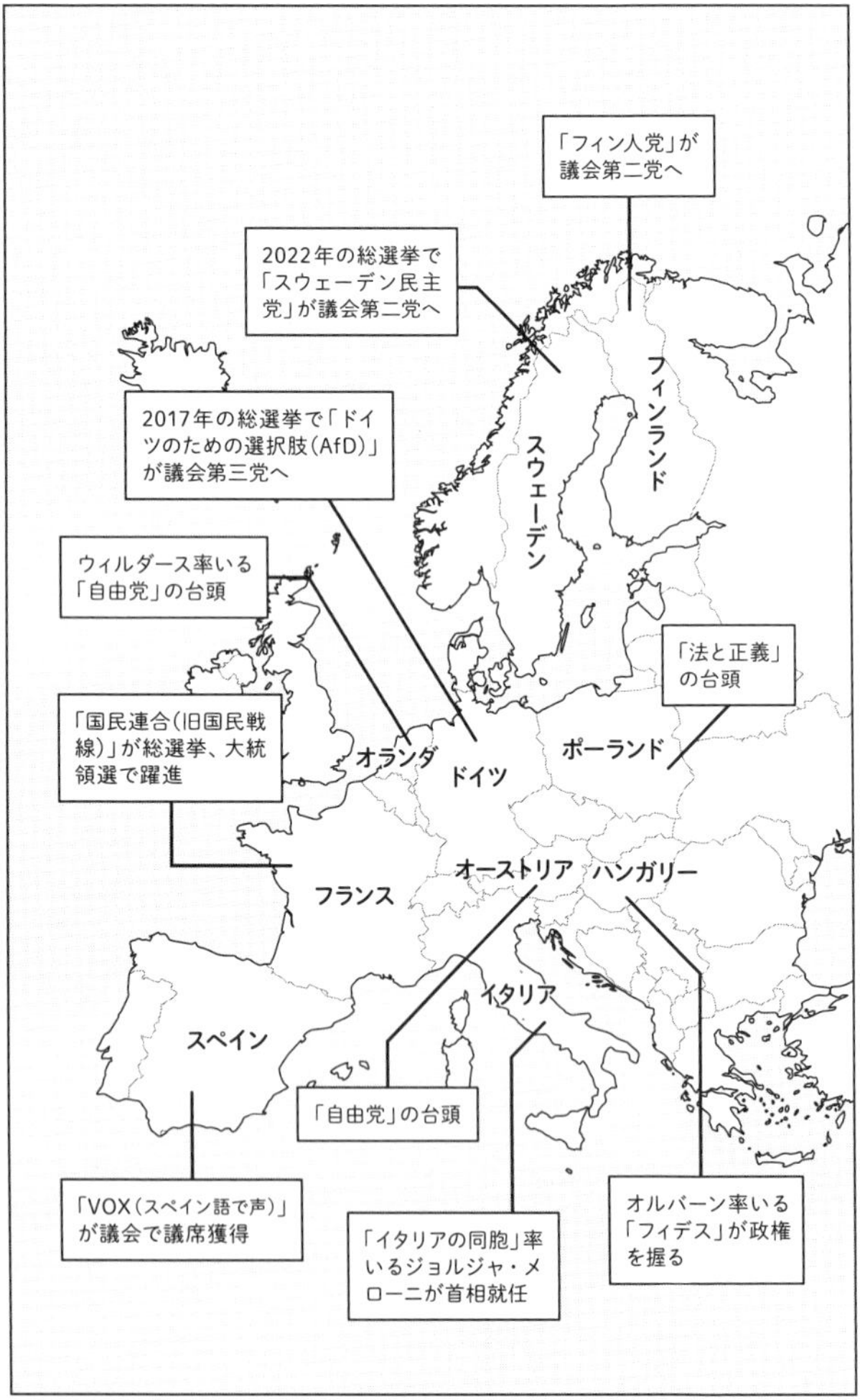
「フィン人党」が
議会第二党へ
2022年の総選挙で
「スウェーデン民主
党」が議会第二党へ
2017年の総選挙で「ドイ
ツのための選択肢(AfD)」
が議会第三党へ
ウィルダース率いる
「自由党」の台頭
「法と正義」
の台頭
「国民連合(旧国民戦
線)」が総選挙、大統
領選で躍進
フィンランド
スウェーデン
オランダ
ドイツ
ポーランド
オーストリア
ハンガリー
フランス
イタリア
スペイン
「自由党」の台頭
「VOX(スペイン語で声)」
が議会で議席獲得
「イタリアの同胞」率
いるジョルジャ・メ
ローニが首相就任
オルバーン率いる
「フィデス」が政権
を握る

と、日本のネトウヨ諸君が興奮しそうな政治姿勢と政策を掲げています。2023年の総選挙で第一党ながらも過半数がとれず野党連合に政権を奪われましたが、今後も動向をウォッチしがいのある国です。

日本のポピュリストといえば小泉純一郎や橋下徹が挙げられます。日本だけでなく世界のポピュリズムを比較しながら論じた本に**『暴走するポピュリズム――日本と世界の政治危機』**（有馬晋作／筑摩選書）があります。ポピュリズムを学ぶならこの本からといえる一冊です。

では、ポピュリズム概念について最低限のことを確認しましょう。

まずポピュリズムの語が世界で初めて登場したのは、19世紀末のアメリカ合衆国でした。アメリカ西部の農民が起こした政治運動でポピュリストを名乗る人々が現れます。彼らの主張は東部エスタブリッシュメントへの批判でした。

当時のアメリカは産業革命の進展で工業化が進んでいましたが、西部で生産される小麦は都市への食糧供給として重要さを増していました。しかし、農産物を都市へ運ぶための鉄道運賃を高く設定され、農民の手取りが少なくなることへの不満が政治運動につながったわけです。

民主党と共和党という現在まで続く二大政党は、こうした農民の窮乏に耳を傾けなかったのです。そして1892年の大統領選挙に出馬したポピュリスト党は10％弱の得票率と善戦しました。結局はポピュリスト党の主張を民主党が取り入れたことで、この運動は短命に終わります。

次にポピュリズムを名乗る運動が広まったのはラテンアメリカでした。ラテンアメリカは広大ですが、産業構造や人口構成にほとんど違いがないために、多くの国々で同時多発的な政治運動が展開されます。

19世紀前半に独立して以来、経済的には一次産品の輸出が主な産業となっています。政治的にはプランテーション地主が権力を独占する寡頭支配体制が続いていました。1930年代に世界恐慌がラテンアメリカにまで広がると、農産物価格の下落から農民の生活が苦しくなります。これを背景としてポピュリスト政権が各地に成立します。

メキシコのカルデナス大統領は石油国有化に踏み切り、ブラジルのヴァルガス大統領も資源の国有化を宣言した他、労働者保護の政策を発表します。アルゼンチンではペロン大統領が女性参政権の実現や労働組合の保護、労働者の賃上げ、さらに外資系企業の国有化といった急進的な政策を実施します。このアルゼンチンのペロンモデルはポピュリズムの典型例とされています。

このアメリカ合衆国及びラテンアメリカのポピュリズムは教科書的にいえば、必ず掲載されているものなのですが、ほかにも1870年代のロシアで広がったヴ＝ナロード運動（人民の中へ運動）や、1950年代初頭に吹き荒れたアメリカのマッカーシズムを含める人もいて、ポピュリズムとは何かという定義すらいまだにはっきりしていません。

アメリカ合衆国とラテンアメリカにおけるポピュリズムからは、それらが悪いものであるといったイメージはさほど浮かんできません。むしろ弱者の味方という良いイメージさえあります。

ところがなぜ21世紀のポピュリズムが悪いイメージを持つようになったのか。ポピュリズムには良いポピュリズムと悪いポピュリズムがあるのか。

ベルギーの政治学者シャンタル・ムフは、『**左派ポピュリズムのために**』（明石書店）を著し、民主主義の回復のために戦略としてポピュリズムを利用しようと主張します。ポピュリズムを右派に回収されないためにも、左派こそポピュリズムを利用すべきだといっていいでしょう。ここからわかるように、現代のポピュリズムは右派ポピュリズムとして生まれます。ここでいう右派とは、民衆の不満を利用して民主主義を否定しようとするニュアンスです。

ところが、ムフのように左右のポピュリズムがあるという捉え方に対して、「右も左も関係ない、上か下かなのだ」という捉え方のほうが一般的です。ポピュリズムは下からの運動なのだというのは、アメリカ合衆国やラテンアメリカで育ち、現在広がりを見せているポピュリズムの共通点になっています。反エリート主義といってもいいでしょう。

ただし、ポピュリズムには民主主義の持つ相反する2つの要素が兼ね備わっていることは踏まえておかなければなりません。

この2つの要素をムフのように左右で表現すると、政策次元での違いというイメージになるので、今から触れることは左右とは無関係です。この相反する2つの要素については**『ポピュリズムとは何か――民主主義の敵か、改革の希望か』**（水島治郎／中公新書）に書かれてあることをぼくがまとめたものです。

民主主義には、ただの民主主義と自由民主主義の2種類があって、前者は直接民主主義的な志向を持ち、民衆による権力の集中といった側面があり、後者は間接民主制、法の支配、権力の抑制といった側面があります。前項で紹介したラリー・ダイアモンドの引用は冒頭から「自由民主主義は、以下のような……」と、ただの民主主義ではなく自由民主主義とはっきりいっています。

自由民主主義の観点から見るとポピュリズムは非常に危険な運動です。権威主義へ道を開くものに見えます。それは、

（1）問題解決のために手続きを無視する
（2）多数派原則を重視して少数派の主張が無視される
（3）司法や官僚制といった非民主的な制度や権限を制約してその時々の気分に流される政治になる
（4）人々を動員するために敵味方の二分法をとるあまり、社会に亀裂が生まれる

ポピュリズムが民主主義を否定していないからこそ、**民主主義を脅威にさらす**ことにつながる恐れがあるということです。

ところがただの民主主義の観点から見ると、ポピュリズムは**民主主義を活性化させ**

るのではないかともいえます。

（1）政治から排除された人々の政治参加を促す

（2）既存の枠組みにとらわれない新たな政治・社会的なまとまりをつくり出し政治の革新が可能になる

（3）問題を個人で解決するのではなく、政治の場に引き出すことで「政治」そのものの復権を促す

20世紀から21世紀にかけて農業社会から工業化社会へ、さらにはポスト工業化社会へと産業構造が変化する中で、農業組合や労働組合に組織されない人々が急増していきました。特定の支持政党を持たない無党派層も増えています。こうした人々へアプローチするのがポピュリズムであるとすれば、確かにポピュリズムは民主主義を活性化することにつながる気もします。

このポピュリズムが急速に広がった背景には移民をめぐる状況があるといわれています。そのことについて見ていきましょう。

何が排外主義を生むのか

21世紀のポピュリズムは多くの民主主義国で力を持ってきていますが、ヨーロッパのポピュリズムの背景にあるものは、移民の増加といわれています。

ヨーロッパでは17世紀以降、国によっては多くの移民を受け入れてきました。特にオランダやイギリスのようにアジア、アフリカへ力を伸ばした国はそうでした。

第二次世界大戦後はドイツのように労働力不足から多くのトルコ人が移住するなど、移民自体は徐々に増えてきたといっていいでしょう。その過程で移民が自分たちの仕事を奪っていったとか、移民が低賃金で働くから自分たちの給料も減った、といった経済的要因で排外主義が広がったというふうに説明されます。

アメリカ合衆国でも中西部、特にイリノイ、インディアナ、ミシガン、オハイオ、ウィスコンシンといった州はラストベルト（錆びついた工業地帯）と呼ばれ、産業構造の変化に伴って雇用が失われた労働者が、ポピュリストであるトランプを支持したといわれます。

確かにポピュリズムは「下」からの運動ですから、この説明はしっくりきます。ところが、こうした低所得層が外国人労働者を憎む排外主義につながるという説明は、政治学的に見るとかなり怪しいようです。**『欧州の排外主義とナショナリズム――調査から見る世論の本質』**（中井遼／新泉社）は、経済的な要因が排外主義を生み出すという一見して俗耳に入りやすい理論に対して、多くの統計を分析しながら、**排外主義の広がりは経済的な要因よりも文化的態度といった非経済的な要因のほうが大きい**ことを示しています。排外主義的な傾向を持つ人は所得の高低、失業中かそうでないか、年齢の違い、男女の差といったものにあまり左右されていないのです。

これは日本における研究でもそうで、**『ネット右翼とは何か』**（樋口直人ほか／青弓社）や**『日本は「右傾化」したのか』**（小熊英二、樋口直人編／慶應義塾大学出版会）などでも、正規雇用者や経営者といった人たちに排外主義的傾向が強いことが明らかにされています。ぼくもよく排外主義的主張を掲げるネトウヨを街頭でウォッチしていますが、参加者には年金生活者にしか見えない人が多く、女性もそれなりに参加しています。どう見ても彼らが外国人労働者と競合しているとは思えません。要はポピ

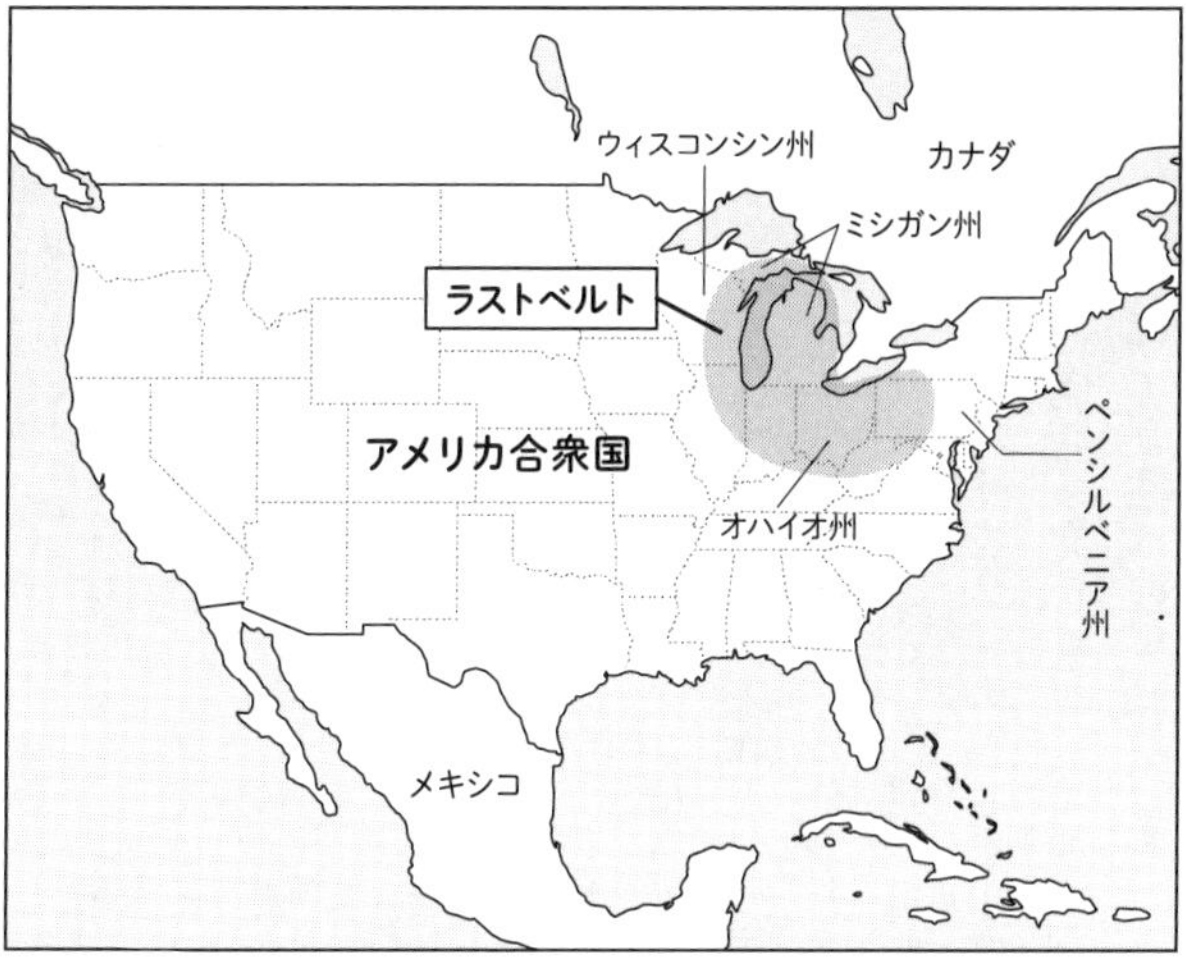

ュリズム（下の人たちによる運動）と排外主義は直接結びついていないようです。

非経済的側面から排外主義になるケースをポーランドを例に見てみましょう。

2015年にイスラーム系難民がギリシアとイタリアに押し寄せたのですが、[*1] 対応策としてEU理事会がEU加盟各国で難民を分担して受け入れることを決定します。

ちょうどこの決定がなされる頃、ポーランドでは総選挙が行なわれ、「法と正義」という政党は争点にこの難民問題を持ち出して、難民が病気を持ち込む、移民はポーランドの文化を尊重しない、移民が女性を襲うといった恐怖心を煽るようなキャンペーンを張ります。経済的な理由は掲げていないのです。

この過程からわかるように、反ＥＵというものが反移民に付随して強調されます。ヨーロッパの排外主義（反移民）の運動が反ＥＵとなることは、イギリスのブレグジットを見ても明らかです。[*2]

当時のヨーロッパで、５００ページを超える大著にもかかわらずベストセラーになった**『西洋の自死――移民・アイデンティティ・イスラム』**（ダグラス・マレー／東洋経済新報社）という右派系ジャーナリストが書いた反移民ルポルタージュがあります。移民が犯した犯罪を報じようにも人種差別主義者とレッテルを貼られるために報道できない、多様性や多文化主義という思想のために移民を受け入れざるを得ず、それが社会の混乱を生んでいる、といったかたちで西ヨーロッパが生み出した価値観に自らが苦しめられていることを告発したものです。

２０１５年にはパリで２つの大きな事件が起きます。一つはシャルリー＝エブド事件、もう一つは同時多発テロ事件です。[*3] 同年にはスウェーデンでシリアの難民がフェスティバル会場で女性への集団暴行を行なった事件もありました。こうした移民や難民に対して、価値観を異にするという身体感覚が排外主義を高めていきます。

ヨーロッパでは主権国家の上位にＥＵがあって、移民を押し付けているのはＥＵなので反ＥＵ＝反移民になるのですが、ＥＵのようなものがないアメリカや日本は反移民と何が結びつくのでしょうか。それが日本やアメリカで使われるようになった反グローバリズムという言葉です。グローバリズムが移民を増大させたり、ＬＧＢＴＱ問題を引き起こしたり、ワクチン接種を強制して人体実験をやったりと、すべての悪の元凶であると批判するのです。

＊１　「アラブの春」の混乱の中でシリアやリビアで内戦が始まり、その惨禍から逃れるために多数の難民がヨーロッパに逃れてくる。とりわけ２０１５年には多数の難民が国外へ逃れ、大きな問題となった。14年にＥＵ加盟国に難民が行なった庇護申請は63万件だったが、15年は１３０万件と倍増した。

＊２　フェイクニュースという言葉が広まるきっかけとなったのがブレグジットであった。２０１６年にイギリスのＥＵ脱退の是非を問う国民投票の際、ＥＵに毎週支払っている3億５０００万ポンドを自国の福祉に使おうというメッセージがＳＮＳ上で広がるが、これは嘘の数字であった。

＊３　シャルリー＝エブド事件とは、ムハンマドの風刺画を掲載した新聞社をイスラーム過激派が襲撃し、警察官を含む12人を殺害した事件。同時多発テロ事件とは、パリ市内の6ヵ所でＩＳＩＳの戦闘員が銃撃と爆弾テロを行ない１３０人が死亡した事件。

では、このグローバリズムとは何なのかといえば、正体のない幽霊なので、ユダヤ人だ、国際金融資本だ、ディープステートだと、いいたい放題の陰謀論と接続されていくのです。『欧州の排外主義とナショナリズム』には、**政治的無関心層ほど反移民の主張は少なく、むしろ政治への関心が高い層に反移民の主張が見られる**ということも書かれていました。日本では反移民の感情が欧米ほど強くないように見えますが、これは国政選挙の投票率が5割しかない関心の低さと関係しているのかな、と思ったりもしています。

EUに主権を一部譲渡しているヨーロッパ各国では、EUをなぜつくったのかという原点から、ヨーロッパに住む人々の共通の記憶としてヨーロッパの歴史と自国の歴史を接続させようとする試みが続けられていました。しかし反EUの声が高まると、自国中心的な歴史修正主義が出てきます。アメリカや日本でも、陰謀論と結ぶ歴史修正主義が排外主義と手を携えながら忍びよるようにこの20年で広まりを見せています。

次はこの歴史修正主義の話をしましょう。直感でしかないのですが、移民や難民をはじめとする外国人へのフォビア（恐怖症）は、国民の物語を共有できないことを肌で感じているから、という気がするのです。

かもしれません。

意図的に歴史を書き換える歴史修正主義

修正主義(revisionism)という用語ほど、時代とともに意味が変わったものはないかもしれません。

歴史学における修正主義の語はイギリス史研究の中で生まれてきます。イギリスではホイッグ史観といって、イギリスの歴史の歩みは人類全体に共有されるべきものだという見方が19世紀に確立されます。19世紀はイギリスが覇権を握り政治的、経済的に大きな影響を世界に及ぼしたのですから、当然かもしれません。立憲政治や議会政治はイギリスで確立され世界に広まったことも否定する人はいないでしょう。

しかし20世紀になって歴史学自体も新しい流れが生まれるに至り、ホイッグ史観を批判する様々な学問的業績が蓄積されます。17世紀のピューリタン革命の性格の再考を皮切りに、16世紀の宗教改革や18世紀の産業革命の実像について見直しが進むのです。

これらの動きが修正主義と呼ばれたものであって、この意味における修正主義に悪い意味はまったくありません。学問の発展で新しいものの見方が出てきた、というくらいなものです。ところが20世紀後半になって修正主義に否定的な意味が込められるようになります。そこで従来の歴史研究の新潮流としての意味はただの「修正」、そうでなく悪い意味を持つものが「修正主義」となります。

悪い意味というのは、政治的な意図によって恣意的な歴史の筋書きに書き換えるという、**歴史を政治に従属させようとする主張**のことです。

歴史修正主義という言葉が否定的な意味合いを強く持つようになるのは、第4章のドイツの項で話した、歴史家論争でハーバーマスがノルテらを非難したときからだといわれています。

これに対して修正主義と呼ばれた側は、「世の中で多数派となっている考え方は、主流派がメディアを使ってつくり出している産物であって間違っている、正しいのは自分たちだ」と考えているために修正主義＝正義と考えているのです。

それゆえ『歴史修正主義からの挑戦――日本人は「日本」を取り戻せるのか？』（小堀圭一郎／経営科学出版）のような本の題名を自ら使うことになります。余談になりますが、『ネトウヨ アメリカへ行く――日本のネトウヨが史上初めて米国政治家たちとの本音バトル！』（桜井誠／日本一出版）も同じことです。ネトウヨという蔑称を自ら使うことをどう思っているのか著者に聞いてみたいところです。やはり、ネトウヨという言葉を、イコール正義だと思っているのでしょうか。

修正主義の語の意味が大きく転換することで、現在**欧米では修正主義の語に代えて、「（歴史）否定論」と呼ぶ**ようになっています。第4章で触れた、アンリ・ルソーが言った「否認主義」から派生したものでしょう。ただし否定論は「ホロコーストなんてなかった」というような主張に対してはしっくりきますが、過去を肯定的に捉え直すようなもの（日本の戦争はアジアの解放のためだったのだ、など）については、否定論ではちょっとおかしな気がします。修正主義と否定論の線引きは難しいけれども、両方使い分けていくのがよいのではないでしょうか。

『歴史修正主義——ヒトラー賛美、ホロコースト否定論から法規制まで』（武井彩佳／中公新書）は歴史修正主義＝歴史否定論を学ぼうとする際の必読書といえます。ぼくの一番のお薦めですのでぜひお読みください。

「どうやら歴史修正主義の問題は、政治的な意図の存在にあるようだ。歴史の修正の目的は、政治体制の正当化か、これに不都合な事実の隠蔽《いんぺい》である。現状を必然的な結果として説明するために、もしくは現状を批判するために、歴史の筋書きを提供する。これが「主義＝イズム」としての歴史修正主義だ。（略）このため歴史修正主義は、歴史の政治利用の問題と常に結び付いている。」

（『歴史修正主義』より）

インターネットで保守を名乗る人たちの大半は歴史修正主義に立っています。真実に目覚めてしまって「おはよう」した人たちです。彼らは日本の教育を変えなければならないというふうに、すぐに「教育」の二文字を持ち出します。ところが、歴史の教科書に真実は書かれていない、学校で学んだものはすべて嘘の歴史だ、など彼らにとっての教育とは歴史教育のことしか指していません。だから彼らは歴史教科書を書き換えることには頑張りますが、それ以外の教科についてはまったく触れていないのです。

ところが武井さんは続けてこういいます。

「しかし、なぜ歴史を政治的な目的のために使ってはならないのだろうか。」（同）

この意味するところを、ここまで読んでこられた賢明な読者の方はおわかりでしょう。国民国家は国民の集合的記憶として自らの物語をつくらなければならないわけで、それは意図的にある事実の忘却を通じたかたちで神話をつくらなければならないのです。**国民の物語としての歴史自体が政治のために「修正」されている**のです。

だから歴史修正主義を簡単に一蹴するということは難しいのです。歴史を政治に利用してどこがいけないのかという問いは、第4章で話した歴史家論争時の論点の一つですが、これについてはまだ誰もが納得できる回答を提示していないように見えます。

もう一つだけ大事な話をしておきます。それは1970年代頃から流行した、歴史学を含む人文社会科学全般に大きな影響を与えた言語論的転回です。ざっくりいってしまうと、ある客観的事実を言葉で説明できるという考え方は間違っていて、言葉がその事実を解釈しているに過ぎないというものです。ということは、言葉にできた事実もそれは単なる解釈に過ぎないから事実そのものではないことになります。もっといえば、言葉になっていない事実がある、となったらどうなるか。

これは、「事実とは何か」という深刻な問題を引き起こします。言葉を使わなければ事実はわからないのに、言葉を使うこと自体が事実を歪めてしまっている。歴史学は元来、資料を用いて事実を認識し、その認識に意味を求めるために解釈を施すという性格のものですが、その大元の事実を認識するということ自体ができない可能性があるということですから学問の存在意義が疑われるわけです。

歴史を政治に利用することを前提としても、そのときに歴史学の役割が不確定だと歴史はますます政治に従属してしまいます。このあたりの話は哲学的な領域に入り込んでしまいますのでここまでにしておきましょう。

要は、客観的に見て正しい歴史などというものはなくて、国民の物語として正しい歴史、つまり政治的に正しい（ポリティカルコレクトネス）歴史しかないのです。とはいえ、その正しさも自国内でのみ流通すればよいというものでなく、他国から見てもそれなりの正当性を持った物語でなければならない、ということが国民国家の下で歴史を語る際のマナーであるといえるでしょう。

「正史」という神話＝カルチャーに対して、修正主義＝サブカルチャーがどこまで対抗できるかはわかりませんが、修正主義が様々なオカルト思想と連携しながら広がることを、雑誌『ムー』を笑いながら読むように、俗説と楽しめるリテラシーを持ちたいものです。

歴史修正主義と結びつく陰謀論

この本も終わりが近づいてきました。歴史修正主義（否定論を含む）がトンデモな考え方と結びついていくことを話してみたいと思います。

まずは陰謀論について。近年、陰謀論の語が使われることが多くなりました。この言葉自体は古くからあるのですが、アメリカ大統領選でトランプが候補者になった頃から日本では人口に膾炙《かいしゃ》し始めた感じがします。

陰謀論はとても幅が広くて、有名なユダヤ陰謀論から、宇宙人によってアメリカ政府が動かされているとか、気候変動はウソだとかまで数え上げればキリがありません。

こういう話はただの冗談として酒場で消費されるぶんにはいいのですが、実際には尾ひれがつきながら再生産され続け、何百年もの寿命を持つことはユダヤ陰謀論を見れば明らかです。そして、それが現実世界で大きな事件を起こしてきたことを考えたら、学問的にも多くの蓄積があってよさそうなものなのですが、ようやく近年になって研究が進んでいるようです。

現在は陰謀論についての定義すらないけれども、最低限のポイントを列記します。

（1）偶然を認めず、すべては必然と考える。
（2）すべてはつながっていると考える。
（3）結果から原因を逆算して考える。

戦争の後で大儲けしたAさんがいたとします。したがってAさんが戦争を起こしたと考えるのが典型的な陰謀論的思考です。

あるプロジェクトを担当していた人が病気で急死したあと、このプロジェクトに反対していた人に殺されたのだと考えるのもそうです。おじいさんがアメリカと強いつながりのある政治家だから、孫の政治家もアメリカとつながっているに決まっている、と無条件に考えてしまうのもかなりヤバイです。

悪い奴らがどこかで世の中を動かしているという善悪二元論的な思考。これは**悪いエリートと良い民衆という二分法に基づくポピュリズムと親和性があります。**

よくできたテレビの2時間ドラマのように前半でしっかりと伏線を張っておき、後半で伏線を回収しながら、アッといわせるラストシーンで視聴者を楽しませる。こういう物語で歴史を説明されたら、面白いと思います。歴史修正主義によく取り入れられる手法といえるでしょう。

「陰謀論者には証拠は意味をなさない。自分の主張に対して強い反証となる事実が目の前にあっても、受け入れることを拒否し、自分の世界観に基づいて解釈する。つまり、自分の信じる「現実」の姿が先にあり、これを説明するための道筋は立てるが、証拠を示す必要はないため、現実を説明する解釈はいくらでも可能である。さらに言えば、すでにある動機がその人の認識を条件付けるため、原因と結果の関係に関する錯誤がある。」

（『歴史修正主義』より）

陰謀論と結びつきやすいものにスピリチュアルがあるといわれます。陰謀論＝コンスピラシーと掛け合わせてコンスピリチュアリティという造語も生まれています。『**コンスピリチュアリティ入門——スピリチュアルな人は陰謀論を信じやすいか**』（横山茂雄ほか／創元社）はこうしたことに興味を持っている人にとっての必読書といえるでしょう。

スピリチュアルはとても一人の人間が追い切れるようなものでない、非常に幅の広い概念です。大きな書店では宗教コーナーに置かれているように、宗教の一種＝亜宗教といっていいと思います。

1970年代、ニューエイジと呼ばれる思想がアメリカでブームになり世界に広がります。これが現在スピリチュアルへと発展し、精神世界とか宇宙のエネルギーとか、超常現象や神秘体験などのことを指していますが、申し訳ないけどぼくはこうしたことがまったくの苦手で詳しくは語れません。**『亜宗教――オカルト、スピリチュアル、疑似科学から陰謀論まで』**（中村圭志／インターナショナル新書）は、ぼくが子どもの頃から流行ってたなぁ（興味はなかったけど）というスピリチュアルな事象をコンパクトにまとめ、かつ楽に読める本でした。

なぜ、ぼくがスピリチュアルに興味を持てなかったかというと、フランスの人類学者クロード・レヴィ＝ストロースが『野生の思考』（みすず書房）で述べた、「ブリコラージュ」（ブリコラージュをつくる人をブリコロールと呼ぶ）になっているからなのです。
『野生の思考』でレヴィ＝ストロースは近代人の科学的思考を「エンジニア」、未開人の野生の思考を「ブリコラージュ」といいます。ちなみにどちらが優れているか劣っているかを問うのではありません。手元にあるものを何でも使って何かをつくっていくのがブリコラージュ、何をつくるかを決めてから素材を用意していくのがエンジニアです。

カレーライスをつくろうと思ったら、まずレシピを見て、食材や調味料を購入し、といったつくり方がエンジニア型です。一方、カレーライスをつくろうと思ったとき、冷蔵庫の中にあるものを入れたらどうなるかな、この調味料も入れてみたらいいんじゃないかなって感じでつくっていくのがブリコラージュ型です。どちらが美味しい料理になるかはわかりません。

スピリチュアルはブリコラージュのように、そこにあるものをすべてつなげていく。この、**すべてがつながっているというところが陰謀論と相性がいい**のでしょう。

農薬は大地の力を弱らせてしまう、だから無農薬農法をやらないとダメだ。こうした主張は自分で持って、自分で実践していくだけならともかく、国の農業政策としては困ると思います。外来種によって在来種が駆逐され生態系が破壊されてしまう。自分もこの生態系の中ですべてつながっている一部だ。したがって生態系を破壊する恐れのある外来種を排除しよう。ここで止まるぶんにはいいのですが、これを人間社会に当てはめると簡単に排外主義者が一丁出来上がりとなってしまいます。

コンスピリチュアリティは排外主義とも結びつきやすいのです。外来種を排除しようとする言説がヘイトスピーチですから、これらはすべて自国第一のナショナリスティックな主張を持つ歴史修正主義に流れ込んでいきます。

「外来種によって常に我が国は危険にさらされている。伝統的価値観を守るために外来種は徹底して排除しなければならない。外国から持ち込まれた同性婚とかＬＧＢＴＱの権利とかは認めるわけにいかない」

「第二次世界大戦に負けた日本だが、アメリカは日本がとても怖かったので徹底的に日本の弱体化を図った。コメに代えて小麦を食べさせよう。日本人のスピリットの源になっているらしい「そしじ」の文字を使用禁止にさせよう*。だが戦争を経験した日本人はすごかった。あっという間に経済大国に成長していった。何とかしなければならないと考えたグローバル勢力は日航１２３便を自衛隊が誤って撃墜してしまったことを内緒にする代わりに、プラザ合意で円高を認めさせた。（以下略）」

このように歴史修正主義は反グローバリズム、反外国勢力、陰謀論、スピリチュアル、ヘイトスピーチと結びついて壮大な物語を紡いでいく。こうしたことを真剣に信じている人と対話ができるのだろうかという疑問があります。

ある問題が政治的な場に持ち込まれたとき、最後は多数決で決めなければなりませんが、負けたほうは納得することはないでしょう。例を挙げれば、その不満から2021年のアメリカ合衆国議会議事堂襲撃事件が起きました。

国民国家がつくられたことによって国民国家と国民国家の紛争が起きます。国民国家の中で国民同士の対立も起きます。過ぎてしまった過去をめぐって互いに憎み合う。世界は身近なところで、そして地球の裏側でもいつも紛争に明け暮れています。その紛争が言葉のやりとりだけで終わってくれたらなぁと思いながら、残された人生、いろんな揉め事を真剣に眺めていきたいと思っています。


（＊「そしじ　雨宮純」で検索していただきたい。）

おわりに

能力の低い人間がオリジナリティを求めるより、糟粕《そうはく》を嘗《な》めるほうが人生にとって有意義ではないかと、いつの日からか思うようになりました。そのため、この本にもオリジナリティなどはまったくありません。それでも、現在の世界が抱えるナショナリズムの問題や歴史認識をめぐる問題をカタログ的ではあるけどコンパクトにまとめることができたのではないかと思っています。

したがって、この本を踏み台にもっと深く広く世界のことを眺めていく第一歩にしてもらえれば、つまり、読み捨てられることが筆者にとっては一番望ましいです。

インターネットを通じて、読書を通じて、知らない世界にアプローチできる恵まれた時代にぼくたちは住んでいる。明日のことを考える余裕も享受している。だから、世界で起きている様々な出来事に対して監視の姿勢をとり続けることができるはず。

多くの人たちは活動家ではないし、活動家になる義務もありません。理不尽な出来事や不正に対して「ぼくたちは忘れない、ずっと見続けてやる」という姿勢をとり続けることが、こうした出来事の解決にとって最も近道なのだということを信じています。

おそらく自分にとって、最初で最後の著作になるであろうこの本を不幸にも手に取り、ここまで読んでいただいた読者に感謝。そして、この本を企画し、ともにつくってくれた大和書房の三輪謙郎さんに感謝。

楽器の演奏だって毎日続ければ、一日数分の練習でも気がつけばかなり上達しているもの。一日数分だけでも世界を見渡すために、ぼくたちの目となってくれているジャーナリストや研究者の方々にも感謝。

では、ごきげんよう。

荒巻豊志

荒巻豊志（あらまき・とよし）

1964年福岡県生まれ。1988年東京学芸大学卒業、1990年松下政経塾卒塾。現在は東進ハイスクールで「東大世界史」を担当し、「受験世界史に荒巻あり」といわれる超実力人気講師。歴史の因果関係を明らかにしながら進んでいくハイテンションかつメリハリのある授業は、ダイナミックに歴史のストーリーを理解させてくれる。著者に『荒巻の世界史の見取り図』、監修書に『眠れなくなるほど面白い図解 地政学の話』などがある。

本作品は当文庫のための書き下ろしです。

だいわ文庫

紛争《ふんそう》から読《よ》む世界史《せかいし》
あの国《くに》の大問題《だいもんだい》を日本人《にほんじん》は知《し》らない

著者　荒巻豊志《あらまきとよし》

二〇二四年七月一五日第一刷発行
二〇二四年一一月二五日第二刷発行

発行者　佐藤 靖
発行所　大和《だいわ》書房
東京都文京区関口一-三三-四 〒一一二-〇〇一四
電話 〇三-三二〇三-四五一一

フォーマットデザイン　鈴木成一デザイン室
本文デザイン　菊地達也事務所
図版制作　神林美生
本文印刷　厚徳社
カバー印刷　山一印刷
製本　ナショナル製本

ISBN978-4-479-32097-5
乱丁本・落丁本はお取り替えいたします。
https://www.daiwashobo.co.jp